#시험대비
#핵심정복

7일 끝
중간고사
기말고사

Chunjae
Makes
Chunjae

[7일 끝] 중학 국어 노미숙 3-2

개발총괄 김덕유
편집개발 조은미, 김수나, 김보경
조판 풀굿(황민경)
제작 황성진, 조규영

발행일 2021년 6월 15일 초판 2021년 6월 15일 1쇄
발행인 (주)천재교육
주소 서울시 금천구 가산로9길 54
신고번호 제2001-000018호
고객센터 1577-0902
교재 내용문의 (02)3282-1752

※ 정답 분실 시에는 천재교육 홈페이지에서 내려받으세요.

노미숙 교과서

7일 끝으로 끝내자!

중학 국어 3-2

BOOK 1

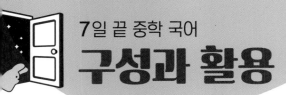

7일 끝 중학 국어
구성과 활용

시험 공부
시작

생각 열기

공부할 내용을 만화로 가볍게 살펴보며 학습을 준비해 보세요.

① 생각 열기 질문의 답을 생각하며 학습 목표를 떠올려 보세요.

② 공부할 내용을 살피며 핵심 학습 요소를 확인해 보세요.

본격
공부 중

교과서 **핵심 정리** + 기초 **확인 문제**

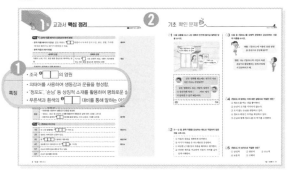

꼭 알아야 할 교과서 핵심 내용을 익히고 기초 확인 문제를 풀며 제대로 이해했는지 확인해 보세요.

① 빈칸 문제를 채우며 교과서 핵심 내용을 다시 한 번 체크해 보세요.

② 교과서 핵심과 관련된 기초 확인 문제를 풀며 공부한 내용을 확인해 보세요.

교과서 기출 베스트

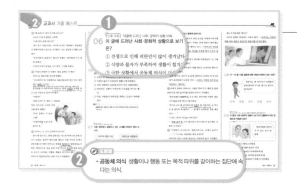

다양한 유형의 문제를 풀어 보며 공부한 내용을 점검해 보세요.

① 빈출 유형 문제를 풀며 시험에 자주 나오는 문제를 확인해 보세요.

② 도움말을 보며 시험에 잘 나오는 용어를 익히거나 문제 해결의 힌트를 얻어 보세요.

누구나 100점 테스트
앞에서 공부한 내용을 바탕
으로 기초 이해력을 점검해
보세요.

창의·융합·코딩 서술형 테스트
서술형 문제를 집중적으로
풀며 서술형 문제 적응력을
높여 보세요.

중간·기말고사 기본 테스트
시험 문제에 가까운 예상 문
제를 풀며 실전에 대비해 보
세요.

틈틈이·짬짬이 공부하기

단원별 필수 어휘를 담은 **필수 어휘 모아 보
기**를 보며 어휘력을 길러 보세요.

핵심 정리 총집합 카드를 휴대하며 이동하
는 중이나 시험 직전에 활용해 보세요.

(1) 문학의 다양한 해석_청포도

생각 열기 작품의 해석이 다양한 이유는 무엇일까?

1일 교과서 **핵심 정리**

📖 교과서 16~20쪽

핵심 1 | 문학 작품 해석의 다양성과 해석 방법

- **문학 작품 해석의 다양성**: 같은 작품도 ❶[   ] 방법이나 독자의 인식 수준, 관심, 경험, 가치관에 따라 해석이나 평가가 달라질 수 있음.

❶ 해석

- **문학 작품의 해석 방법**

내재적 관점	외재적 관점
작품의 소재, 구조, 표현 등을 중심으로 해석하는 방법	작가의 ❷[ ], 사회·문화적 배경, 작품이 독자에게 주는 의미 등을 중심으로 해석하는 방법

❷ 삶

- **주체적인 관점에서 작품 해석하기**

> - 작품을 읽고 내용을 정확하게 파악하기
> - 근거를 들어 작품을 해석하고 평가하기
> - 다양한 해석을 비교하며 해석과 근거의 ❸[   ]을 파악하기
> - 작품의 의미를 깊이 있게 이해하기

❸ 타당성

핵심 2 | 〈청포도〉 작품 개관

갈래	자유시, 서정시	성격	감각적, 상징적
제재	청포도		
주제	• 풍요롭고 평화로운 세계에 대한 소망 • 조국 ❹[ ]의 염원		
특징	• 의태어를 사용하여 생동감과 운율을 형성함. • '청포도', '손님' 등 상징적 소재를 활용하여 평화로운 삶에 대한 소망을 그려 냄. • 푸른색과 흰색의 ❺[ ] 대비를 통해 말하는 이의 소망과 기대를 강조함.		

❹ 광복

❺ 색채

핵심 3 | 〈청포도〉의 구성

1연	내 고장 칠월에는 ❻[ ]가 익어 감.
2연	청포도 속에 꿈과 소망이 담김.
3연	흰 ❼[ ]가 밀려오기를 바람.
4연	청포를 입고 찾아온다고 한 ❽[ ]을 기다림.
5연	손님과 함께 청포도를 따 먹고 싶음.
6연	손님이 올 때를 대비함.

❻ 청포도

❼ 돛단배

❽ 손님

기초 확인 문제

01 다음 상황을 보고 나눈 대화의 빈칸에 들어갈 알맞은 말을 쓰시오.

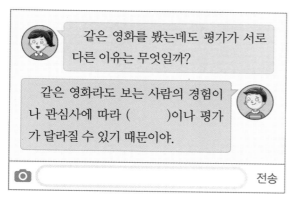

02 ⓐ~ⓓ 중, 문학 작품을 감상하는 태도로 적절하지 않은 것을 고르시오.

> ⓐ 작품의 내용을 정확하게 파악한다.
> ⓑ 작가가 작품을 쓴 의도대로만 감상한다.
> ⓒ 타당한 근거를 들어 작품을 해석하고 평가한다.
> ⓓ 다양한 해석을 비교하며 작품의 의미를 깊이 있게 이해한다.

03 다음 중 〈청포도〉를 내재적 관점에서 감상하려는 사람의 이름을 쓰시오.

> 예림: 〈청포도〉에 사용된 표현 방법을 중심으로 감상해 볼까?

> 정현: 나는 〈청포도〉의 시인이 독립 운동가로 활동했다는 점에 주목해서 감상하려고 해.

04 〈청포도〉의 말하는 이에 대한 설명으로 적절한 것은?

① 청포도를 먹는 것을 좋아한다.
② 손님이 오기를 기다리지 않는다.
③ 오지 않는 손님을 원망하고 있다.
④ 청포도에 담긴 추억을 회상하고 있다.
⑤ 손님과 함께 청포도를 따 먹기를 소망한다.

05 〈청포도〉의 성격으로 적절한 것은?

① 상징적   ② 영탄적   ③ 조소적
④ 교훈적   ⑤ 고백적

📖 교과서 16~21쪽

핵심 4 〈청포도〉에 나타난 색채 대비

푸른색 이미지(평화, 희망)	흰색 이미지(순수, 깨끗함)
청포도, 하늘, 푸른 바다, 청포	흰 돛단배, ❶ ☐☐☐, 하이얀 모시 수건

↓

평화롭고 아름다운 고향의 모습과 이를 기다리는 말하는 이의 ❷ ☐☐와 희망을 강조하여 보여 줌.

❶ 은쟁반

❷ 기대

핵심 5 〈청포도〉의 다양한 해석

작품 내적 요소 중심	평화로운 세상을 회복하고 싶은 ❸ ☐☐을 담은 시
작가 또는 현실 중심	조국 ❹ ☐☐의 염원과 의지를 보여 주는 시
독자 중심	기다림의 자세를 일깨워 주는 시

❸ 소망

❹ 광복

핵심 6 〈비가 오면〉의 구성

1연	• 온몸을 흔드는 나무 • 소리치는 나무
2연	• 빗방울을 퉁기는 나무 • 젖는 나무
3연	• ❺ ☐처럼 맞는 나무 • 죄를 씻는 나무

→

4연
그저 우산으로 가리고 마는 ❻ ☐☐

❺ 매
❻ 사람

핵심 7 〈비가 오면〉의 해석

• '……는 ❼ ☐☐가 있고'라는 표현을 반복하여 비를 맞는 나무들의 모습을 구체적으로 제시함.
• 마지막 연에서 비를 우산으로 가리는 인간의 모습을 제시함.

→

나무들과 달리 현실에 당당히 맞서지 않는 인간의 ❽ ☐☐한 태도를 반성하는 계기를 마련해 줌.

❼ 나무

❽ 비겁

06 ㉠, ㉡에서 느껴지는 이미지로 적절한 것은?

> 내 그를 맞아 이 포도를 따 먹으면
> 두 손은 함뿍 적셔도 좋으련
>
> 아이야 우리 식탁엔 ㉠은쟁반에
> ㉡하이얀 모시 수건을 마련해 두렴

① 춥고 고독한 이미지
② 어둡고 슬픈 이미지
③ 깨끗하고 순수한 이미지
④ 냉정하고 차가운 이미지
⑤ 섬세하고 부드러운 이미지

07 다음 〈청포도〉의 해석에 대해 적절한 댓글을 단 사람의 이름을 쓰시오.

> **〈청포도〉를 해석한 내용을 공유합니다!**
>
> 〈청포도〉는 광복을 기다리는 간절한 마음을 담아낸 작품이다. 왜냐하면 시인이 독립운동가로 활동했다는 점을 고려할 때, 말하는 이가 간절히 소망하는 대상인 '손님'을 '광복'으로 보는 것이 자연스럽기 때문이다.
>
> 댓글
>
> ↳ 서연: 시인이 독립운동가라는 점을 근거로 〈청포도〉가 광복을 염원하는 마음을 담고 있다고 해석했네요.
>
> ↳ 유정: 독자가 얻은 깨달음을 근거로 우리에게 기다림의 자세를 일깨워 주는 작품이라고 해석했네요.

08 다음은 〈청포도〉를 해석한 비평문의 일부이다. 빈칸에 들어갈 시어로 적절하지 <u>않은</u> 것은?

> 또한 이 시에서는 '( )'의 푸른빛과 '흰 돛단배, 은쟁반, 모시 수건'의 흰빛을 대비하여 드러내고 있다. 이와 같은 선명한 색채 대비는 평화롭고 아름다운 고향의 모습과 이를 기다리는 말하는 이의 기대와 희망을 강조하여 보여 준다.

① 청포도   ② 전설   ③ 하늘
④ 푸른 바다   ⑤ 청포

09 다음 중 〈비가 오면〉을 〈보기〉의 관점에서 해석한 사람의 이름을 쓰시오.

> ┤ 보기 ├
> 시의 표현을 중심으로 살펴봐야지.

윤아: 독자에게 나무와 달리 당당하지 못한 자신의 태도를 반성하게 해.

지훈: '……는 나무가 있고'라는 표현을 반복하여 비를 맞는 나무들의 모습을 구체적으로 표현하고 있어.

10 〈비가 오면〉에서 '나무'와 대조적인 태도를 보이는 대상으로 알맞은 것은?
① 이파리   ② 빗방울   ③ 매
④ 우산   ⑤ 사람

01~04 다음 글을 읽고 물음에 답하시오.

가 내 고장 칠월은
ㅡㄱ청포도가 익어 가는 시절

이 마을 전설이 주저리주저리 열리고
먼 데 ㄴ하늘이 꿈꾸며 알알이 들어와 박혀

하늘 밑 ㄷ푸른 바다가 가슴을 열고
흰 돛단배가 곱게 밀려서 오면

내가 바라는 손님은 고달픈 몸으로
ㄹ청포(靑袍)를 입고 찾아온다고 했으니

내 그를 맞아 이 포도를 따 먹으면
두 손은 함뿍 적셔도 좋으련

아이야 우리 식탁엔 ㅁ은쟁반에
하이얀 모시 수건을 마련해 두렴

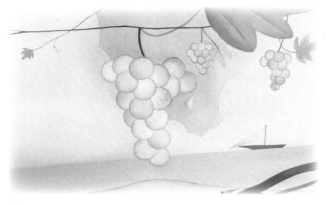

나 말하는 이는 고향을 청포도가 익어 가는 곳으로 그린다. 고향의 청포도는 '주저리주저리' 열려서 '알알이' 익어 가고 있다. 풍성하게 열려서 한 알, 한 알이 탐스럽게 익어 가는

'청포도'는 넉넉하고 여유로운 고향의 모습을 떠올리게 한다.

또한 이 시에서는 '청포도, 하늘, 푸른 바다, 청포'의 푸른 빛과 '흰 돛단배, 은쟁반, 모시 수건'의 흰빛을 대비하여 드러내고 있다. 이와 같은 선명한 색채 대비는 평화롭고 아름다운 고향의 모습과 이를 기다리는 말하는 이의 기대와 희망을 강조하여 보여 준다.

그렇다면 말하는 이가 기다리는 '손님'은 누구일까? '고달픈 몸'으로 찾아올 손님은 고향을 떠나 고단하게 떠돌며 살아온 사람일 것이다. 말하는 이는 '손님'과 함께 '청포도'를 먹기를, 고향의 풍요로움을 나누기를 바라고 있다.

01 (가)에 대한 설명으로 적절하지 <u>않은</u> 것은?
① 푸른색과 흰색의 색채 대비가 드러난다.
② 상징적인 소재를 활용하여 주제를 강조한다.
③ 말하는 이는 오지 않는 손님을 원망하고 있다.
④ 말하는 이는 평화롭고 풍요로운 세상이 오기를 소망한다.
⑤ 손님맞이를 준비하는 말하는 이의 정성스러운 태도가 드러난다.

도움말
· **상징** 표현하려는 추상적인 개념을 직접 드러내지 않고 구체적인 대상으로 나타내는 표현 방법.

빈출 유형 시어의 색채 이미지 파악
02 ㄱ~ㅁ 중, 시어에 드러나는 색채 이미지가 나머지와 <u>다른</u> 것은?
① ㄱ   ② ㄴ   ③ ㄷ
④ ㄹ   ⑤ ㅁ

03 (가)를 다음과 같이 해석할 때, 빈칸에 들어갈 알맞은 말을 2어절로 쓰시오.

> 시인이 독립운동가로 활동했다는 점을 고려할 때, 말하는 이가 간절히 기다리는 대상인 '손님'은 _____을 의미한다고 생각해.

04 다음 중 (나)를 참고하여 (가)를 해석한 내용으로 적절한 것은?

① 조국의 광복을 간절히 바라는 마음을 담은 시야.

② 현실에 대한 만족과 마음의 여유를 표현한 작품이야.

③ 독자에게 인내와 기다림의 자세를 일깨워 주는 작품이야.

④ 풍요롭고 평화로운 세상을 회복하기를 바라는 소망을 담은 시야.

⑤ 온갖 시련에도 불구하고 꿋꿋하게 살고자 하는 삶의 태도가 드러난 시야.

전송

05 ~ 06 다음 시를 읽고 물음에 답하시오.

비가 오면

온몸을 흔드는 나무가 있고

아, 아, 소리치는 나무가 있고

이파리마다 빗방울을 퉁기는 나무가 있고

다른 나무가 퉁긴 빗방울에

비로소 젖는 나무가 있고

비가 오면

매처럼 맞는 나무가 있고

죄를 씻는 나무가 있고

그저 우산으로 가리고 마는

사람이 있고

05 이 시에 대한 설명으로 알맞은 것은?

① 촉각적 심상을 주로 사용하고 있다.

② 대상을 예찬하는 태도가 드러나 있다.

③ 주제 의식이 직접적으로 드러나 있다.

④ 현실에 맞서는 인간의 모습을 보여 주고 있다.

⑤ 나무와 사람의 태도를 대조적으로 보여 주고 있다.

06 이 시를 다음과 같이 해석할 때, 그 근거로 적절한 것은?

> 이 시는 현실에 당당히 맞서지 못하는 태도를 반성하게 하는 계기를 마련해 주고 있어.

① 시의 표현   ② 작가의 삶

③ 시상 전개 방식   ④ 사회·문화적 배경

⑤ 독자에게 미친 영향

2일

(2) 문학, 시대의 거울_가난한 사랑 노래, 기억 속의 들꽃

생각 열기 작품이 창작된 사회·문화적 배경을 알면 어떤 도움이 될까?

저렇게 많은 별 중에 외계인이 사는 곳도 있겠지?

우주는 넓으니까 인류 말고도 다른 생명체가 있을 것 같아.

우주선에 외계인에게 보내는 메시지를 담아서 쏘아 올렸다는 이야기 들어 본 적 있어?

외계인에게 메시지를 보낸다고? 외계인이 어떤 언어를 사용하는지도 모르는데 어떻게 메시지를 보내?

우주선에 사진과 음성을 담은 재생기, 길이와 시간의 단위와 인간의 모습을 새긴 금속판을 실어서 보냈대.

그런 거라면 언어가 달라도 어느 정도는 이해할 수 있겠다.

딱

핵심 1   사회·문화적 배경을 바탕으로 작품 이해하기

- 등장인물의 말과 행동(말하는 이의 상황과 정서), 인물들 간의 관계, 주요 사건과 소재를 바탕으로 작품의 사회·문화적 ❶ ☐☐ 파악하기
- 작품의 사회·문화적 배경을 바탕으로 작품의 의미 파악하기
- 현재적 관점에서 작품 감상하기

❶ 배경

↓

- 작품의 전체적인 의미를 파악하는 데 도움이 됨.
- 현재의 ❷ ☐☐ 과 맥락에서 작품을 감상할 수 있음.

❷ 관점

핵심 2   〈가난한 사랑 노래〉 작품 개관

갈래	자유시, 서정시	성격	현실적, 감각적, 영탄적
주제	❸ ☐☐ 한 젊은이들의 아픈 사랑과 외로운 삶		
특징	• 시의 창작 의도를 ❹ ☐☐ 를 통해 간접적으로 드러냄. • 설의법을 반복적으로 사용하여 말하는 이의 정서와 주제를 강조함. • 다양한 감각적 심상을 통해 말하는 이의 정서를 구체적으로 표현함.		

❸ 가난

❹ 부제

핵심 3   〈가난한 사랑 노래〉의 구성

1~3행	'너'와 헤어져 돌아오는 길의 외로움	4~7행	고달픈 현실 생활의 두려움
8~11행	❺ ☐☐ 을 향한 그리움	12~15행	사랑하면서도 헤어질 수밖에 없는 아픔
16~18행	가난 때문에 모든 것을 버려야 하는 ❻ ☐☐☐		

❺ 고향

❻ 서러움

핵심 4   〈가난한 사랑 노래〉의 사회·문화적 배경과 창작 의도

부제	사회·문화적 배경이 드러나는 시구	사회·문화적 배경
이웃의 한 젊은이를 위하여	• 두 점을 치는 소리 • 방범대원의 호각 소리 • 육중한 기계 굴러가는 소리	→ 1970~1980년대 산업화 시기 ❼ ☐☐ 노동자의 힘겨운 삶

❼ 도시

↓

창작 의도	• 1970~1980년대 산업화 시기 도시 노동자의 고달픈 삶의 모습을 보여 주고자 함. • 열심히 일해도 가난하게 살 수밖에 없었던 젊은이들을 ❽ ☐☐ 하고자 함.

❽ 위로

기초 확인 문제

정답과 해설 5쪽

01 ㉠~㉣ 중, 문학 작품의 사회·문화적 배경을 파악하는 방법으로 적절하지 않은 것을 고르시오.

> ㉠ 등장인물의 말과 행동을 살펴본다.
> ㉡ 등장인물의 나이와 외모를 파악한다.
> ㉢ 주요 사건의 원인과 결과를 파악한다.
> ㉣ 시대적 배경이 드러나는 소재를 찾아본다.

02 다음 사회 관계망 서비스에 올라온 질문을 보고 빈칸에 들어갈 알맞은 말을 쓰시오.

> 문학을 왜 시대를 비추는 거울이라고 할까요? 아시는 분은 좀 알려 주세요!
>
> #문학 #시대 #거울
>
> ♡좋아요 7개 · ♀댓글 8개   공유하기
>
> ↳ 현정 문학 작품은 그것이 창작된 시대의 사회·문화적 (   )을 반영하기 때문이에요.
> ↳ 우림 거울을 보면서 자신의 모습을 인식하듯이, 문학 작품 속에 담겨 있는 시대를 통해 그 당시 삶의 모습을 구체적으로 이해할 수 있기 때문이에요.

03 〈가난한 사랑 노래〉의 말하는 이가 느끼는 정서로 적절하지 않은 것은?

① 외로움   ② 두려움   ③ 그리움
④ 서러움   ⑤ 즐거움

04 다음 질문에 대한 대답으로 적절한 것은?

> **질문이 있어요!**
>
> 〈가난한 사랑 노래〉는 어떤 사회·문화적 배경을 바탕으로 창작되었을까요?
>   ♥ ↱
> ↳ 도시에서 농촌으로 옮겨 가는 사람이 많았어요. ……………………………………①
> ↳ 전쟁이 일어나 피란을 다니는 사람이 많았어요. ……………………………………②
> ↳ 신분 사회의 부당함에 저항하는 사람이 많았어요. ………………………………③
> ↳ 도시에서 힘겨운 삶을 살아가는 노동자가 많았어요. ……………………………④
> ↳ 현실을 무시하고 무모한 일에 도전하는 젊은이가 많았어요. …………………⑤

05 〈가난한 사랑 노래〉의 주제로 적절한 것은?

① 고향을 잃고 떠도는 실향민들의 고통
② 사랑하는 이를 잃을지도 모른다는 공포
③ 산업화 시대 도시와 농촌의 새로운 풍경
④ 농촌 노동자들의 힘겹고 열악한 노동 환경
⑤ 가난한 젊은이들의 아픈 사랑과 외로운 삶

2일 교과서 핵심 정리

교과서 30~57쪽

핵심 5 〈기억 속의 들꽃〉 작품 개관

갈래	현대 소설, 단편 소설	성격	사실적, 상징적, 비극적, 회상적
배경	• 시간: 6·25 ❶ ☐☐	• 공간: 만경강 다리 부근의 어느 시골 마을	
주제	전쟁으로 인한 ❷ ☐☐☐ 상실의 비극		
특징	• 과거 회상의 형식으로 이야기가 전개됨. • ❸ ☐☐☐☐ 의 시선을 통해 전쟁의 비극성과 비인간성을 드러냄. • 상징적인 의미를 담고 있는 제목으로 주인공 명선이의 비극적 삶을 표현함.		

❶ 전쟁

❷ 인간성

❸ 어린아이

핵심 6 〈기억 속의 들꽃〉의 구성

발단 1	전쟁이 나고 '나'의 마을에 피란민이 끊임없이 오고 감.
발단 2	'나'는 누나, 할머니와 피란을 떠났다가 인민군을 보고 겁에 질려 집에 돌아옴.
전개 1	피란길에 혼자 남겨진 명선이는 '나'의 어머니에게 ❹ ☐☐☐ 를 내밀고 '나'의 집에서 살게 됨.
전개 2	기대와 달리 명선이는 놀고먹기만 하여 '나'의 부모님에게 미움을 삼.
위기	금반지의 출처를 묻는 추궁을 피해 집을 나간 명선이가 여자아이임이 밝혀짐.
절정	끊어진 다리 근처에서 놀던 명선이가 ❺ ☐☐☐ 폭음에 놀라 다리 아래로 떨어짐.
결말	'나'는 명선이가 떨어졌던 다리 끝에서 금반지를 발견하지만 놀라서 강물에 떨어뜨리고 맒.

❹ 금반지

❺ 비행기

핵심 7 〈기억 속의 들꽃〉에 드러난 사회·문화적 상황과 창작 의도

사회·문화적 상황	6·25 전쟁으로 ❻ ☐☐☐ 의 행렬이 끊이지 않고, 식량과 물자가 부족하여 생활이 힘겨워짐.

❻ 피란민

↓

피란민	부모님과 마을 사람들	명선이
피란을 다니면서 상황이 어려우면 동냥이나 도둑질을 하기도 함.	피란민을 대하는 인심이 각박해지고, 물질에 집착하며 탐욕스러워짐.	• 적극적이고 능청스럽고 당돌하게 행동함. • 전쟁으로 ❼ ☐☐☐ 을 잃고, 살아남기 위해 금반지의 출처를 숨김.

❼ 부모님

↓

창작 의도	• 전쟁 때문에 나타나는 인간성 상실을 강조하고자 함. • 삶을 힘겹고 황폐하게 만드는 전쟁과 그 때문에 이기적으로 변한 사람들의 모습을 ❽ ☐☐ 하고자 함.

❽ 비판

기초 확인 문제

06 ㉠~㉣ 중, 〈기억 속의 들꽃〉의 내용과 일치하는 것을 모두 고르시오.

> ㉠ 명선이는 피란길에 혼자 남겨졌다.
> ㉡ 명선이는 일부러 여자아이 행세를 했다.
> ㉢ 피란민을 대하는 마을 사람들의 인심이 각박해졌다.
> ㉣ 전쟁이 일어나 '나'는 부모님과 함께 피란을 떠났다.

07 〈기억 속의 들꽃〉의 줄거리를 고려하여 다음 빈칸에 들어갈 알맞은 말을 쓰시오.

명선이는 자신을 못마땅해하는 '나'의 어머니에게 (   )를 주고 '나'의 집에서 살게 되었다.

08 〈기억 속의 들꽃〉을 통해 작가가 전하려는 내용으로 적절한 것은?

① 전쟁의 원인
② 생존의 중요성
③ 전쟁 극복의 의지
④ 어린아이의 순수함
⑤ 전쟁으로 인한 인간성 상실

09 〈보기〉에서 알 수 있는 '녀석'의 성격으로 적절한 것은?

┌ 보기 ┐

"너희 엄마 집에 계시지?"
내가 잠시 어물거리는 사이에 녀석은 계속해서 계집애같이 앵앵거리면서 앞으로 다가왔다. 나는 얼김에 고개를 끄덕였다.
"엊저녁부터 굶었더니 배고파 죽겠다. 엄마한테 가서 밥 좀 달래자."
오히려 녀석이 앞장을 서고 내가 그 뒤를 따랐다.

① 차분하고 침착하다.
② 순진하고 소극적이다.
③ 당돌하고 적극적이다.
④ 배려심이 강하고 사려 깊다.
⑤ 이해타산적이고 욕심이 많다.

10 〈기억 속의 들꽃〉에 드러난 사회·문화적 상황이 등장인물들에게 미친 영향을 바르게 설명한 사람의 이름을 쓰시오.

하은: 명선이는 피란길에 부모님을 잃고 낯선 곳에서 살아남으려고 영악하고 뻔뻔하게 행동했어.

서준: '나'의 부모님은 피란길에 혼자가 된 명선이를 안타깝게 여기고 명선이를 보호하려고 했어.

01~04 다음 시를 읽고 물음에 답하시오.

가난한 사랑 노래

– 이웃의 한 젊은이를 위하여

가난하다고 해서 외로움을 모르겠는가

너와 헤어져 돌아오는

눈 쌓인 골목길에 새파랗게 달빛이 쏟아지는데.

가난하다고 해서 두려움이 없겠는가

두 점을 치는 소리

방범대원의 호각 소리 메밀묵 사려 소리에

눈을 뜨면 멀리 육중한 기계 굴러가는 소리.

가난하다고 해서 그리움을 버렸겠는가

어머님 보고 싶소 수없이 뇌어 보지만

집 뒤 감나무에 까치밥으로 하나 남았을

새빨간 감 바람 소리도 그려 보지만.

가난하다고 해서 사랑을 모르겠는가

내 볼에 와 닿던 네 입술의 뜨거움

사랑한다고 사랑한다고 속삭이던 네 숨결

돌아서는 내 등 뒤에 터지던 네 울음.

가난하다고 해서 왜 모르겠는가

가난하기 때문에 이것들을

이 모든 것들을 버려야 한다는 것을.

01 이 시를 읽고 떠올릴 수 있는 장면으로 적절하지 <u>않은</u> 것은?

> **댓글**
>
> ↳ 정윤 한 젊은이가 고향을 그리워하는 장면이 떠올랐어. ──────── ①
> ↳ 이재 한 젊은이가 눈 쌓인 골목을 쓸쓸히 걸어가는 장면이 떠올랐어. ──── ②
> ↳ 윤아 한 젊은이가 사랑하는 사람과 이별한 뒤 홀로 걸어가는 장면이 떠올랐어. ──── ③
> ↳ 주영 한 젊은이가 새벽에 일어나 밖에서 들려오는 소리에 귀를 기울이는 장면이 떠올랐어. ──────── ④
> ↳ 민욱 한 젊은이가 방범대원의 호각 소리를 들으며 사랑하는 이를 그리워하는 장면이 떠올랐어. ──────── ⑤

빈출 유형 사회·문화적 배경 파악

02 이 시가 창작된 사회·문화적 배경과 관련된 다음 기사를 참고하여 빈칸에 들어갈 알맞은 말을 쓰시오.

> 1960년대 후반 봉제 공장 800여 개가 밀집해 있던 평화 시장에는 2만여 명의 노동자가 일하고 있었는데 대부분 농촌 출신이었다. 학교를 다니며 미래를 꿈꿔야 할 10대 중반의 나이에, 환기 장치 하나 없고 햇빛조차 들지 않는 비위생적인 환경에서 하루에 14시간 이상 허리도 펴지 못하고 일했다.
>
> – 《한국일보》, 2014년 11월 7일 자

이 시의 부제에 나타난 '이웃의 한 젊은이'는 산업화 시대에 일자리를 찾아 고향을 떠나 열악한 환경에서 일해야 했던 도시 (   )이다.

빈출 유형 작품의 창작 의도 이해

03 다음은 이 시를 쓴 작가와의 가상 인터뷰이다. ㉠, ㉡에 들어갈 말을 바르게 짝지은 것은?

성현: 안녕하세요. 이 시의 창작 의도를 설명해 주실 수 있나요?

작가님: 산업화 시기에 (㉠)한 형편 때문에 고달픈 삶을 살아가야 했던 젊은이들을 (㉡)하고자 이 시를 썼습니다.

전송

	㉠	㉡
①	가난	위로
②	가난	배려
③	가난	묘사
④	부유	위로
⑤	부유	배려

빈출 유형 현재적 관점에서 작품 감상

04 다음은 이 시의 배경을 현재로 바꾸어서 감상한 내용이다. 빈칸에 들어갈 내용으로 적절한 것은?

이 시에 등장하는 이웃의 한 '젊은이'는 오늘날 _____ (으)로 볼 수 있겠어.

① 진로 문제로 고민하는 고등학생
② 고생 끝에 취업에 성공한 회사원
③ 학업으로 인해 어려움을 겪는 중학생
④ 경기력 향상을 위해 훈련하는 운동선수
⑤ 등록금 마련을 위해 편의점에서 일하는 대학생

05~07 다음 글을 읽고 물음에 답하시오.

㉮ 포성과 포성의 사이사이를 뚫고 피란민의 행렬이 줄지어 밀어닥쳤고, 마을에서 잠시 머물며 노독(路毒)을 푸는 동안에 그들은 옷가지나 금붙이 따위 물건을 식량하고 바꾸었다. 바꿀 만한 물건이 없는 사람들은 동냥을 하거나 훔치기

먼 길에 지치고 시달려서 생긴 피로나 병.

도 했다. 그러다가 전보다 더 많은 사람이 꽁무니에 포성을 매단 채 새롭게 밀어닥치면, 먼저 왔던 사람들은 들어올 당시와 마찬가지로 몇 가지 살림살이를 이고 지고 다시 홀연히 길을 떠났다.

㉯ 어른들은 피란민을 별로 달가워하지 않았다. 난생처음 들어 보는 별의별 이상한 사투리를 쓰는 그들이 사랑방이나 헛간이나 혹은 마을 정자에서 묵다 떠나고 나면 으레 집 안에서 없어지는 물건이 생긴다는 것이었다. 굶주린 어린애를 앞세워 식량을 애원하는 그들 때문에 어른들은 골머리를 앓곤 했다. 언제 끝날지 모르는 전쟁 때문에 뒤주 속에 쌀바가지를 넣었다 꺼내는 어머니의 인심이 날로 얄팍해져 갔다.

㉰ "얘."

생판 모르는 녀석이 간드러진 소리로 나를 부르고 있었다.

주제꼴은 꾀죄죄해도 곱살스러운 얼굴에 꼭 계집애처럼 생

변변하지 못한 몰골이나 몸치장.

긴 녀석이었다. 우선 생김새에서 풍기는, 어딘지 모르게 도시 아이다운 냄새가 나를 당황하도록 만들었다. 더구나 사람을 부르는 방식부터가 우리하고는 딴판이었다. 그처럼 교과서에서나 보던 서울 말씨로 나를 부르는 아이는 아직껏 마을에 한 명도 없었던 것이다.

라 "왜 놀라니? 내가 무서워 보이니?"

조금도 무섭지 않았다. [중략]

"너희 엄마 집에 계시지?"

내가 잠시 어물거리는 사이에 녀석은 계속해서 계집애같이 앵앵거리면서 앞으로 다가왔다. 나는 얼김에 고개를 끄덕였다.

"엊저녁부터 굶었더니 배고파 죽겠다. 엄마한테 가서 밥 좀 달래자."

오히려 녀석이 앞장을 서고 내가 그 뒤를 따랐다.

마 "아침상 퍼얼써 다 치웠다. 따른 집에나 가 봐라."

어머니는 얼음처럼 차갑게 말했다.

"사나새끼가 똑 지집맹키로 야들야들하게 생긴 것이 영락 없는 물뺀드기고만……."

<u>물맴이 등의 물에 사는 곤충을 가리키는 말의 사투리로, 반들거리는 사람을 이름.</u>

혼잣말을 구시렁거리며 어머니는 한껏 야멸찬 표정을 하고 도로 부엌으로 들어가려 했다.

<u>자기만 생각하고 남의 사정을 돌볼 마음이 거의 없는.</u>

"아줌마!"

이때 녀석이 또 예의 그 계집애처럼 간드러진 소리로 어머니를 불러 세웠다.

"따른 집에나 가 보라니께!"

"아줌마한테 요걸 보여 줄려구요."

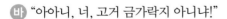

바 "아아니, 너, 고거 금가락지 아니냐!"

말이 채 끝나기도 전에 금반지는 어느새 어머니의 손에 건너가 있었다. 솔개가 병아리를 채듯이 서울 아이의 손에서 금반지를 낚아채어 어머니는 한참을 칩떠보고 내립떠보는가

<u>눈을 치뜨고 노려보고.</u>

하면, 혓바닥으로 침을 묻혀 무명 저고리 앞섶에 싹싹 문질러 보다가 나중에는 이빨로 깨물어 보기까지 했다. 마침내

<u>옷의 앞자락에 대는 섶.</u>

어머니의 얼굴에 만족스러운 미소가 떠올랐다.

---

05 이 글의 내용과 일치하지 <u>않는</u> 것은?

① '녀석'은 당돌하고 적극적인 성격이다.

② 어른들은 피란민을 달가워하지 않았다.

③ 어머니는 처음에 '녀석'을 반기지 않았다.

④ '나'는 '녀석'이 불쌍해서 집으로 데리고 왔다

⑤ '나'의 마을에는 피란민이 끊임없이 오고 갔다.

[빈출 유형] 작품에 드러난 사회·문화적 상황 이해

06 이 글에 드러난 사회·문화적 상황으로 보기 <u>어려운</u> 것은?

① 전쟁으로 인해 피란민이 많이 생겨났다.

② 식량과 물자가 부족하여 생활이 힘겨워졌다.

③ 극한 상황에서 공동체 의식이 더욱 강화되었다.

④ 피란민은 상황이 어려우면 도둑질을 하기도 했다.

⑤ 마을 사람들이 피란민을 대하는 인심이 야박해졌다.

🧭 도움말

• **공동체 의식** 생활이나 행동 또는 목적 따위를 같이하는 집단에 속해 있다는 의식.

[빈출 유형] 소재의 역할 이해

07 다음 대화에서 설명하고 있는 소재를 (바)에서 찾아 쓰시오.

'녀석'의 생존 수단이야.

이것으로 어른들의 환심을 사고 있어.

08~09 다음 글을 읽고 물음에 답하시오.

가 어느 날, 명선이는 부모가 죽던 순간을 나에게 이야기했다. 피란길에서 공습을 만나 가까운 곳에 폭탄이 떨어졌는데, 한참 정신을 잃었다가 깨어나 보니 ⓐ어머니의 커다란 몸뚱이가 숨도 못 쉴 정도로 전신을 무겁게 덮어 누르고 있더라는 것이었다.

"그래서 마구 소릴 지르면서 엄마를 떠밀었단다. 난 그때 엄마가 죽은 줄도 몰랐어."

그리고 명선이는 숙부네가 저를 버리고 도망치던 때의 이야기도 들려주었다.

"실은 말이지, 숙부가 날 몰래 내버리고 도망친 게 아니라 내가 숙부한테서 도망친 거야. ⓑ숙부는 기회만 있으면 날 죽일라구 그랬거든."

나 아버지 앞에서 어머니는 그동안 먹여 주고 재워 준 값과 금반지 한 개의 값어치를 면밀히 따지기 시작했다.

"천지신명(天地神明)을 두고 허는 말이지만 가한터 죄로 가지 않을 만침 헌다고 혔구만요."

"허기사 난리 때 금가락지 한 돈쭝은 똥 가락지여. 금 먹고
_{무게의 단위. 귀금속이나 한약재 등의 무게를 잴 때 씀.}
금 똥 싼다면 혹 몰라도…… 쌀 톨이 금쪽보담 귀헌 세상인디……."

"그러니 저녀르 작것을 어쩌지요?"

"ⓒ밥을 굶겨 봐. 지가 배고프고 허기지면 더 있으래도 지 발로 나가겄지."

다 "거짓말이 아니라구요. 참말이라구요. 길에서 놀다가……." / "너 이놈, 바른대로 대지 못허까!"

아버지의 호통 소리에 명선이는 비죽비죽 울기 시작했다.
ⓓ우는 명선이를 아버지는 또 부드러운 말로 달래기 시작했다.

"말은 안 혔어도 너를 친자식 진배없이 생각혀 왔다. 너 같
_{그보다 못하거나 다를 것이 없이.}
은 어린것이 그런 물건을 갖고 있으면은 덜 좋은 법이다. 이 아저씨가 잘 맡아 놨다가 후제 크면 줄 테니께 어따 숨
_{뒷날의 어느 때.}

겼는지 바른대로 대거라."

아무리 달래고 타일러도 소용이 없자, ⓔ아버지는 마침내 화를 버럭 내면서 명선이의 몸뚱이를 뒤지려 했다.

08 ⓐ~ⓔ 중, 다음 질문에 대한 대답과 관련이 있는 것은?

> 명선이는 왜 싸우다가 상대방의 밑에 깔리면 무서운 힘으로 떨치고 일어날까?

① ⓐ　　② ⓑ　　③ ⓒ　　④ ⓓ　　⑤ ⓔ

[빈출 유형] 사회·문화적 상황이 인물에게 미친 영향 파악
09 이 글의 사회·문화적 상황이 〈보기〉의 인물에게 미친 영향으로 적절한 것은?

┤ 보기 ├

> 명선이에게 금반지가 더 있는 것이 분명해.

① 계산적이고 탐욕스러워짐.
② 사회 문제에 대한 관심이 커짐.
③ 작은 일에도 놀라고 두려워하게 됨.
④ 사람들의 어려운 처지에 공감하게 됨.
⑤ 힘겨운 상황을 극복하기 위해 부지런해짐.

3일

1. 문학의 샘

선택 학습_토끼전, 내 마음의 풍금

생각 열기 근거의 차이에 따라 작품의 해석이 어떻게 달라질까?

교과서 **핵심 정리**

📖 교과서 60~67쪽

핵심 1 〈토끼전〉 작품 개관

갈래	고전 소설, 판소리계 소설, 우화 소설
성격	해학적, 풍자적, 우화적, 교훈적
배경	• 시간: 뚜렷하지 않음. • 공간: 수궁, 바닷속, 산속
제재	토끼의 ❶ ☐
주제	• 표면적: 헛된 욕심의 경계, 위기를 극복하는 ❷ ☐☐, 임금에 대한 ❸ ☐☐☐ • 이면적: 자신의 욕심을 채우려고 힘없는 백성을 희생시키는 지배층을 향한 비판
특징	• 동물을 ❹ ☐☐☐ 하여 인간 사회를 풍자함. • 창작 당시 사회에 대한 민중의 비판 의식이 드러남.

❶ 간

❷ 지혜

❸ 충성심

❹ 의인화

핵심 2 〈토끼전〉의 구성

처음	용왕의 병에 특효약인 토끼의 간을 구하려고 육지로 나간 별주부는 수궁에 가서 ❺ ☐☐을 하자고 토끼를 꼬드김.
중간	별주부의 꼬임에 넘어간 토끼는 수궁에 갔다가 위기에 처하지만, 육지에 간을 놓고 왔다고 거짓말을 하여 ❻ ☐☐를 모면함.
끝	육지로 돌아온 토끼는 자신을 속인 별주부를 혼낸 뒤 자신의 똥을 주어 돌려보내고, 토끼의 똥을 먹은 용왕은 병이 나음.

❺ 벼슬

❻ 위기

핵심 3 〈토끼전〉 속 등장인물이 상징하는 계층과 작품의 창작 의도

등장인물	상징하는 계층	창작 의도
토끼	❼ ☐☐	욕심이 많지만 침착하고 지혜로움. → 위기를 극복하는 지혜와 헛된 욕심을 경계하는 태도를 강조함.
용왕	지배층	권위적이고 이기적이며 어리석음. → 자신의 욕심을 채우려고 힘없는 백성을 ❽ ☐☐ 시키는 지배층을 비판함.
별주부	신하	우직하고 충성스럽지만 융통성이 없음. → 우직한 충성심과 융통성 있는 태도를 강조함.

❼ 백성(서민)

❽ 희생

기초 확인 문제

01 〈토끼전〉의 줄거리를 바탕으로 다음 빈칸에 들어갈 알맞은 말을 쓰시오.

(1) 토끼는 별주부의 꼬임에 넘어가 (   )에 가지만 지혜를 발휘하여 위기에서 벗어난다.

(2) 용왕은 자신의 병을 고치려고 토끼의 간을 얻으려 하지만 토끼에게 속아 토끼를 다시 (   )로 돌려보낸다.

(3) 토끼를 다시 육지로 데려다준 별주부는 토끼에게 속아 토끼를 놓치고, 토끼의 (   )을 가지고 수궁으로 돌아간다.

02 〈토끼전〉의 등장인물의 성격을 바르게 연결하시오.

(1)
토끼

(2)
용왕

(3)
별주부

· ㉠ 권위적이고 이기적이며 어리석음.

· ㉡ 욕심이 많지만 침착하고 지혜로움.

· ㉢ 우직하고 충성스럽지만 융통성이 없음.

03 〈토끼전〉에 대해 바르게 설명한 사람의 이름을 쓰시오.

주현: 〈토끼전〉은 토끼와 자라 등 동물을 의인화하여 인간 사회를 풍자한 소설이야.

희영: 〈토끼전〉은 창작 당시 사회에 대한 지배층의 반성적인 태도와 목소리를 담고 있어.

04 〈토끼전〉의 등장인물에 대한 설명으로 적절한 것은?

① 토끼: 수궁에 가기 전에 육지에 간을 놓고 왔다.

② 용왕: 토끼의 간을 먹고 병이 나았다.

③ 용왕: 토끼와 별주부에게 큰 상을 내리고 벼슬을 주었다.

④ 별주부: 임금에 대한 충성심이 부족하다.

⑤ 별주부: 토끼의 간이 아니라 똥을 가지고 수궁으로 돌아갔다.

05 다음 질문에 대한 적절한 대답이 되도록 괄호 안에서 알맞은 말을 고르시오.

용왕은 어떤 계층을 상징하나요? 
↳ 용왕은 자신의 욕심을 채우려고 힘없는 토끼를 희생시키는 (백성, 지배층)으로 볼 수 있어요.

핵심 4 〈내 마음의 풍금〉 작품 개관

갈래	시나리오		성격	서정적, 낭만적, 향토적
배경	• 시간: 1960년대 • 공간: 강원도 산골 마을 산리			
주제	산골 학교에 부임한 젊은 교사에 대한 17세 늦깎이 여학생의 순수한 ❶☐☐☐			
특징	• 인물의 행동과 ❷☐☐로 인물의 성격과 심리를 제시함. • 감정의 기복이나 두드러지는 사건이 없지만 잔잔한 감동을 줌. • 향토적인 배경과 일화를 바탕으로 ❸☐☐한 시골 마을의 모습을 표현함.			

❶ 짝사랑

❷ 대사

❸ 소박

핵심 5 〈내 마음의 풍금〉의 구성

발단	홍연은 총각 선생님 수하에게 한눈에 이끌림.
전개	홍연은 수하를 짝사랑하며 그의 주변을 맴돌지만, 수하는 그런 홍연의 마음을 대수롭지 않게 생각함.
절정	수하가 동료 교사 은희와 가까이 지내는 모습을 보고 홍연은 괴로워함.
하강	수하는 약혼자를 따라 유학을 떠난 은희 때문에 괴로워하지만 홍연은 기뻐함.
대단원	수하가 학교를 떠나며 홍연과 수하는 이별하지만, 먼 훗날 둘은 ❹☐☐가 되어 함께함.

❹ 부부

핵심 6 〈내 마음의 풍금〉에 나타난 사회·문화적 배경

작품 속 1960년대 학생들의 생활상
• 다양한 ❺☐☐의 아이들이 섞여서 한 교실에서 수업을 들었음. • 집에 아기를 봐 줄 사람이 없어서 학교에 ❻☐☐을 데려오는 학생도 있었음. • 학생들이 도시락을 싸서 학교에 다니고, 도시락을 '벤또'라고 부름. • 소풍을 갈 때에는 김밥 도시락과 다양한 간식을 챙겨 가고, 학생들이 선생님의 도시락을 싸 가기도 했음. • ❼☐은 귀한 손님에게나 대접할 수 있는 특별한 음식이었음.

❺ 연령(나이)

❻ 동생

❼ 닭

핵심 7 〈내 마음의 풍금〉의 사회·문화적 배경과 분위기

사회·문화적 배경		
1960년대 강원도 산골 마을	➡	• 순박함과 ❽☐☐☐이 느껴짐. • 아련한 향수가 느껴짐. • 홍연의 짝사랑이 풋풋하게 느껴짐.

❽ 순수함

기초 확인 문제

06 〈보기〉를 참고할 때, 〈내 마음의 풍금〉의 갈래로 알맞은 것은?

> ┤ 보기 ├
> 〈내 마음의 풍금〉에서는 인물의 행동과 대사로 인물의 성격과 심리를 제시하고 있다.

① 시　　　　　　　② 소설
③ 수필　　　　　　④ 논설문
⑤ 시나리오

07 〈보기〉에서 알 수 있는 홍연의 속마음으로 적절한 것은?

> ┤ 보기 ├
> • 우연히 만난 수하에게 설렘을 느낀다.
> • 소풍날 닭을 잡아 수하의 도시락으로 싸 가려고 한다.

① 수하를 좋아한다.
② 엄마에게 효도하려고 한다.
③ 공부를 열심히 하고 싶어 한다.
④ 소풍날 닭고기를 먹고 싶어 한다.
⑤ 친구들에게 맛있는 것을 주고 싶어 한다.

08 〈내 마음의 풍금〉의 주제로 알맞은 것은?

① 어린 시절의 추억
② 고향에 대한 아련한 그리움
③ 이루지 못한 사랑의 안타까움
④ 산골 마을의 정답고 평화로운 모습
⑤ 총각 선생님에 대한 늦깎이 여학생의 순수한 사랑

09 다음 장면에서 알 수 있는 당시의 생활상으로 적절한 것은?

> 수하: 어허! 거기, 선생님 얘기 안 들리느냐?
>
> 짝 강주, 홍연의 옆구리를 푹 찌르자.
>
> 홍연: (기어드는 소리로) 지 동생인데요……, 집에 봐 줄 사람이 없어서…….
>
> 수하, 하는 수 없다는 듯 한숨을 내쉰다.

① 동생을 학교에 데려오기도 했다.
② 아기 엄마가 학교에 다니기도 했다.
③ 각자 집에서 점심 도시락을 싸 왔다.
④ 다양한 연령의 아이들이 함께 공부했다.
⑤ 소풍을 갈 때에는 다양한 간식을 가져갔다.

10 〈내 마음의 풍금〉의 배경이 작품의 분위기에 미친 영향을 바르게 설명한 사람의 이름을 쓰시오.

지연: 인물 사이의 갈등을 더욱 뚜렷하게 해 주고 있어.

준영: 작품 전반에 순박함과 순수함을 더해 주는 것 같아.

01~05 다음 글을 읽고 물음에 답하시오.

가 **앞부분의 줄거리** 남해 용왕이 병에 걸렸는데 토끼의 간이 약이 된다고 하여 별주부가 토끼를 찾으러 육지로 간다. 별주부는 높은 벼슬을 주겠다는 말로 토끼를 꾀어 수궁으로 데리고 온다.

나 그 사이 용왕은 병이 더욱 깊어져 움직이지를 못했는데, ㉠토끼를 보고는 새 정신이 왈칵 솟았다. 용왕은 창문을 열어 큰 소리로 토끼에게 분부를 내렸다.

"과인은 옥황상제의 명을 받아 이 남해를 지켜 왔다. 또 인간에게는 비를 주고, 바다의 생물을 위하여 은혜를 널리 베풀며 열심히 살아왔다. 그러다가 우연히 병을 얻게 되어 오늘에 이르렀구나. 토끼의 간이 아니면 다른 약이 없는 처지에 별주부가 충성심을 발휘해 그 험한 육지에 가서 너를 잡아 왔느니라.

네 간을 내어 먹고 짐의 병이 낫는다면, 토끼 너의 공을 어찌 잊겠느냐. 우리 용궁 최고의 건축물인 기린각 능운대에 네 이름을 새겨 길이 보존할 것이다. 그게 아니면 네가 원하는 것은 다 이루어 주마. ㉡목숨을 바쳐 명분을 이루는 것 또한 의미 있는 삶이 아니겠느냐. 그러니 조금도 서러워하지 말고 어서 칼을 받거라."

다 "용왕님, 제가 아뢸 터이니 잘 들으십시오. 인간 세상에 가면 흔하디흔한 게 저 같은 작은 목숨입니다. 언제 독수

리 밥이 될지 사냥개 반찬이 될지 누가 알겠습니까. 사냥꾼이 쳐 놓은 그물에 걸리든 화총 불에 타든 어찌하든 죽는 거야 시간문제이지요. 그렇게 죽고 나면 세상에 살다 간 저를 누가 기억해 주겠습니까?

제가 배 속의 간이라도 내어 대왕의 병을 고치는 데 쓴다면, 설령 병이 낫지 않더라도 저의 아름다운 이름을 오랫동안 전하게 될 것이니까요. 게다가 행여라도 병환이 나으면 대왕 덕택에 기린각 능운대에 새겨진 저의 이름을 후세에 전할 테니 천재일우(千載一遇)가 따로 없겠지요. 그
<small>천 년 동안 단 한 번 만난다는 뜻으로, 좀처럼 만나기 어려운 좋은 기회를 이르는 말.</small>
런데 이 방정맞은 것이 그만 간 없이 왔사오니 절통하기가
<small>뼈에 사무치도록 원통하기가.</small>
그지없나이다."

㉢용왕이 기막혀하며 껄껄껄 크게 웃었다.

라 "대왕처럼 그 높은 지위에도 그토록 무식하니 어찌 웃지 않겠습니까? 제 간이 몸 안팎을 드나드는 것은 ㉣젖내 나는 세 살짜리 아이부터 지팡이 짚고 다니는 노인까지 다 아는 일입니다. [중략]

그때 제 간을 빼내 파초잎에 곱게 싸서 낭야산 최고봉에 우뚝 선 노송 가지에 높이 매달아 놓고 모임에 나갔다가 저 별주부를 만나 곧바로 따라왔습니다. 다음 달 초 하룻날이나 되어야 배 속에 다시 넣을 간을 어찌 가져올 수 있었겠습니까?"

용왕이 들어 보니 이치가 그럴듯했다.

마 **중간 부분의 줄거리** 용왕은 토끼의 말에 넘어가 주변 신하들의 반대에도 ㉤토끼에게 성대한 잔치를 열어 준 뒤 별주부와 함께 육지로 나가 간을 찾아오도록 한다.

01 이 글의 내용과 일치하는 것은?

① 별주부는 토끼에게 진실만 말했다.

② 토끼는 수궁에 가자마자 극진한 대접을 받았다.

③ 토끼는 용왕의 병을 고치기 위해 수궁으로 갔다.

④ 토끼는 지금은 간이 없다는 거짓말을 하여 위기를 모면했다.

⑤ 용왕은 자신을 위해 죽어야 하는 토끼에게 미안함을 느꼈다.

02 ㉠~㉤에 대한 설명으로 적절하지 <u>않은</u> 것은?

① ㉠: 토끼의 간으로 자신의 병을 치료할 수 있을 것이라고 기대하고 있다.

② ㉡: 용왕이 간을 얻기 위해 토끼를 설득하려고 하는 말이다.

③ ㉢: 용왕이 토끼의 말을 믿지 않고 있다.

④ ㉣: 용왕에게 자신의 간이 몸 안팎으로 드나드는 것은 모두가 아는 사실이라고 거짓말하고 있다.

⑤ ㉤: 토끼의 꾀를 꿰뚫어 보는 용왕의 지혜로움이 드러난다.

03 (나)의 상황에서 토끼의 심리로 적절하지 <u>않은</u> 것은?

① 별주부에게 속았구나!

② 이 위기를 벗어나야 해!

③ 벼슬 욕심을 내지 말걸 그랬어!

④ 거짓말을 해서라도 탈출해야겠어!

⑤ 용왕이 나을 수 있도록 내 간을 줘야겠어!

빈출 유형 작품의 창작 의도 파악

04 이 글의 주제를 다음과 같이 정리할 때, 빈칸에 들어갈 알맞은 말을 쓰시오.

이 작품에서 용왕은 권력을 이용해 자신의 욕심만을 채우려 하고 있어. 이러한 점에 비추어 볼 때 이 작품의 주제는 자신의 욕심을 채우려고 힘없는 백성을 희생시키는 지배층을 향한 (   )이라고 할 수 있어.

빈출 유형 근거를 들어 등장인물 평가

05 근거를 들어 이 글의 등장인물을 평가한 내용으로 적절하지 <u>않은</u> 것은?

① 높은 벼슬을 주겠다는 말에 넘어가 욕심을 부리다 죽을 뻔했으니 토끼는 어리석은 인물이야.

② 하지만 위기 상황에서 꾀를 내어 탈출했으니 지혜로운 인물이라고 볼 수도 있어.

③ 용왕은 이기적인 인물이야. 자신의 욕심을 위해 힘없는 백성을 희생시키려 했잖아.

④ 별주부도 용왕을 살리기 위해 토끼를 속이고 해치려 했다는 점에서 부정적인 인물이라 생각해.

⑤ 하지만 토끼의 목숨을 지켜 주려고 한 점에서 별주부를 긍정적으로 평가할 수도 있어.

전송

06~10 다음 글을 읽고 물음에 답하시오.

가 노인: (나지막이) 강주야! 할배가 벤또 가지고 왔다! 우리
도시락.
강주 어딨노?

아이들의 시선을 받고 얼굴이 시뻘게져 와락 책상에 얼굴을
묻는 강주.

문가로 다가간 수하.

수하: 오셨어요, 어르신! 저 강주 담임 선생입니다.

노인: 하이고마! 욕 보시우. 우리 강주가 메눌애한테 식전부
터 혼나서 아침도 굶고 갔지 뭔교. 어린것이 얼매나 배가
고플꼬…….

킥킥대는 아이들에, 얼굴을 발딱 일으켜 세운 강주.

강주: 할배야! 나 배 하나도 안 고프다! 그라니 퍼뜩 가라!

수하: 강주야, 그러면 쓰나! 어서 와서 받으렴.

강주: …….

수하: 어서!

나 #38 복도(오후)

놀라 창문에서 떨어져 재빨리 돌아서는 홍연의 어깨 너머로
들리는.

수하: (소리) 어? 너 홍…… 단이 아니냐?

홍연: (낯 붉히며 돌아서서) 저…… 선생님…… 저…….

수하: ……?

홍연: 전 홍단이가 아니라, 홍연인데요. 윤홍연.

수하: 아, 미, 미안! 선생님이 아직 이름을 다 못 익혀서…….

홍연: …… 괜찮아요, 선생님. 전 다 이해해요.

수하: (으잉?) …… 근데, 여태 집에 안 가구 뭐 하는 거냐?

홍연: 저…… 벤또를 놓구 가서요.

수하: 허어, 그래. 얼른 찾아보거라.

돌아서는 수하에 홍연은 어쩔 수 없이 도시락 찾는 척 교실로

들어서려는데.

홍연이 발걸음을 옮길 때마다 둘러맨 책보 속 빈 도시락에서
수저가 맞부딪치며 내는 달그락거리는 소리. 의아한 얼굴로 돌
아보는 수하에 놀라 얼른 멈춰 서는 홍연, 얼굴이 빨개진다.

다 #102 홍연네 안방(이른 아침)

앞다투어 자투리 김밥에 손을 대는 고사리손.

홍연: (동생들의 손목을 치는) 그만들 좀 먹어라! 도시락 쌀 게
없잖아.

홍연 엄마: 동생들 입은 입이 애인 줄 암매?

김밥을 말고, 썰고 하며 도시락에 차곡차곡 담아 넣던 홍연 엄
마, 홍연을 도끼눈을 해 본다. 못 본 척 사이다, 양갱, 크림빵, 삶
은 달걀, 물통 등을 배낭에 차곡차곡 챙겨 넣는 홍연. 마지막으
로 새로 산 흰 운동화를 신고 거울 앞에 서서 이리저리 모양을
살핀다.

라 홍연: 엄마…… 김밥만 가지곤 좀 부족하지 않을까?

홍연 엄마: 선상님 점심 싸 가는 게 어디 니 하나뿐이겠음매?

홍연: 그러지 말구…… 엄마, 우리 닭 한 마리만 잡자!

홍연 엄마: 무시기?

홍연 엄마, 확 밀치면 뒤로 나자빠지는 홍연.

홍연 엄마: 이거 소풍 가는 게 아이라, 무슨 나라님 진상 가는
진귀한 물품이나 지방의 토산물 등을 임금이나 지위가 높은 관리 등에게 바침.
줄 암매?

06 이 글에 대한 설명으로 적절하지 <u>않은</u> 것은?

① 영화 제작을 위한 시나리오이다.

② 소박한 시골 마을을 배경으로 한다.

③ 인물의 행동과 대사로 인물의 심리를 드러냈다.

④ 사투리를 사용하여 향토적인 분위기를 형성한다.

⑤ 다양한 사건을 통해 인물 간의 갈등이 드러난다.

📎 도움말
• 향토적 고향이나 시골의 정취가 담긴 것.

07 이 글의 내용과 일치하는 것은?

① 수하는 홍연의 이름을 정확히 알고 있다.

② 홍연은 수하에게 거짓말을 했다가 들통난다.

③ 수하는 홍연이 자신을 좋아하는 것을 눈치챈다.

④ 홍연 엄마는 수하를 좋아하는 홍연의 마음을 모른 척한다.

⑤ 강주는 자신을 찾아 학교에 온 할아버지를 보고 미안함을 느낀다.

🔖 빈출 유형 인물의 심리 파악

08 〈보기〉에서 알 수 있는 홍연의 속마음을 다음과 같이 정리할 때, 빈칸에 들어갈 알맞은 말을 쓰시오.

┤ 보기 ├

엄마…… 김밥만 가지곤 좀 부족하지 않을까? 그러지 말구…… 엄마, 우리 닭 한 마리만 잡자!

당시 귀한 손님에게만 대접하던 (   )을 잡아서 수하의 점심으로 싸 가려는 것으로 보아 홍연은 수하를 좋아하고 있어.

🔖 빈출 유형 작품에 드러난 당대의 생활상 파악

09 이 글에 나타난 당대의 생활상으로 알맞지 <u>않은</u> 것은?

① 등교할 때 도시락을 싸 가지고 다녔다.

② 닭은 평소에 먹기 어려운 특별한 식재료였다.

③ 일본어 사용 습관이 일상 언어에 남아 있었다.

④ 간식을 준비하지 못해 소풍을 못 가는 학생이 많았다.

⑤ 소풍 갈 때 학생들이 선생님의 도시락을 싸 가기도 했었다.

10 이 글에 이어지는 내용이 다음과 같을 때, ㉠에서 짐작할 수 있는 내용으로 적절한 것은?

#103 홍연네 뒷마당(잠시 후)

모이를 쪼며 마당을 오가는 닭의 수를 세고 선 홍연 엄마.

㉠고개를 갸웃거리며 다시 처음부터 세기 시작한다.

① 홍연 엄마가 닭을 잃어버렸다.

② 홍연이 엄마 몰래 닭을 잡아 동생들과 먹었다.

③ 홍연 엄마가 닭을 잡아 선생님에게 드릴 도시락을 쌌다.

④ 홍연이 닭을 잡아 갈까 봐 걱정한 동생이 닭을 감추었다.

⑤ 홍연이 수하의 도시락으로 싸 가려고 닭을 몰래 가져갔다.

4일

2. 너의 생각, 나의 생각
(1) 비교하며 읽기

생각 열기 관점의 차이를 파악하며 글을 읽으면 어떤 점이 좋을까?

핵심 1 비교하며 읽기

동일한 화제를 다룬 글의 관점이나 형식이 다양한 이유
• 글쓴이의 가치관, 지식, 경험에 따라 화제에 대한 ❶ [ ]이 달라질 수 있음.
• 글쓴이는 자신의 ❷ [ ]를 효과적으로 전달하기 위해 더 적절한 형식을 선택하여 표현함.

❶ 관점
❷ 의도

↓

동일한 화제를 다룬 여러 글을 비교하며 읽기의 효과
• 대상을 다양한 ❸ [ ]으로 바라보게 되어 좁은 시각에서 벗어나 글을 폭넓고 깊이 있게 이해할 수 있음.
• 화제와 관련한 다른 사람들의 생각을 알아보고, 자신의 생각을 정리하는 데 도움이 됨.
• 다양한 글의 ❹ [ ]을 살펴보고 주제를 효과적으로 전달하는 방법을 생각해 볼 수 있음.

❸ 시각

❹ 형식

핵심 2 〈젓가락으로 시작하는 밥상머리 교육〉 글의 개관

갈래	칼럼(논설문)	성격	설득적, 논리적
화제	올바른 젓가락질		
주제	올바른 ❺ [ ]을 가르쳐야 한다.		
특징	• 젓가락질이 서투른 젊은이를 보며 든 생각을 바탕으로 내용을 전개함. • 젓가락질 ❻ [ ]의 숨겨진 힘과 올바른 젓가락질의 효과를 근거로 제시하여 자신의 주장을 뒷받침함.		

❺ 젓가락질

❻ 동작

핵심 3 〈젓가락질 잘해야만 밥 잘 먹나요〉 글의 개관

갈래	칼럼(논설문)	성격	설득적, 논리적
화제	올바른 젓가락질		
주제	젓가락질을 잘 못해도 괜찮다.		
특징	• 글의 도입 부분에서 ❼ [ ] 젓가락질과 식사 예절에 관한 의문을 제기함. • 전문가의 견해를 ❽ [ ]하고 우리 민족의 전통적인 식습관과 풍속화 등 구체적인 근거를 들어 자신의 주장을 뒷받침함.		

❼ 표준

❽ 인용

기초 확인 문제

정답과 해설 **9쪽**

01 다음 빈칸에 들어갈 알맞은 말을 쓰시오.

(1) 동일한 ( )를 다룬 글이라 해도 글쓴이의 가치관, 지식, 경험에 따라 글의 관점이 달라질 수 있다.

(2) 동일한 화제를 다룬 여러 글을 읽을 때에는 ( )과 ( )의 차이를 파악해야 한다.

(3) 동일한 화제를 다룬 여러 글을 ( )하며 읽으면 화제와 관련된 자신의 관점을 정리하는 데 도움이 된다.

02 다음 댓글 내용을 바탕으로 빈칸에 들어갈 알맞은 말을 쓰시오.

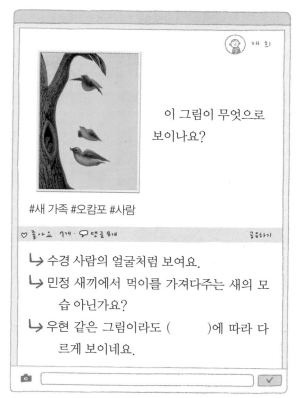

↳ 수경 사람의 얼굴처럼 보여요.
↳ 민정 새끼에게서 먹이를 가져다주는 새의 모습 아닌가요?
↳ 우현 같은 그림이라도 ( )에 따라 다르게 보이네요.

03 다음 중 비교하며 읽기의 효과를 바르게 설명한 사람의 이름을 쓰시오.

정연: 글을 폭넓고 깊이 있게 이해할 수 있어.

율빈: 좁은 시각에서 대상을 구체적으로 바라볼 수 있어.

04 〈젓가락으로 시작하는 밥상머리 교육〉과 〈젓가락질 잘해야만 밥 잘 먹나요〉의 성격으로 알맞은 것은?

① 희망적 ② 풍자적 ③ 설득적
④ 냉소적 ⑤ 긍정적

05 다음 빈칸에 들어갈 알맞은 말을 4음절로 쓰시오.

〈젓가락으로 시작하는 밥상머리 교육〉과 〈젓가락질 잘해야만 밥 잘 먹나요〉에는 '올바른 ( )'이라는 공통 화제에 대한 관점의 차이가 드러난다.

4_일 교과서 **핵심 정리**

圖圖 교과서 88~96쪽, 122~125쪽

핵심 4 〈젓가락으로 시작하는 밥상머리 교육〉과 〈젓가락질 잘해야만 밥 잘 먹나요〉의 구성

	〈젓가락으로 시작하는 밥상머리 교육〉	〈젓가락질 잘해야만 밥 잘 먹나요〉
처음	한 젊은이의 서투른 젓가락질을 봄.	표준 젓가락질에 대한 ❶ ☐☐ 을 제기함.
중간	• 올바른 젓가락질 가르치기가 밥상머리 교육의 출발임. • 젓가락질은 ❷ ☐ 를 자극하는 동작이며, 손가락 관절과 근육 발달에 도움이 됨. • 쇠젓가락 사용과 정교한 젓가락질 덕분에 우리나라의 손 기술이 세계적인 수준으로 인정받고 있음.	• 젓가락을 쥐는 데 완벽한 표준은 없음. • 한중일 공통의 젓가락질 방식은 오랜 기간 인류가 지혜를 모은 것일 뿐임. • 젓가락질을 잘하는지 따지는 것은 일본에서 들어온 풍속임. • 한국 문화에서는 ❸ ☐☐☐ 이 더 중요했음.
끝	올바른 젓가락질 교육으로 세계적인 인재를 양성하기를 ❹ ☐☐ 함.	젓가락질이 서투르다는 이유로 비난받을 이유가 없음.

❶ 의문
❷ 뇌
❸ 숟가락
❹ 기대

핵심 5 동일한 화제를 다루는 두 글의 관점 비교

〈젓가락으로 시작하는 밥상머리 교육〉		〈젓가락질 잘해야만 밥 잘 먹나요〉
• 젓가락질을 정확하게 해야 한다. • 올바른 젓가락질을 가르쳐야 한다.	↔	• 젓가락질을 잘 못해도 괜찮다. • ❺ ☐☐ 젓가락질은 존재하지 않는다.

❺ 표준

선택 학습

핵심 6 카드 뉴스와 글의 관점 및 형식 비교하기

〈스포츠 '기술 도핑' 논란〉	〈첨단 기술의 승리? 신종 도핑 반칙?〉
갈래: ❻ ☐☐☐☐	갈래: 칼럼(논설문)
• 다양한 시각 자료를 활용해 독자의 흥미를 끎. • 핵심 정보가 간결하게 요약되어 있어 주제를 한눈에 파악하기 쉬움. • 장면 사이에 생략된 내용이 많아 전체적인 흐름을 한번에 이해하기 어려움.	• 복잡한 내용을 자세하고 분명하게 전달함. • 다양한 근거와 사례를 충분히 제시하여 내용을 ❼ ☐☐ 적으로 전개함. • 휴대 전화 화면, 컴퓨터 화면 등으로 읽을 때에는 읽기 불편함.

❻ 카드 뉴스
❼ 논리

↓

스포츠에 ❽ ☐☐ 기술을 도입하는 것에 대한 논의가 필요함.

❽ 과학

06 다음 글에 나타난 관점을 바르게 연결하시오.

(1) 〈젓가락으로 시작하는 밥상머리 교육〉 ·

· ㉠ 젓가락질을 잘 못해도 괜찮다.

(2) 〈젓가락질 잘 해야만 밥 잘 먹나요〉 ·

· ㉡ 올바른 젓가락질을 가르쳐야 한다.

07 ⓐ~ⓒ 중, 〈보기〉의 관점을 뒷받침할 수 있는 적절한 근거를 고르시오.

> ┤ 보기 ├
>
> 올바른 젓가락질을 가르쳐야 한다.

> ⓐ 젓가락질은 뇌를 자극하는 동작이다.
> ⓑ 젓가락을 쥐는 데 완벽한 표준은 없다.
> ⓒ 한국 문화에서는 숟가락이 더 중요했다.

08 다음 빈칸에 들어갈 알맞은 말을 2어절로 쓰시오.

> _____는 사진이나 그림 등의 시각 자료에 짧은 글이 더해진 형식이야. 주로 휴대 전화 화면, 컴퓨터 화면 등에서 장면을 한 장씩 넘기거나 내리면서 읽지.

09 다음 중 '올바른 젓가락질'에 대해 〈보기〉와 동일한 관점을 지닌 사람의 이름을 쓰시오.

> ┤ 보기 ├
>
> 젓가락질을 잘 못하신다고요? 그래서 "젓가락질 못 배웠냐?"라고 구박을 받으신다고요? 그럴 때에는 당당히 이야기하세요. "한국인의 얼은 숟가락에 담습니다."라고.

준수: 올바른 젓가락질은 기본적인 식사 예절이라고 생각해.

지혜: 젓가락질이 서투르다는 이유로 비난받을 이유는 없다고 생각해.

10 '기술 도핑'과 관련된 다음 카드 뉴스의 특징으로 적절한 것은? (정답 2개)

① 글로만 정보를 전달한다.
② 다양한 시각 자료를 활용한다.
③ 복잡한 내용을 자세하게 전달한다.
④ 핵심 정보가 간결하게 요약되어 있다.
⑤ 상녀 사이에 생략된 내용이 없어서 한번에 이해하기 쉽다.

4일 교과서 기출 베스트

01~03 다음 글을 읽고 물음에 답하시오.

가 ㉠'젓가락질 참 특이하게 하네. 저러면 음식을 제대로 집을 수 있나?'

얼마 전 식당에서 한 젊은이가 젓가락질하는 모습을 보면서 든 생각이다. 손가락 사이에 끼워진 젓가락은 한 치의 공간도 없이 서로 딱 붙어 있었다. 젓가락으로 반찬을 집어 먹는 것이 아니라 끼워 먹는 수준이었다.

최근 밥상머리 교육이 주목받고 있다. ㉡자녀의 인성과 학업에 유익하다는 이유 때문이다. 어른과 함께 식사하는 밥상머리에는 삶의 지혜가 풍성했다. 밥상머리에서는 올바른 식습관과 인성 함양이 저절로 이루어졌다. 그러나 밥상머리 교
<u>능력이나 품성 등을 길러 쌓거나 갖춤.</u>
육을 강조하면서도 가장 기본적인 젓가락질 교육은 놓치고 있는 듯하다.

밥상머리 교육의 출발은 젓가락질 가르치기였다. 젓가락질을 못하면 못 배웠다는 흉을 들을 정도로 엄격히 가르쳤다. 그러므로 젓가락질하는 것만 보아도 밥상머리 교육을 제대로 받았는지 판단할 수 있었다. 그런데 요즘 어린이들은 어떤가. 서투른 젓가락질 때문에 후루룩거리며, 흘리며 먹는 경우가 많다. 기업들이 이런 사정을 눈치채고 젓가락질을 어려워하는 어린이들을 겨냥한 기능성 젓가락을 개발했다. 기능성 젓가락은 젓가락을 변형하여 젓가락질을 쉽게 하도록 만든 것이다. 하지만 이러한 기능성 젓가락은 편리함만 추구하고, 젓가락의 숨겨진 힘은 깨닫지 못한 장난처럼 보인다.

나 식사할 때마다 젓가락질 때문에 어른들에게 한 소리씩 듣는다는 친구는 하소연합니다. 젓가락질을 못 배워도 밥만 잘 먹는다고. 그러고 보면 생각해 볼 만한 문제입니다. ㉢정석에 가까운 젓가락질을 해야만 밥을 잘 먹을까? 표준 젓가락질을 따르지 않으면 식사 예절에 어긋나는 것일까?

무거운 쇠젓가락을 한 손에 쥔 채 김치를 찢어 내는 한국인들의 젓가락질은 같은 젓가락 문화권인 중국이나 일본에 견주어도 세계적인 수준입니다. 그러나 음식 문화 전문가들의 이야기를 들어 보면, 사실 젓가락을 쥐는 데 완벽한 표준은 없습니다. [중략]

국제표준화기구(ISO)에도 등록되지 않은 젓가락 사용법을 가지고 ㉣'누가 젓가락질을 잘하네, 못하네' 따지는 도도한 움직임이 언제 비롯됐는지는 따져 볼 만합니다. 한국인의 젓가락·숟가락 문화를 20년 가까이 연구한 주영하 한국학중앙연구원 민속학 교수는 ㉤"얼마나 젓가락질을 잘하는지 따지는 것은 일본에서 들어온 풍속"이라고 설명합니다.

다 사랑하는 현서에게

현서야, 엄마가 오랜만에 네게 편지를 쓰는구나.

며칠 전 서투른 젓가락질 때문에 할머니께 혼났었지? 그때 너는 밥만 잘 먹으면 되지 젓가락질을 잘하는 것이 뭐가 중요하냐고 했지. [중략]

이제 왜 할머니께서 젓가락질을 바르게 해야 한다고 말씀하셨는지 이해할 수 있겠니? 엄마는 네가 젓가락질도 잘하고 밥도 잘 먹는 건강한 사람이 되면 좋겠어.

우리 오늘 저녁도 맛있고 즐겁게 먹자.

엄마가.

---

01 (가)~(다)에 드러난 관점을 다음과 같이 정리할 때, ⓐ, ⓑ에 들어갈 알맞은 문단 기호를 쓰시오.

(ⓐ)		(ⓑ)
• 젓가락질을 정확하게 해야 한다. • 올바른 젓가락질을 가르쳐야 한다.	 젓가락질	• 젓가락질을 잘 못해도 괜찮다. • 표준 젓가락질은 존재하지 않는다.

빈출 유형 공통된 화제 파악

02 다음 질문에 대한 알맞은 대답을 2어절로 쓰시오.

(가)~(다)의 공통된 화제는 무엇일까?

03 ⊙~⑩에 대한 설명으로 적절하지 <u>않은</u> 것은?

① ⊙: 서투른 젓가락질에 대한 문제를 제기하고 있다.

② ⓒ: 글쓴이가 생각하는 밥상머리 교육의 효과이다.

③ ⓒ: 표준 젓가락질에 대한 의문을 제기하고 있다.

④ ⓐ: 젓가락질 교육이 필요하다는 글쓴이의 관점이 드러난다.

⑤ ⑩: 올바른 젓가락질을 강조할 필요가 없는 근거이다.

04~05 다음을 읽고 물음에 답하시오.

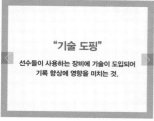

"기술 도핑"

선수들이 사용하는 장비에 기술이 도입되어 기록 향상에 영향을 미치는 것.

신체 능력의 한계에 도전하는 스포츠, 과학의 도움으로 기록을 향상하는 것이 적절하지 않다는 논란이 일고 있다.

첨단 소재를 이용해 물의 저항을 줄이는 수영복이 개발되자마자 세계 기록이 쏟아졌기 때문이다.

국제수영연맹은 2010년부터 국제 대회에서 최첨단 전신 수영복 착용을 금지했다.

나 한때 수영 선수들에게 선풍적인 인기를 끌던 전신 수영복은 상어 비늘의 원리를 적용하여, 물의 저항이 감소하고

부력이 증가하는 효과를 극대화한 것이다. 폴리우레탄 소재 등으로 온몸을 감싸는 전신 수영복은 2000년 시드니 하계 올림픽에서부터 본격적으로 등장하여 선수들의 기록 향상에 크게 기여했다.

한편으로는 이러한 첨단 스포츠용품의 발달은 경기 결과가 선수 개인의 능력보다는 과학 기술에 더 의존하는 것이 아닌가 하는 논란을 부르기도 한다. 선수들이 앞다퉈 전신 수영복을 착용한 이후로 올림픽과 세계 선수권 대회마다 세계 신기록이 무더기로 쏟아져 나오자, 결국 국제수영연맹은 2010년 이후 국제 대회에서 전신 수영복 착용을 금지했다. [중략]

첨단 기술을 적용한 각종 스포츠용품이 선수들이 정정당당하게 실력과 기량을 겨루는 스포츠 정신에 어긋나지 않도록 바람직한 규범과 합의가 이루어져야 할 것이다. '과학 기술과 인간의 조화'는 올림픽에서도 반드시 필요한 듯하다.

04 (가)와 (나)의 공통된 화제를 2어절로 쓰시오.

빈출 유형 카드 뉴스와 글의 형식 비교

05 (가)와 (나)의 형식적 특성을 바르게 설명한 것은?

① (가): 상세한 내용까지 전달한다.

② (가): 글을 위주로 정보를 전달한다.

③ (가): 장면을 분할해서 정보를 나누어 전달한다.

④ (나): 간추린 핵심 내용만 전달한다.

⑤ (나): 핵심 정보가 요약되어 있어 주제를 파악하기 쉽다.

5일

2. 너의 생각, 나의 생각

(2) 청중을 고려하여 말하기

생각 열기 여러 사람 앞에서 말할 때 부딪히는 어려움에 어떻게 대처해야 할까?

공부할 내용

❶ 청중의 관심과 요구 분석하기
❷ 청중의 관심과 요구를 고려하여 말할 내용 준비하기
❸ 말하기 불안을 극복하고 자신 있게 말하기

교과서 **핵심 정리**

📖 교과서 106~111쪽

핵심 1 청중 분석하기

• 청중을 분석할 때 파악해야 하는 것

청중의 특성	인원, 나이, 성별, 직업, 주거 지역, 지식수준, 말하기 주제 및 내용과 관련하여 알고 있는 정도 등
청중의 관심과 요구	• 주제와 관련된 ❶☐☐, 흥미와 관심사, 가치관, 판단 기준, 관여도, 청중이 말하기에서 기대하는 것, 얻고자 하는 것 등 • 청중의 ❷☐☐과 요구에 따라 말할 내용이나 말하기 방식이 달라져야 말하기 목적을 달성할 수 있음.

❶입장

❷관심

• 청중 분석의 필요성

청중 분석의 필요성	• 발표할 내용의 수준이나 방향을 정하는 데 도움이 됨. • 청중의 ❸☐☐을 끌어내는 데 도움이 됨.

❸공감

핵심 2 소진이네 동아리의 발표 준비

청중 분석하기	• 특성: 중학교 1~3학년 학생, 남자 32명, 여자 28명, 사진·영상·통계 자료에 익숙함. • 주요 관심사: 봉사, 환경, 게임, 음악, 급식, 우정, 진로 등 • 기대와 요구: 학교의 여러 문제 개선, 구체적인 ❹☐☐ 방안 제안
발표 내용 마련하기	• 청중의 호기심을 자극하는 제목으로 수정함. • 청중의 주요 관심사인 급식, 환경 문제와 관련하여 발표 내용을 마련함. • 매체 자료에 익숙한 청중의 특성을 고려해 ❺☐☐, 영상, 도표 등을 준비함. • 청중의 기대와 요구를 반영하여 문제를 개선할 구체적인 실천 방안을 제시함.

❹실천

❺사진

핵심 3 소진이의 말하기 불안과 대처 방법

• **말하기 불안**: 여러 사람 앞에서 말을 하기에 앞서 또는 말을 하는 과정에서 개인이 경험하는 ❻☐ ☐ 증상

❻불안

원인	• 공식적인 말하기 상황에 익숙하지 않음. • 말하기 과제와 관련하여 과도한 ❼☐☐을 느낌.
증상	• 목소리가 작아지고 발표 내용이 잘 기억나지 않음. • 발표를 망칠까 봐 불안함.
친구들이 제안한 대처 방법	• 우리 학교 학생들이 청중이므로 평소처럼 친구들과 이야기한다고 생각하기 • 마이크를 사용하여 목소리를 크게 하고 발표 내용을 요약한 카드를 보면서 말하기 • 거울을 보면서 자연스럽게 표정을 짓고 시선 처리하는 방법을 ❽☐☐하기

❼부담

❽연습

기초 확인 문제

정답과 해설 **10**쪽

01 다음 중 청중을 분석할 때 파악해야 하는 요소가 <u>아닌</u> 것은?

① 성별 ② 나이 ③ 이름

④ 관심사 ⑤ 기대와 요구

02 다음 중 발표를 준비할 때 청중을 분석해야 하는 이유를 바르게 설명한 사람의 이름을 쓰시오.

지훈: 청중의 공감을 끌어내는 데 도움이 되기 때문이야.

윤서: 발표 내용의 공정성과 타당성을 높이는 데 도움이 되기 때문이야.

03 〈보기〉에 나타난 말하기 불안의 원인으로 적절한 것은?

┤ 보기 ├

소진: 힘들게 준비한 건데 내가 잘못해서 망치면 어떡하지?

① 발표에 대한 준비가 충분하지 않아서

② 친구들의 과도한 기대에 압박을 느껴서

③ 공식적인 말하기에서 실수한 경험이 있어서

④ 말하기 과제와 관련된 과도한 부담을 느껴서

⑤ 평소 자신 없는 주제에 대해 발표하게 되어서

04 〈보기〉의 ㉠~㉣ 중, 소진이네 동아리가 다음과 같이 발표를 계획하면서 고려한 것을 고르시오.

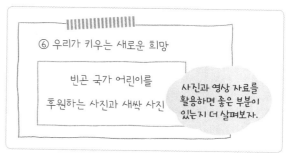

⑥ 우리가 키우는 새로운 희망

빈곤 국가 어린이를 후원하는 사진과 새싹 사진

사진과 영상 자료를 활용하면 좋은 부분이 있는지 더 살펴보자.

┤ 보기 ├

〈청중 분석하기〉

㉠ 인원: 60명

㉡ 나이: 중학교 1～3학년 학생

㉢ 성별: 남자 32명, 여자 28명

㉣ 기타: 사진, 영상, 통계 자료 등에 익숙함.

05 다음 빈칸에 들어갈 알맞은 말을 2어절로 쓰시오.

여러 사람 앞에서 말을 하기에 앞서 또는 말을 하는 과정에서 개인이 경험하는 불안 증상을 _____이라고 한다.

핵심 4 소진이가 발표에서 제기한 문제와 해결 방안

문제	• 우리 학교 급식에서 나오는 음식물 ❶[ ]의 양이 계속 늘고 있으며 이를 처리하는 데 비용이 많이 든다. • 땅속에 묻거나 불에 태우는 음식물 쓰레기 때문에 환경이 오염된다.
해결 방안	• 급식 ❷[ ] 운동을 실천하여 음식물 쓰레기의 양을 줄인다. • 음식물 쓰레기를 학교 텃밭의 비료로 만들어 사용한다. • 음식물 쓰레기를 줄여서 절약한 처리 비용으로 빈곤 국가 어린이를 ❸[ ]한다.

❶ 쓰레기

❷ 신호등

❸ 후원

핵심 5 소진이가 발표에서 활용한 자료와 그 효과

매체 자료	• 급식에서 나온 음식물 쓰레기의 양 도표 • 영양사 선생님과 학생들의 ❹[ ] 영상 • 급식 신호등 운동 예시 영상 • 빈곤 국가 어린이를 후원하는 사진과 희망을 떠올리게 하는 새싹 사진

↓

효과	• 사진, 영상, 통계 자료에 익숙한 청중의 특성을 반영하여 듣는 이의 ❺[ ]을 유도함. • 실제 현황이나 ❻[ ]를 시각적으로 확인하여 발표 내용을 더 쉽게 이해하게 함.

❹ 인터뷰

❺ 관심

❻ 수치

선택 학습

핵심 6 말하기 불안의 증상과 극복 방법

말하기 불안의 주요 증상	말하기 불안을 극복하는 방법
• ❼[ ]이 붉어진다. • 목소리가 작아지거나 떨린다. • 손이나 발에 땀이 나고 온몸이 떨린다. • 머릿속이 하얗게 되면서 아무 생각이 나지 않는다. • 말을 하다가 실수할까 봐 입이 잘 떨어지지 않는다. • 사람들과 눈을 마주치지 못하고 시선이 불안해진다.	• 말하기 불안의 원인을 정확히 점검하고 해결 방법 찾기 • 긍정적인 말하기 경험 쌓기 • 말하기에 ❽[ ]을 가질 수 있도록 긍정적인 자기 암시 떠올리기 • 심리적인 불편함을 줄이는 다양한 방법 연습하기 • 말할 내용을 연습하며 충분히 준비하기

❼ 얼굴

❽ 자신감

06 소진이가 발표에서 제기한 문제 상황을 다음과 같이 정리할 때, ⓐ, ⓑ에 들어갈 알맞은 말을 쓰시오.

학교의 음식물 쓰레기가 계속 늘고 있음.

↓

- 음식물 쓰레기 처리 (ⓐ)이 많이 듦.
- 음식물 쓰레기를 처리하는 과정에서 (ⓑ)이 오염됨.

07 소진이가 제시한 해결 방안 ㉠~㉢ 중, 〈보기〉의 매체 자료와 관련된 것을 고르시오.

┤보기├

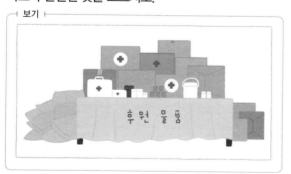

㉠ 음식물 쓰레기를 학교 텃밭의 비료로 만들어 사용한다.
㉡ 급식 신호등 운동을 실천하여 음식물 쓰레기의 양을 줄인다.
㉢ 음식물 쓰레기를 줄여서 절약한 처리 비용으로 빈곤 국가 어린이를 후원한다.

08 소진이가 발표에서 활용한 다음 매체 자료의 효과를 〈보기〉와 같이 정리할 때, 빈칸에 들어갈 알맞은 말을 쓰시오.

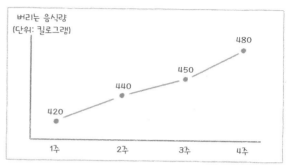

┤보기├

급식에서 나온 음식물 쓰레기 양을 (   )로 제시하여 청중이 실제 현황을 시각적으로 확인할 수 있도록 했다.

09 말하기 불안의 증상으로 적절하지 않은 것은?
① 얼굴이 붉어진다.
② 목소리가 작아지거나 떨린다.
③ 사람들과 눈을 마주치지 못한다.
④ 자신 있는 목소리로 발표를 시작한다.
⑤ 손이나 발에 땀이 나고 온몸이 떨린다.

10 다음 질문에 적절한 댓글을 단 사람의 이름을 쓰시오.

> **말하기 불안, 어떻게 극복해야 할까요?**
>
> ↳ 민아: 말할 내용을 충분히 연습하면서 자신감을 길러 보세요!
> ↳ 정현: 발표를 하면서 절대로 실수를 하면 안 된다는 다짐을 해 보세요!

5일 교과서 기출 베스트

01~02 다음을 읽고 물음에 답하시오.

가 〈청중 분석하기〉

특성

인원: 60명
나이: 중학교 1~3학년 학생
성별: 남자 32명, 여자 28명
기타: 사진, 영상, 통계 자료 등에 익숙함.

주요 관심사
봉사, 환경, 게임,
음악, 급식, 우정, 진로 등

기대와 요구
학교의 여러 문제 개선,
구체적인 실천 방안 제안

나 〈소진이네 동아리의 발표 계획〉

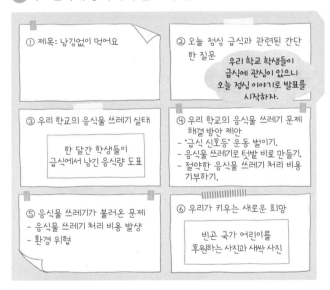

다 소진: 많은 사람 앞에서 말해 본 경험이 별로 없어서 긴장
돼. 목소리도 작아지고 내용도 자꾸 잊어버려서 걱정이야.

은수: 우리 학교 학생들 앞에서 하는 발표잖아. 평소처럼 친
구들과 이야기한다고 생각해 봐.

성민: 목소리가 작으면 마이크를 사용하면 돼. 그리고 내가
발표 내용을 요약한 카드를 만들어 줄게.

소진: 힘들게 준비한 건데 내가 잘못해서 망치면 어떡하지?

은수: ([A]   )

빈출 유형 청중의 관심과 요구 파악

01 (가)를 바탕으로 (나)와 같이 발표 계획을 세울 때 고려한
내용을 〈보기〉에서 바르게 고른 것은?

┌ 보기 ┐

ㄱ. 청중의 관심사인 봉사 활동을 소개하려 함.

ㄴ. 청중의 관심사와 관련된 질문으로 발표를 시
작하려 함.

ㄷ. 청중을 특성을 고려해 매체 자료를 활용하지
않으려 함.

ㄹ. 청중의 기대와 요구를 고려하여 문제를 해결할
수 있는 구체적인 실천 방안을 제안하려고 함.

① ㄱ, ㄴ   ② ㄱ, ㄷ   ③ ㄱ, ㄹ
④ ㄴ, ㄷ   ⑤ ㄴ, ㄹ

02 다음 질문에 대한 대답으로 적절한 것은?

(다)의 [A]에는 어떤 조언이 들어
가야 할까?

① 발표 내용을 새롭게 구성해 봐.
② 시선을 아래에 두고 발표를 해 봐.
③ 가족과 친구들로만 청중을 구성해 봐.
④ 발표 내용을 모두 암기하려고 노력해 봐.
⑤ 연습할 때 찍은 영상을 확인하면서 자신감을 가
져 봐.

03~05 다음 글을 읽고 물음에 답하시오.

가 ⓐ(심호흡을 하고 자신 있게) 여러분, 점심 맛있게 드셨나요? 제 식판은 오늘 이렇게 깨끗했답니다. 오늘 저처럼 음식을 남기지 않고 다 먹어서 식판이 이렇게 깨끗했던 분은 손을 들어 주세요. ⓑ(친구들과 눈을 맞추며) 네. 여기 계신 분들 중에서 10명만이 오늘 점심을 남기지 않고 다 드셨네요.

제가 이렇게 점심 이야기를 꺼낸 이유가 무엇일까요? ⓒ(청중의 대답을 듣고) 네, 맞습니다. 저희는 오늘 우리 학교의 음식물 쓰레기 문제를 해결할 방안을 제안하려고 합니다.

나 급식에서 나오는 음식물 쓰레기의 양이 계속 늘다 보니, 이것을 처리하는 데 드는 비용도 만만치 않습니다. 저희가 조사해 보니 우리 학교에서도 일 년에 천만 원 가까운 돈이 든다고 합니다.

ⓓ(발표 내용 요약 카드를 빠르게 확인한 뒤) 돈이 많이 드는 것만이 문제가 아닙니다. 음식물 쓰레기의 일부는 사료나 퇴비로 재활용되지만, 재활용되지 않는 음식물 쓰레기는 땅속에 묻거나 불에 태워 처리합니다. 그런데 음식물 쓰레기를 땅속에 묻거나 불에 태우면 토양이나 지하수, 대기 등이 오염됩니다.

다 마지막으로 음식물 쓰레기를 줄여서 절약한 처리 비용으로 빈곤 국가 어린이를 후원하는 방안이 있습니다. ⓔ(사진을 보고) 후원 액수와 사용 내역을 학생들에게 구체적으로 알려 주면 더욱 효과적입니다. 학생들은 자신의 작은 행동이 빈곤 국가 어린이들에게 꿈과 희망을 전달할 수 있음을 깨닫고 음식물 쓰레기를 줄이려고 더욱 노력할 것입니다.

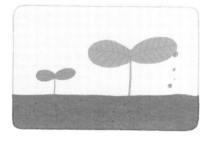

03 (가)에서 발표의 주제와 목적이 드러난 문장을 찾아 처음과 끝 2어절씩 쓰시오.

04 이 발표의 내용과 일치하지 <u>않는</u> 것은?
① 음식물 쓰레기는 퇴비로 재활용이 가능하다.
② 음식물 쓰레기를 처리하는 데 많은 비용이 든다.
③ 재활용이 되지 않는 음식물 쓰레기는 땅속에 묻거나 불에 태워 처리한다.
④ 음식물 쓰레기를 줄여서 절약한 돈으로 빈곤 국가 어린이를 후원할 수 있다.
⑤ 재활용되는 음식물 쓰레기보다 재활용이 되지 않는 음식물 쓰레기가 훨씬 많다.

빈출 유형 말하기 불안 대처 방법 이해

05 ⓐ~ⓔ 중, 다음의 말하기 불안 대처 방법과 관련이 있는 것은?

소진

중간에 내용이 생각나지 않아서 잠깐 당황했는데 발표 내용 요약 카드를 보면서 발표를 이어 갈 수 있었어.

① ⓐ　　② ⓑ　　③ ⓒ　　④ ⓓ　　⑤ ⓔ

01~03 다음 시를 읽고 물음에 답하시오.

내 고장 칠월은
청포도가 익어 가는 시절

이 마을 전설이 주저리주저리 열리고
먼 데 ㉠하늘이 꿈꾸며 알알이 들어와 박혀

하늘 밑 푸른 바다가 가슴을 열고
㉡흰 돛단배가 곱게 밀려서 오면

내가 바라는 ㉢손님은 고달픈 몸으로
청포(靑袍)를 입고 찾아온다고 했으니

내 그를 맞아 이 포도를 따 먹으면
두 손은 함뿍 적셔도 좋으련

아이야 우리 식탁엔 ㉣은쟁반에
하이얀 ㉤모시 수건을 마련해 두렴

01 이 시의 말하는 이가 소망하는 일로 알맞은 것은?

① 고향으로 돌아가는 일
② 어린 시절의 꿈을 이루는 일
③ 돛단배를 타고 여행을 떠나는 일
④ 손님과 함께 청포도를 따 먹는 일
⑤ 손님에게 고향의 전설을 들려주는 일

02 ㉠~㉤ 중, 〈보기〉의 빈칸에 들어갈 시어로 적절하지 않은 것은? (정답 2개)

┌ 보기 ┐
　이 시에서는 '청포도, 하늘, 푸른 바다, 청포'의 푸른빛과 '(　　　　　　)'의 흰빛을 대비하여 드러내고 있다. 이와 같은 선명한 색채 대비는 평화롭고 아름다운 고향의 모습과 이를 기다리는 말하는 이의 기대와 희망을 강조하여 보여 준다.

① ㉠　　② ㉡　　③ ㉢　　④ ㉣　　⑤ ㉤

03 작가의 삶을 중심으로 이 시를 해석할 때, 빈칸에 들어갈 알맞은 말을 2음절로 쓰시오.

나는 시인이 독립운동가로 활동했다는 점에 주목해야 한다고 생각해. 이를 고려하면 이 시는 (　　　)을 기다리는 시인의 간절한 염원과 의지가 드러나는 시라고 해석할 수 있어.

[04~05] 다음 시를 읽고 물음에 답하시오.

가난한 사랑 노래

– 이웃의 한 젊은이를 위하여

가난하다고 해서 외로움을 모르겠는가
너와 헤어져 돌아오는
눈 쌓인 골목길에 새파랗게 달빛이 쏟아지는데.
가난하다고 해서 두려움이 없겠는가
두 점을 치는 소리
방범대원의 호각 소리 메밀묵 사려 소리에
눈을 뜨면 멀리 육중한 기계 굴러가는 소리.
가난하다고 해서 그리움을 버렸겠는가
어머님 보고 싶소 수없이 뇌어 보지만
집 뒤 감나무에 까치밥으로 하나 남았을
새빨간 감 바람 소리도 그려 보지만.
가난하다고 해서 사랑을 모르겠는가
내 볼에 와 닿던 네 입술의 뜨거움
사랑한다고 사랑한다고 속삭이던 네 숨결
돌아서는 내 등 뒤에 터지던 네 울음.
가난하다고 해서 왜 모르겠는가
가난하기 때문에 이것들을   ⎤
이 모든 것들을 버려야 한다는 것을. ⎦ [A]

---

04 이 시가 창작될 당시의 상황을 보여 주는 다음 기사를 참고할 때, '이웃의 한 젊은이'에 대한 설명으로 적절하지 **않은** 것은?

1960년대 후반 봉제 공장 800여 개가 밀집해 있던 평화 시장에는 2만여 명의 노동자가 일하고 있었는데 대부분 농촌 출신이었다. 학교를 다니며 미래를 꿈꿔야 할 10대 중반의 나이에, 환기 장치 하나 없고 햇빛조차 들지 않는 비위생적인 환경에서 하루에 14시간 이상 허리도 펴지 못하고 일했다.

– 《한국일보》, 2014년 11월 7일 자

① 고된 노동에 시달렸다.
② 열악한 환경에서 일했다.
③ 고향을 떠나 도시로 왔다.
④ 일자리가 없어서 고생했다.
⑤ 가난 때문에 힘겹게 살아갔다.

05 [A]에서 짐작할 수 있는 말하는 이의 정서로 가장 알맞은 것은?

① 궁금함   ② 서러움   ③ 미안함
④ 두려움   ⑤ 불안함

01~03 다음 글을 읽고 물음에 답하시오.

가 특히 우리나라에서 많이 사용하는 쇠젓가락은 무거우면서도 가늘다. 당연히 젓가락질하는 데 더 정교하고 힘 있는 손놀림이 필요하다. 쇠젓가락은 음식에 힘을 정확하게 전달하기 때문에 음식을 원하는 대로 찢고, 자르고, 모으는 데 탁월하다. 우리나라 사람들은 젓가락질로 김치를 찢는 것은 물론, 손으로도 집기 어려운 작은 콩도 척척 집어낸다. 깻잎절임을 한 장씩 떼는 기술은 묘기 그 자체다. 고도의 집중력과 무게를 감지하는 예민한 손의 촉각은 달인에 가깝다.

정교한 젓가락질 덕분에 우리나라는 손을 위주로 하는 운동 경기에서 세계 최고다. 양궁, 핸드볼, 골프, 야구 등의 경기력이 이를 입증한다. 국제 기능 올림픽 대회 우승, 한 치의 오차도 없는 용접 기술이 이루어 낸 세계적 수준의 조선(造 ⟮두 개의 금속·유리·플라스틱 등을 녹이거나 반쯤 녹인 상태에서 서로 이어 붙이는 일.⟯ 船) 기술 역시 젓가락질에 그 뿌리를 두고 있다.

우리 지역 초등학교들이 어린이들에게 바른 젓가락질을 가르치는 '젓가락의 날'을 운영한다고 한다. 정말 반가운 소식이다. 올바른 젓가락질 교육으로 미래에 세계 최고의 실력을 뽐낼 인재를 키울 수 있기를 기대해 본다.

나 무거운 쇠젓가락을 한 손에 쥔 채 김치를 찢어 내는 한국인들의 젓가락질은 같은 젓가락 문화권인 중국이나 일본에 견주어도 세계적인 수준입니다. 그러나 음식 문화 전문가들의 이야기를 들어 보면, 사실 젓가락을 쥐는 데 완벽한 표준은 없습니다. [중략]

국제표준화기구(ISO)에도 등록되지 않은 젓가락 사용법을 가지고 '누가 젓가락질을 잘하네, 못하네' 따지는 도도한 움직임이 언제 비롯됐는지는 따져 볼 만합니다. 한국인의 젓가락·숟가락 문화를 20년 가까이 연구한 주영하 한국학중앙연구원 민속학 교수는 "얼마나 젓가락질을 잘하는지 따지는

것은 일본에서 들어온 풍속"이라고 설명합니다.

원래 한국 문화에서는 숟가락이 더 중요했다는 것입니다. 밥과 국만으로 연명한 ⟮목숨을 겨우 이어 살아간.⟯ 조선 민중에게 젓가락은 호사스러운 물건이었습니다. 잘게 썬 밑반찬을 푸짐하게 차려 먹던 양반님네나 소장하는 희귀품이었던 것이지요. 실제 옛 풍속화를 보면 민초들이 ⟮'백성'을 질긴 생명력을 가진 잡초에 비유하여 이르는 말.⟯ 숟가락만 들고 밥 먹는 풍경을 볼 수 있습니다. 젓가락은 양반가의 남자가 아니면 가진 경우가 드물었고 양반 여성들도 숟가락으로만 밥을 먹었습니다.

01 (가)와 (나)를 다음과 같이 비교할 때, 빈칸에 들어갈 알맞은 말을 차례대로 쓰시오.

> (가)와 (나)는 동일한 (　　　)를 다루고 있지만 이에 대한 (　　)에 차이가 있어.

02 다음 중 (가)의 글쓴이와 유사한 관점이 드러난 댓글로 알맞은 것은?

> 젓가락질이 서툴러서 고민이에요. 젓가락질을 꼭 잘해야 하는 걸까요? 　　　룽룽이ㅅㅣ∨
>
> ↳ 젓가락질을 못해도 괜찮아요. ────── ①
> ↳ 젓가락질을 정확하게 해야 해요. ────── ②
> ↳ 젓가락 대신에 포크를 사용하세요. ────── ③
> ↳ 젓가락질보다 숟가락질이 더 중요해요. ─── ④
> ↳ 서투르면 어때요? 밥만 잘 먹으면 되지. ─── ⑤
>
> 　　　　　　　　　파일 첨부 8 인 대답

03 (가)와 (나)의 글쓴이가 나눈 대화 내용으로 적절하지 <u>않</u>은 것은?

① (가): 쇠젓가락을 사용하면 고도의 집중력과 예민한 손의 촉각을 기를 수 있어요.

② (나): 젓가락질을 잘하는지 따지는 것은 일본에서 들어온 풍습이에요.

③ (가): 정교한 젓가락질 덕분에 우리나라 손 기술이 세계적인 수준으로 인정받고 있어요.

④ (나): 우리나라 문화에서 숟가락보다 젓가락이 더 중요했지만, 젓가락을 쥐는 데 완벽한 표준은 없어요.

⑤ (가): 올바른 젓가락질 교육으로 미래의 인재를 양성하기를 기대해 봅니다.

04~05 다음을 읽고 물음에 답하시오.

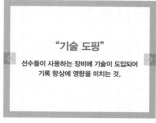

봅슬레이는 썰매 제작 기술이 기록 단축과 밀접한 관련이 있다.

따라서 어떤 썰매를 선택 하느냐가 경기 결과에 큰 영향을 줄 수 있다.

인간의 한계에 도전하는 스포츠, 기술의 도움은 어디까지 허용해야 할까?

나 한편으로는 이러한 첨단 스포츠용품의 발달은 경기 결과가 선수 개인의 능력보다는 과학 기술에 더 의존하는 것이 아닌가 하는 논란을 부르기도 한다. 선수들이 앞다퉈 전신 수영복을 착용한 이후로 올림픽과 세계 선수권 대회마다 세계 신기록이 무더기로 쏟아져 나오자, 결국 국제수영연맹은 2010년 이후 국제 대회에서 전신 수영복 착용을 금지했다.

기존의 운동화보다 에너지 소모는 줄이고 내딛는 힘을 높여 주는 첨단 기술 운동화 역시 비슷한 논란이 되고 있다. 선수들이 금지된 약물 등을 복용하여 약물 검사(도핑 테스트)에서 적발되는 것에 비유하여, '(ⓐ)'이라는 새말까지 생겨났다.

첨단 기술을 적용한 각종 스포츠용품이 선수들이 정정당당하게 실력과 기량을 겨루는 스포츠 정신에 어긋나지 않도록 바람직한 규범과 합의가 이루어져야 할 것이다. '과학 기술과 인간의 조화'는 올림픽에서도 반드시 필요한 듯하다.

---

04 (가), (나)에 공통적으로 드러난 관점으로 적절한 것은?

① 도핑 테스트를 강화해야 한다.

② 첨단 스포츠용품의 사용을 권장해야 한다.

③ 선수들에게 스포츠 정신을 무시할 것을 강조해야 한다.

④ 스포츠에 과학 기술 도입을 어디까지 허용해야 하는지 논의가 필요하다.

⑤ 첨단 스포츠용품이 선수들의 기록 향상에 영향을 주지 않는다는 것을 증명해야 한다.

---

05 ⓐ에 들어갈 알맞은 말을 (가)에서 찾아 2어절로 쓰시오.

06~07 다음을 읽고 물음에 답하시오.

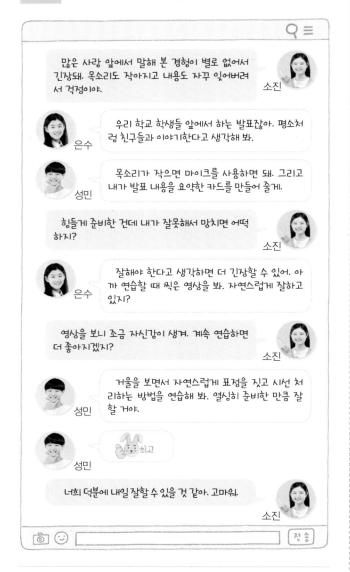

많은 사람 앞에서 말해 본 경험이 별로 없어서 긴장돼. 목소리도 작아지고 내용도 자꾸 잊어버려서 걱정이야. — 소진

우리 학교 학생들 앞에서 하는 발표잖아. 평소처럼 친구들과 이야기한다고 생각해 봐. — 은수

목소리가 작으면 마이크를 사용하면 돼. 그리고 내가 발표 내용을 요약한 카드를 만들어 줄게. — 성민

힘들게 준비한 건데 내가 잘못해서 망치면 어떡하지? — 소진

잘해야 한다고 생각하면 더 긴장할 수 있어. 아까 연습할 때 찍은 영상을 봐. 자연스럽게 잘하고 있지? — 은수

영상을 보니 조금 자신감이 생겨. 계속 연습하면 더 좋아지겠지? — 소진

거울을 보면서 자연스럽게 표정을 짓고 시선 처리하는 방법을 연습해 봐. 열심히 준비한 만큼 잘할 거야. — 성민

최고 — 성민

너희 덕분에 내일 잘할 수 있을 것 같아. 고마워. — 소진

06 소진이가 말하기 불안에 대처할 수 있도록 친구들이 제안한 방법이 아닌 것은?

① 발표 내용을 완벽하게 외운다.
② 발표 내용을 요약한 카드를 활용한다.
③ 마이크를 사용하여 목소리를 크게 한다.
④ 연습 때 찍은 영상을 보면서 자신감을 가진다.
⑤ 거울을 보면서 자연스럽게 표정 짓는 연습을 한다.

07 ㉠~㉤ 중, 발표를 앞두고 불안해하는 소진이에게 할 수 있는 조언으로 적절하지 않은 것을 고르시오.

㉠소진아! 내일 발표 때문에 많이 걱정되지? ㉡아까 연습할 때 보니까 긴장한 모습도 안 보이고 자연스럽게 잘하더라. ㉢그동안 열심히 발표를 준비하고 연습도 많이 했으니까 자신감을 가져 봐. ㉣우리 모둠의 수행 평가 점수는 너에게 달려 있으니까 무조건 잘해야 해. ㉤실제로 발표할 때에는 지금보다 더 잘할 수 있을 거야.

08~09 다음 글을 읽고 물음에 답하시오.

가 (심호흡을 하고 자신 있게) 여러분, 점심 맛있게 드셨나요? 제 식판은 오늘 이렇게 깨끗했답니다. 오늘 저처럼 음식을 남기지 않고 다 먹어서 식판이 이렇게 깨끗했던 분은 손을 들어 주세요. (친구들과 눈을 맞추며) 네. 여기 계신 분들 중에서 10명만이 오늘 점심을 남기지 않고 다 드셨네요.

나 제가 이렇게 점심 이야기를 꺼낸 이유가 무엇일까요? (청중의 대답을 듣고) 네, 맞습니다. 저희는 오늘 우리 학교의 음식물 쓰레기 문제를 해결할 방안을 제안하려고 합니다. 저희 동아리는 지난 한 달간 우리 학교 학생들이 남긴 음식의 양을 매일 측정해 보았습니다.

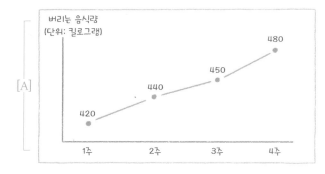

버리는 음식량
(단위: 킬로그램)

[A]

480
450
440
420

1주 2주 3주 4주

이와 관련하여 영양사 선생님과 학생들의 이야기를 들어 보았습니다.

(영상을 보고) 실제로 저희가 식당에서 만난 많은 학생이 싫어하는 반찬이 나왔다거나 배가 부르다는 등의 이유로 음식을 남긴다는 것을 확인할 수 있었습니다.

다 급식에서 나오는 음식물 쓰레기의 양이 계속 늘다 보니, 이것을 처리하는 데 드는 비용도 만만치 않습니다. 저희가 조사해 보니 우리 학교에서도 일 년에 천만 원 가까운 돈이 든다고 합니다.

(발표 내용 요약 카드를 빠르게 확인한 뒤) 돈이 많이 드는 것만이 문제가 아닙니다. 음식물 쓰레기의 일부는 사료나 퇴비로 재활용되지만, 재활용되지 않는 음식물 쓰레기는 땅속에 묻거나 불에 태워 처리합니다. 그런데 음식물 쓰레기를 땅속에 묻거나 불에 태우면 토양이나 지하수, 대기 등이 오염됩니다. 우리가 먹고 남긴 음식이 환경을 위협하다니, 정말 심각한 일이 아닌가요?

---

08 이 발표의 발표자에 대한 설명으로 적절하지 <u>않은</u> 것은?

① 심호흡을 하고 나서 발표를 시작했다.

② 청중에게 질문을 받아 구체적으로 답변했다.

③ 적절한 질문으로 청중의 참여를 이끌어 냈다.

④ 사전에 발표 내용 요약 카드를 준비하여 발표 중에 활용했다.

⑤ 친구들과 눈을 맞추면서 자신 있는 모습으로 발표를 이어 갔다.

09 발표자가 [A], [B]에서 고려한 청중의 특성을 〈보기〉에서 찾아 쓰시오.

┤ 보기 ├

특성

인원: 60명
나이: 중학교 1~3학년 학생
성별: 남자 32명, 여자 28명
기타: 사진, 영상, 통계 자료 등에 익숙함.

주요 관심사	**기대와 요구**
봉사, 환경, 게임, 음악, 급식, 우정, 진로 등	학교의 여러 문제 개선, 구체적인 실천 방안 제안

10 〈보기〉의 ㉠~㉤ 중, 말하기 불안을 극복하는 방법으로 알맞은 것을 모두 고르시오.

┤ 보기 ├

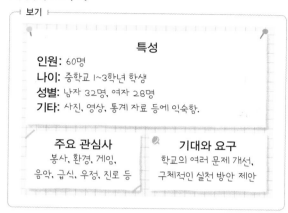

㉠ 차분히 호흡하면서 스트레칭으로 몸을 이완한다.

㉡ 발표 전에 긴장을 풀 수 있도록 격렬한 운동을 한다.

㉢ 성공적으로 말하기를 끝내는 상상을 하며 자신감을 가진다.

㉣ 발표를 망치는 상상을 하며 실수에 익숙해질 수 있도록 한다.

㉤ 거울을 보면서 실제 말하기 상황처럼 표정과 말투를 연습한다.

01~02 다음 시를 읽고 물음에 답하시오.

가 내 고장 칠월은

청포도가 익어 가는 시절 //

이 마을 전설이 주저리주저리 열리고

먼 데 하늘이 꿈꾸며 알알이 들어와 박혀 //

하늘 밑 푸른 바다가 가슴을 열고

흰 돛단배가 곱게 밀려서 오면 //

내가 바라는 손님은 고달픈 몸으로

청포(靑袍)를 입고 찾아온다고 했으니 //

내 그를 맞아 이 포도를 따 먹으면

두 손은 함뿍 적셔도 좋으련 //

아이야 우리 식탁엔 은쟁반에

하이얀 모시 수건을 마련해 두렴

나 가난하다고 해서 두려움이 없겠는가

두 점을 치는 소리

방범대원의 호각 소리 메밀묵 사려 소리에

눈을 뜨면 멀리 육중한 기계 굴러가는 소리.

가난하다고 해서 그리움을 버렸겠는가

어머님 보고 싶소 수없이 뇌어 보지만

집 뒤 감나무에 까치밥으로 하나 남았을

새빨간 감 바람 소리도 그려 보지만.

코딩

01 다음은 (가)를 해석한 비평문의 일부이다. ⓐ, ⓑ에 들어갈 알맞은 시어를 (가)에서 모두 찾아 쓰시오.

> (가)에서는 '(ⓐ   )'의 푸른빛과 '(ⓑ   )'의 흰빛을 대비하여 드러내고 있다. 이와 같은 선명한 색채 대비는 평화롭고 아름다운 고향의 모습과 이를 기다리는 말하는 이의 기대와 희망을 강조하여 보여 준다.

• ⓐ: _____

• ⓑ: _____

창의 융합

02 〈보기〉는 (나)가 창작될 당시의 사회·문화적 배경이다. 이를 참고하여 (나)의 말하는 이가 누구인지 2어절로 쓰시오.

> ┌ 보기 ┐
>
> 1960년대 후반 봉제 공장 800여 개가 밀집해 있던 평화 시장에는 2만여 명의 노동자가 일하고 있었는데 대부분 농촌 출신이었다. 학교를 다니며 미래를 꿈꿔야 할 10대 중반의 나이에, 환기 장치 하나 없고 햇빛조차 들지 않는 비위생적인 환경에서 하루에 14시간 이상 허리도 펴지 못하고 일했다.
>
> – 《한국일보》, 2014년 11월 7일 자

가난 때문에 인간적인 감정도 누리지 못하고 힘겹게 살아가는 산업화 시대의 _____ 이다.

03~04 다음 글을 읽고 물음에 답하시오.

가 아버지 앞에서 어머니는 그동안 먹여 주고 재워 준 값과 금반지 한 개의 값어치를 면밀히 따지기 시작했다.

"천지신명(天地神明)을 두고 허는 말이지만 가한티 죄로 가지 않을 만침 헌다고 혔구만요."

"허기사 난리 때 금가락지 한 돈 쭝은 똥 가락지여. 금 먹고 금 똥 싼다면 혹 몰라도⋯⋯ 쌀 톨이 금쪽보담 귀헌 세상인디⋯⋯."

나 "말은 안 혔어도 너를 친자식 진배없이 생각혀 왔다. 너 같은 어린것이 그런 물건을 갖고 있으면은 덜 좋은 법이다. 이 아저씨가 잘 맡어 놨다가 후제 크면 줄 테니께 어따 숨겼는지 바른대로 대거라."

아무리 달래고 타일러도 소용이 없자, 아버지는 마침내 화를 버럭 내면서 명선이의 몸뚱이를 뒤지려 했다.

다 이때 우리들 머리 위의 하늘을 두 쪽으로 가르는 굉장한 폭음이 귀빰을 갈기는 기세로 갑자기 울렸다. 푸른 하늘 바탕을 질러 하얗게 호주기 편대가 떠가고 있었다. 비행기의 폭음에 가려 나는 철근 사이에서 울리는 비명을 거의 듣지 못했다. 다른 것은 도무지 무서워할 줄 모르면서도 유독 비행기만은 병적으로 겁을 내는 서울 아이한테 얼핏 생각이 미쳐 눈길을 하늘에서 허리가 동강이 난 다리로 끌어 내렸을 때, ㉠내가 본 것은 강심을 겨냥하고 빠른 속도로 멀어져 가는 한 송이 쥐바라숭꽃이었다.

창의 융합

03 〈보기〉의 사회·문화적 상황이 이 글의 등장인물에게 미친 영향을 〈조건〉에 맞게 쓰시오.

┌ 보기 ────────────────┐
3년 동안 계속된 전쟁으로 우리 민족은 커다란 인적, 물적 피해를 입었다. 군인뿐만 아니라 많은 민간인이 죽거나 다쳤으며, 수많은 전쟁고아와 이산가족이 발생하였다. 또한 주택, 공장, 도로 등이 파괴되었고, 농경지도 황폐해졌다.

– 2015 개정 중학교 역사 교과서(천재교육, 김덕수 외)
└──────────────────────┘

┌ 조건 ────────────────┐
1. 〈보기〉의 사회·문화적 상황이 '나'의 부모님에게 미친 영향을 쓸 것
2. 10자 이내로 쓸 것
└──────────────────────┘

6·25 전쟁으로 인해 식량이 부족해지자 인심이 점점 야박해졌으며, 명선이의 금반지를 빼앗으려는 (　　　　　　　　　) 모습을 보인다.

창의

04 다음 질문에 알맞은 대답을 〈조건〉에 맞게 쓰시오.

┌──────────────────────┐
㉠에서 실제로는 어떤 사건이 일어난 것일까?
└──────────────────────┘

┌ 조건 ────────────────┐
1. '쥐바라숭꽃'의 원관념을 제시할 것
2. 15자 이내의 한 문장으로 쓸 것
└──────────────────────┘

6일 창의·융합·코딩 서술형 테스트

05~06 다음 글을 읽고 물음에 답하시오.

(가) 밥상머리 교육의 출발은 젓가락질 가르치기였다. 젓가락질을 못하면 못 배웠다는 흉을 들을 정도로 엄격히 가르쳤다. 그러므로 젓가락질하는 것만 보아도 밥상머리 교육을 제대로 받았는지 판단할 수 있었다. [중략] 원래 젓가락은 막대기 두 개면 충분했다. 젓가락질 동작은 겉보기에는 단순하지만, 계속되는 뇌의 자극 과정이다. 젓가락질의 미세한 움직임은 유아 및 어린이의 성장 발육에도 아주 유익하다. 젓가락질을 바르게 하려면 손가락 각각의 관절과 근육의 정확성과 섬세함이 요구된다.

(나) 국제표준화기구(ISO)에도 등록되지 않은 젓가락 사용법을 가지고 '누가 젓가락질을 잘하네, 못하네' 따지는 도도한 움직임이 언제 비롯됐는지는 따져 볼 만합니다. 한국인의 젓가락·숟가락 문화를 20년 가까이 연구한 주영하 한국학중앙연구원 민속학 교수는 "얼마나 젓가락질을 잘하는지 따지는 것은 일본에서 들어온 풍속"이라고 설명합니다.

원래 한국 문화에서는 숟가락이 더 중요했다는 것입니다.

05 다음 빈칸에 들어갈 알맞은 내용을 〈조건〉에 맞게 쓰시오.

> **꼭 올바른 젓가락질을 해야 하나요?**
>
> 오늘도 젓가락질 때문에 잔소리를 들었네요.
>
> ↳ (가)의 글쓴이 젓가락질은 손가락 관절과 근육을 발달시키는 데 도움이 되기 때문에
> _____.
>
> ↳ (나)의 글쓴이 우리 문화에서는 젓가락보다 숟가락이 더 중요했으므로
> _____.

┌─ 조건 ─┐
(가), (나)의 글쓴이의 관점이 드러나도록 쓸 것

06 동일한 화제를 다루더라도 (가), (나)처럼 관점이 달라지는 이유를 〈보기〉에서 모두 찾아 쓰시오.

┌─ 보기 ─┐
가치관   화제   지식
기술   경험   형식

글쓴이의 _____ 에 따라 관점이 달라질 수 있기 때문이야.

07~08 다음 글을 읽고 물음에 답하시오.

가 (심호흡을 하고 자신 있게) 여러분, 점심 맛있게 드셨나요? 제 식판은 오늘 이렇게 깨끗했답니다. 오늘 저처럼 음식을 남기지 않고 다 먹어서 식판이 이렇게 깨끗했던 분은 손을 들어 주세요. (친구들과 눈을 맞추며) 네. 여기 계신 분들 중에서 10명만이 오늘 점심을 남기지 않고 다 드셨네요.

제가 이렇게 점심 이야기를 꺼낸 이유가 무엇일까요? 네, 맞습니다. 저희는 오늘 우리 학교의 음식물 쓰레기 문제를 해결할 방안을 제안하려고 합니다. 저희 동아리는 지난 한 달간 우리 학교 학생들이 남긴 음식의 양을 매일 측정해 보았습니다.

이 도표에서 확인할 수 있듯이 급식에서 남아서 버리는 음식의 양은 한 달 동안 계속 늘고 있었습니다.

나 급식에서 나오는 음식물 쓰레기의 양이 계속 늘다 보니, 이것을 처리하는 데 드는 비용도 만만치 않습니다. 저희가 조사해 보니 우리 학교에서도 일 년에 천만 원 가까운 돈이 든다고 합니다.

(발표 내용 요약 카드를 빠르게 확인한 뒤) 돈이 많이 드는 것만이 문제가 아닙니다. 음식물 쓰레기의 일부는 사료나 퇴비로 재활용되지만, 재활용되지 않는 음식물 쓰레기는 땅속에 묻거나 불에 태워 처리합니다.

다 급식에서 음식을 남기지 않은 학생들은 파란불, 음식을 남긴 학생들은 빨간불 퇴식구로 이동합니다. 파란불 퇴식구에서는 칭찬 도장을 찍고, 빨간불 퇴식구에서는 급식에서 남기는 음식을 줄이자는 나의 약속을 적습니다. 이 운동으로 우리 모두가 음식물 쓰레기를 줄이려고 노력하는 습관을 기를 수 있을 것입니다.

코딩

07 〈보기〉의 ㉠, ㉡을 활용하기에 적절한 문단을 찾아 각각 그 기호를 쓰시오.

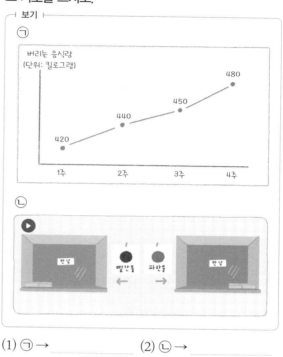

(1) ㉠ → _____ (2) ㉡ → _____

창의

08 이 발표의 발표자가 말하기 불안에 대처한 방법을 〈조건〉에 맞게 쓰시오.

긴장돼서 목소리가 떨렸는데 (ⓐ)을 하고 친구들과 눈을 맞추면서 말하니까 점차 마음이 편해졌어.

중간에 내용이 생각나지 않아서 잠깐 당황했는데 발표 내용 (ⓑ)를 보면서 발표를 이어 갈 수 있었어.

조건
1. ⓐ에 들어갈 말을 (가)에서 찾아 쓸 것
2. ⓑ에 들어갈 말을 (나)에서 찾아 쓸 것

01~04 다음 글을 읽고 물음에 답하시오.

가 내 고장 칠월은

청포도가 익어 가는 시절

이 마을 전설이 주저리주저리 열리고
먼 데 하늘이 꿈꾸며 알알이 들어와 박혀

하늘 밑 푸른 바다가 가슴을 열고
흰 돛단배가 곱게 밀려서 오면

내가 바라는 손님은 고달픈 몸으로
청포(靑袍)를 입고 찾아온다고 했으니

내 그를 맞아 이 포도를 따 먹으면
두 손은 함뿍 적셔도 좋으련

아이야 우리 식탁엔 은쟁반에
하이얀 모시 수건을 마련해 두렴

나 말하는 이는 고향을 청포도가 익어 가는 곳으로 그린다. 고향의 청포도는 '주저리주저리' 열려서 '알알이' 익어 가고 있다. 풍성하게 열려서 한 알, 한 알이 탐스럽게 익어 가는 '청포도'는 넉넉하고 여유로운 고향의 모습을 떠올리게 한다.

또한 이 시에서는 '청포도, 하늘, 푸른 바다, 청포'의 푸른 빛과 '흰 돛단배, 은쟁반, 모시 수건'의 흰빛을 대비하여 드러내고 있다. 이와 같은 선명한 색채 대비는 평화롭고 아름다운 고향의 모습과 이를 기다리는 말하는 이의 기대와 희망을 강조하여 보여 준다.

그렇다면 말하는 이가 기다리는 '손님'은 누구일까? '고달픈 몸'으로 찾아올 손님은 고향을 떠나 고단하게 떠돌며 살아온 사람일 것이다. 말하는 이는 '손님'과 함께 '청포도'를 먹기를, 고향의 풍요로움을 나누기를 바라고 있다.

이러한 점에서 〈청포도〉는 풍요롭고 평화로운 세상을 회복하기를 바라는 간절한 소망을 담아낸 시이다.

01 (가)의 말하는 이에 대한 설명으로 적절한 것은?
① 다가올 미래를 부정적으로 바라보고 있다.
② 기다리는 손님이 오지 않아 초조해하고 있다.
③ 자신에게 주어진 운명에 순응하며 살아가려 하고 있다.
④ 과거의 행복했던 삶을 그리워하며 현재의 삶을 반성하고 있다.
⑤ 손님을 위해 기꺼이 나서서 행동하려는 헌신적인 태도를 드러내고 있다.

[서술형]
02 (가)를 해석한 (나)의 내용을 다음과 같이 정리할 때, 다음 빈칸에 들어갈 알맞은 말을 차례대로 쓰시오.

• 풍성하게 열려서 탐스럽게 익어 가는 '(   )'는 넉넉하고 여유로운 고향의 모습을 떠올리게 한다.
• 푸른빛과 흰빛의 색채 대비는 평화롭고 아름다운 고향의 모습과 이를 기다리는 말하는 이의 기대와 희망을 강조하여 보여 준다.
• 말하는 이는 '고달픈 몸'으로 찾아올 '(   )'과 함께 청포도를 따 먹으며 고향의 풍요로움을 나누기를 바라고 있다.

서술형

03 (가)에서 다음 설명에 해당하는 시어 두 가지를 찾아 쓰시오.

> 손님을 대하는 말하는 이의 정성스러운 태도가 드러나.

04 (가)를 다음과 같은 관점에서 해석할 때, '손님'의 의미로 적절한 것은?

> 나는 시인이 독립운동가로 활동했다는 점에 주목해야 한다고 생각해.

① 고향의 발전
② 조국의 광복
③ 일제에 협력한 배신자
④ 어렸을 때 헤어진 친구
⑤ 고향을 잃고 떠도는 사람

05~06 다음 시를 읽고 물음에 답하시오.

㉠가난하다고 해서 외로움을 모르겠는가
너와 헤어져 돌아오는
㉡눈 쌓인 골목길에 새파랗게 달빛이 쏟아지는데.
가난하다고 해서 두려움이 없겠는가
두 점을 치는 소리
방범대원의 호각 소리 메밀묵 사려 소리에
㉢눈을 뜨면 멀리 육중한 기계 굴러가는 소리.
가난하다고 해서 그리움을 버렸겠는가
㉣어머님 보고 싶소 수없이 뇌어 보지만
집 뒤 감나무에 까치밥으로 하나 남았을
새빨간 감 바람 소리도 그려 보지만.

가난하다고 해서 사랑을 모르겠는가
내 볼에 와 닿던 네 입술의 뜨거움
사랑한다고 사랑한다고 속삭이던 네 숨결
㉤돌아서는 내 등 뒤에 터지던 네 울음.
가난하다고 해서 왜 모르겠는가
가난하기 때문에 이것들을
이 모든 것들을 버려야 한다는 것을.

05 이 시의 표현상 특징에 대해 나눈 대화 내용 중 적절한 것은?

① 자연과 인간의 삶을 대비하여 제시했어.

② 시선의 이동에 따라 시상을 전개하고 있어.

③ 시적 대상을 의인화하여 생생하게 표현했어.

④ 일상적인 소재를 통해 삶의 교훈을 전하고 있어.

⑤ 의문문의 형식으로 표현하여 말하는 이의 정서를 강조하고 있어.

06 ㉠~㉤ 중, 이 시가 창작될 당시의 사회·문화적 배경과 관련 있는 것은?

① ㉠   ② ㉡   ③ ㉢   ④ ㉣   ⑤ ㉤

07~10 **다음 글을 읽고 물음에 답하시오.**

⑦ "아줌마!"

이때 녀석이 또 예의 그 계집애처럼 간드러진 소리로 어머니를 불러 세웠다.

"따른 집에나 가 보라니께!"

"아줌마한테 요걸 보여 줄려구요."

녀석은 엄지와 인지를 붙여 동그라미를 만들어 보였다. 그 동그라미 위에 다른 또 하나의 작은 동그라미가 노란 빛깔을 띠면서 날름 올라앉아 있었다. 뒤란 그늘 속에서도 그것은 충분히 반짝이고 있었다. ⊙그걸 보더니 어머니의 눈에 환하게 불이 켜졌다.

"아아니, 너, 고거 금가락지 아니냐!"

말이 채 끝나기도 전에 금반지는 어느새 어머니의 손에 건너가 있었다.

⑭ 상대방이 딴죽을 걸어 넘어뜨리고 위에서 덮쳐누르고, 한창 열세에 몰려 맥을 못 추던 명선이가 별안간 날라리 소리 비슷한 괴상한 비명과 함께 엄청난 기운으로 상대방의 몸뚱이를 벌렁 떠둥그뜨려 버렸다. 첫 번째 싸움에서 명선이는 승리자가 되었다. 그리고 그 후로 계속된 두 번째, 세 번째 싸움에서도 으레 상대방의 밑에 깔렸다가 무서운 힘으로 떨치고 일어나서는 승리를 했다.

어느 날, 명선이는 부모가 죽던 순간을 나에게 이야기했다. 피란길에 공습을 만나 가까운 곳에 폭탄이 떨어졌는데, 한참 정신을 잃었다가 깨어나 보니 ⓒ어머니의 커다란 몸뚱이가 숨도 못 쉴 정도로 전신을 무겁게 덮어 누르고 있더라는 것이었다.

"그래서 마구 소릴 지르면서 엄마를 떠밀었단다. 난 그때 엄마가 죽은 줄도 몰랐어."

⑮ 괜히 말썽이나 부리고 펀둥펀둥 놀면서 삼시 세 끼 밥이나 축내는 그 뒤퉁거리를 어떻게 하면 내쫓을 수 있을까 하

고 궁리하는 게 어머니의 일과였다. 아버지 앞에서 ⓒ어머니는 그동안 먹여 주고 재워 준 값과 금반지 한 개의 값어치를 면밀히 따지기 시작했다.

"천지신명(天地神明)을 두고 허는 말이지만 가한티 죄로 가지 않을 만침 헌다고 했구만요."

"허기사 난리 때 금가락지 한 돈쭝은 똥 가락지여. 금 먹고 금 똥 싼다면 혹 몰라도…… 쌀 톨이 금쪽보담 귀헌 세상인디……."

⑯ "말은 안 혔어도 너를 친자식 진배없이 생각혀 왔다. 너 같은 어린것이 그런 물건을 갖고 있으면은 덜 좋은 법이다. 이 아저씨가 잘 맡아 놨다가 후제 크면 줄 테니께 어따 숨겼는지 바른대로 대거라."

아무리 달래고 타일러도 소용이 없자, ②아버지는 마침내 화를 버럭 내면서 명선이의 몸뚱이를 뒤지려 했다. 아버지의 손이 옷에 닿기 전에 명선이는 미꾸라지같이 안방을 빠져나가 자취를 감추어 버렸다.

⑰ 푸른 하늘 바탕을 질러 하얗게 호주기 편대가 떠가고 있었다. ⑩비행기의 폭음에 가려 나는 철근 사이에서 울리는 비명을 거의 듣지 못했다. 다른 것은 도무지 무서워할 줄 모르면서도 유독 비행기만은 병적으로 겁을 내는 서울 아이한테 얼핏 생각이 미쳐 눈길을 하늘에서 허리가 동강이 난 다리로 끌어 내렸을 때, 내가 본 것은 강심을 겨냥하고 빠른 속도로 멀어져 가는 한 송이 쥐바라숭꽃이었다.

⑱ 낚싯바늘 모양으로 꼬부라진 철근의 끝자락에다 끈으로 친친 동여맨 자그만 헝겊 주머니였다. 명선이가 들꽃을 꺾던 때보다 더 위태로운 동작으로 나는 주머니를 어렵게 손에 넣었다. 가슴을 잡죄는 긴장 때문에 주머니를 열어 보는 내 손이 무섭게 경풍을 일으키고 있었다. 그리고 그 주머니 속에서 말갛게 빛을 발하는 동그라미 몇 개를 보는 순간, 나는 손에 든 물건을 송두리째 강물에 떨어뜨리고 말았다.

07 이 글의 내용과 일치하지 <u>않는</u> 것은?

① 명선이는 피란길에 부모님을 잃었다.

② 어머니는 명선이를 계산적으로 대했다.

③ 아버지는 금반지를 가지고 있는 명선이를 걱정했다.

④ 명선이는 비행기 폭음에 놀라 강에 떨어져 죽음을 맞았다.

⑤ '나'는 명선이가 숨겨 둔 금반지를 발견하고 충격을 받았다.

08 다음을 참고할 때 명선이의 죽음을 통해 전달하고자 한 의미로 알맞은 것은?

> 비행기 공습으로 부모님을 잃음.
>
> ↓
>
> 비행기 폭음에 놀라 강으로 떨어짐.
>
> ↓
>
> 명선이가 죽음.

① 전쟁의 비극성

② 이산가족의 아픔

③ 이웃 사이의 갈등

④ 사회 공동체의 붕괴

⑤ 안전사고 예방의 중요성

서술형
09 (다)에서 〈보기〉의 설명에 해당하는 소재를 찾아 3음절로 쓰시오.

> 보기
> • 명선이의 생존 수단임.
> • '나'의 부모님의 탐욕을 드러냄.

10 ㉠~㉤ 중, 명선이가 다음과 같은 행동을 하는 이유와 관련 있는 것은?

사람 밑에 깔리면 무서운 힘으로 떨치고 일어남.

① ㉠ ② ㉡ ③ ㉢ ④ ㉣ ⑤ ㉤

서술형
11 〈토끼전〉을 토끼를 중심으로 해석할 때, 다음 장면에서 파악할 수 있는 주제를 쓰시오.

> "이달 15일에 명산으로 널리 알려진 낭야산에서 저희 짐승들의 모임이 있었습니다. 그때 제 간을 빼내 파초잎에 곱게 싸서 낭야산 최고봉에 우뚝 선 노송 가지에 높이 매달아 놓고 모임에 나갔다가 저 별주부를 만나 곧바로 따라왔습니다. 다음 달 초하룻날이나 되어야 배 속에 다시 넣을 간을 어찌 가져올 수 있었겠습니까?"
>
> 용왕이 들어 보니 이치가 그럴듯했다. 저런 줄을 알았다면 약을 가르쳐 준 선관에게 자세히 물어나 보았을 텐데 하고 후회가 되었다.
>
> **중간 부분의 줄거리** 용왕은 토끼의 말에 넘어가 주변 신하들의 반대에도 토끼에게 성대한 잔치를 열어 준 뒤 별주부와 함께 육지로 나가 간을 찾아오도록 한다.

12~14 다음 글을 읽고 물음에 답하시오.

가 밥상머리 교육의 출발은 젓가락질 가르치기였다. 젓가락질을 못하면 못 배웠다는 흉을 들을 정도로 엄격히 가르쳤다. 그러므로 젓가락질하는 것만 보아도 밥상머리 교육을 제대로 받았는지 판단할 수 있었다. 그런데 요즘 어린이들은 어떤가. 서투른 젓가락질 때문에 후루룩거리며, 흘리며 먹는 경우가 많다. [중략]

젓가락질 동작은 겉보기에는 단순하지만, 계속되는 뇌의 자극 과정이다. 젓가락질의 미세한 움직임은 유아 및 어린이의 성장 발육에도 아주 유익하다. 젓가락질을 바르게 하려면 손가락 각각의 관절과 근육의 정확성과 섬세함이 요구된다.

특히 우리나라에서 많이 사용하는 쇠젓가락은 무거우면서도 가늘다. 당연히 젓가락질하는 데 더 정교하고 힘 있는 손놀림이 필요하다. 쇠젓가락은 음식에 힘을 정확하게 전달하기 때문에 음식을 원하는 대로 찢고, 자르고, 모으는 데 탁월하다. 우리나라 사람들은 젓가락질로 김치를 찢는 것은 물론, 손으로도 집기 어려운 작은 콩도 척척 집어낸다. 깻잎절임을 한 장씩 떼는 기술은 묘기 그 자체. 고도의 집중력과 무게를 감지하는 예민한 손의 촉각은 달인에 가깝다.

정교한 젓가락질 덕분에 우리나라는 손을 위주로 하는 운동 경기에서 세계 최고. 양궁, 핸드볼, 골프, 야구 등의 경기력이 이를 입증한다. 국제 기능 올림픽 대회 우승, 한 치의 오차도 없는 용접 기술이 이루어 낸 세계적 수준의 조선(造船) 기술 역시 젓가락질에 그 뿌리를 두고 있다.

우리 지역 초등학교들이 어린이들에게 바른 젓가락질을 가르치는 '젓가락의 날'을 운영한다고 한다. 정말 반가운 소식이다. 올바른 젓가락질 교육으로 미래에 세계 최고의 실력을 뽐낼 인재를 키울 수 있기를 기대해 본다.

나 다만 젓가락을 사용하는 한중일 삼국에서 공통적으로 발견되는 기술은 있습니다. 위의 젓가락을 집게손가락과 가운뎃손가락 사이에 끼우고, 넷째 손가락과 새끼손가락으로 아래 젓가락을 받친 뒤 엄지손가락으로 두 개의 젓가락을 가볍게 눌러 주는 방식입니다. 중국에서 발원해 3천여 년 동안 역사를 이어 온 두 개의 작대기를 요리조리 쥐어 보는 과정에서 인류가 지혜를 짜 모은 것이 아닌가 합니다. 이 때문에 '젓가락질의 정석' 저자가 누구인지 그 저작권자를 찾아내는 일이란 단언하건대 불가능할 것입니다.

국제표준화기구(ISO)에도 등록되지 않은 젓가락 사용법을 가지고 '누가 젓가락질을 잘하네, 못하네' 따지는 도도한 움직임이 언제 비롯됐는지는 따져 볼 만합니다. 한국인의 젓가락·숟가락 문화를 20년 가까이 연구한 주영하 한국학중앙연구원 민속학 교수는 "얼마나 젓가락질을 잘하는지 따지는 것은 일본에서 들어온 풍속"이라고 설명합니다.

원래 한국 문화에서는 숟가락이 더 중요했다는 것입니다. 밥과 국만으로 연명한 조선 민중에게 젓가락은 호사스러운 물건이었습니다. 잘게 썬 밑반찬을 푸짐하게 차려 먹던 양반님네나 소장하는 희귀품이었던 것이지요. 실제 옛 풍속화를 보면 민초들이 숟가락만 들고 밥 먹는 풍경을 볼 수 있습니다. 젓가락은 양반가의 남자가 아니면 가진 경우가 드물었고 양반 여성들도 숟가락으로만 밥을 먹었습니다.

반면 숟가락을 쓰지 않는 일본에서는 젓가락 사용법이 정교하게 발달했습니다. 근대화 이후 어린이들을 대상으로 한 젓가락질 교육 프로그램을 만든 것도 일본이고, 최근 젊은 엄마들 사이에 유행하는 젓가락 교정기를 발명한 것도 일본이거든요. 일제 강점기 이후 조선에서도 외식업과 근대적 위생관이 발달하면서 젓가락이 주목받게 되었다는 것이 주영하 교수의 추정입니다. "너 밥상에 불만 있나?"라고 참견하던 옆집 아저씨는 일본에서 건너왔을지도 모르겠습니다.

젓가락질을 잘 못하신다고요? 그래서 "젓가락질 못 배웠냐?"라고 구박을 받으신다고요? 그럴 때에는 당당히 이야기하세요. ㉠"한국인의 얼은 숟가락에 담습니다."라고.

12 (가), (나)를 다음과 같이 비교할 때, ⓐ, ⓑ에 들어갈 말이 바르게 짝지어진 것은?

> (가)와 (나)에서는 동일한 (ⓐ)을/를 다루고 있지만 이에 대한 (ⓑ)은/는 상반되어 있어.

	ⓐ	ⓑ
①	관점	화제
②	관점	형식
③	화제	관점
④	화제	형식
⑤	형식	화제

서술형

13 (가), (나)에 드러난 관점을 〈조건〉에 맞게 쓰시오.

┌─ 조건 ─
1. '젓가락질'이라는 단어를 활용할 것
2. 각각 15자 이내의 한 문장으로 쓸 것
└

• (가):

• (나):

14 ㉠에 담겨 있는 의미로 적절한 것은?
① 표준 젓가락질을 가르쳐야 한다.
② 올바른 젓가락질을 강조할 필요가 없다.
③ 젓가락질보다는 숟가락질을 교육해야 한다.
④ 젓가락만으로 식사하는 것은 예의에 어긋난다.
⑤ 우리 민족의 전통적인 식습관은 젓가락 위주이다.

[15~16] 다음을 보고 물음에 답하시오.

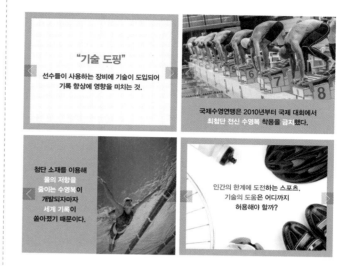

서술형

15 제시된 자료의 형식을 2어절로 쓰시오.

16 이와 같은 자료의 형식적 특성으로 적절하지 <u>않은</u> 것은?

> 댓글
> ↳ 신기록 달성 장면을 분할해서 정보를 나누어 전달하고 있어. ─────── ①
> ↳ 스포츠 사랑 다양한 시각 자료를 활용해 독자의 흥미를 끌고 있어. ─────── ②
> ↳ 달리기 최고 여러 문단이 이어지면서 정보를 하나의 흐름으로 전달하고 있어. ─────── ③
> ↳ 수영 배우자 핵심 정보가 간결하게 요약되어 있어서 주제를 한눈에 파악할 수 있어. ─────── ④
> ↳ 올림픽 장면 사이에 생략된 내용이 많아 전체적인 흐름을 한번에 이해하기는 어려워. ─────── ⑤

17~20 다음을 읽고 물음에 답하시오.

가 〈청중 분석하기〉

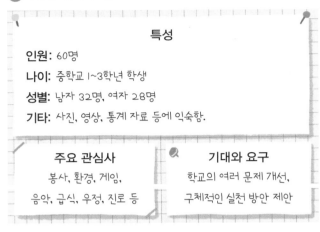

특성

인원: 60명
나이: 중학교 1~3학년 학생
성별: 남자 32명, 여자 28명
기타: 사진, 영상, 통계 자료 등에 익숙함.

주요 관심사	기대와 요구
봉사, 환경, 게임, 음악, 급식, 우정, 진로 등	학교의 여러 문제 개선, 구체적인 실천 방안 제안

나 소진: 많은 사람 앞에서 말해 본 경험이 별로 없어서 긴장돼. 목소리도 작아지고 내용도 자꾸 잊어버려서 걱정이야.

은수: 우리 학교 학생들 앞에서 하는 발표잖아. 평소처럼 친구들과 이야기한다고 생각해 봐.

성민: 목소리가 작으면 마이크를 사용하면 돼. 그리고 내가 발표 내용을 요약한 카드를 만들어 줄게.

소진: 힘들게 준비한 건데 내가 잘못해서 망치면 어떡하지?

은수: 잘해야 한다고 생각하면 더 긴장할 수 있어. 아까 연습할 때 찍은 영상을 봐. 자연스럽게 잘하고 있지?

---

17 (가)에서 소진이네 동아리가 청중에 대해 분석한 내용이 <u>아닌</u> 것은?

① 청중의 나이   ② 청중의 특성
③ 청중의 관심사   ④ 청중의 기대와 요구
⑤ 주제와 관련된 청중의 입장

[서술형]
18 (나)에서 소진이가 발표를 앞두고 겪는 긴장감을 무엇이라고 하는지 2어절로 쓰시오.

---

19 (가)를 바탕으로 발표 계획을 세우면서 나눈 대화 내용으로 적절하지 <u>않은</u> 것은?

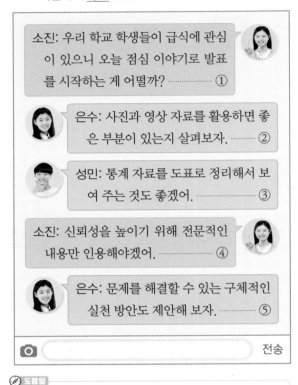

소진: 우리 학교 학생들이 급식에 관심이 있으니 오늘 점심 이야기로 발표를 시작하는 게 어떨까? ·········· ①

은수: 사진과 영상 자료를 활용하면 좋은 부분이 있는지 살펴보자. ·········· ②

성민: 통계 자료를 도표로 정리해서 보여 주는 것도 좋겠어. ·········· ③

소진: 신뢰성을 높이기 위해 전문적인 내용만 인용해야겠어. ·········· ④

은수: 문제를 해결할 수 있는 구체적인 실천 방안도 제안해 보자. ·········· ⑤

📷 [   ] 전송

🧭 도움말
• 인용 남의 말이나 글을 자신의 말이나 글 속에 끌어 씀.

---

20 (나)에서 소진이가 말하기 불안을 느끼는 이유를 바르게 고른 것은?

㉠ 말하기 준비를 제대로 하지 못해서
㉡ 다른 친구들이 발표를 능숙하게 잘해서
㉢ 많은 사람 앞에서 말해 본 경험이 적어서
㉣ 함께 준비한 발표를 망칠까 봐 걱정이 되어서
㉤ 청중들이 발표 내용에 관심이 없을 것 같아서

① ㉠, ㉡   ② ㉡, ㉢   ③ ㉢, ㉣
④ ㉠, ㉡, ㉣   ⑤ ㉢, ㉣, ㉤

01~03 다음 시를 읽고 물음에 답하시오.

가 내 고장 칠월은
청포도가 익어 가는 시절

이 마을 전설이 주저리주저리 열리고
먼 데 하늘이 꿈꾸며 알알이 들어와 박혀

하늘 밑 푸른 바다가 가슴을 열고
흰 돛단배가 곱게 밀려서 오면

내가 바라는 손님은 고달픈 몸으로
청포(靑袍)를 입고 찾아온다고 했으니

내 그를 맞아 이 포도를 따 먹으면
두 손은 함뿍 적셔도 좋으련

아이야 우리 식탁엔 은쟁반에
하이얀 모시 수건을 마련해 두렴

나 비가 오면
온몸을 흔드는 나무가 있고
아, 아, 소리치는 나무가 있고

이파리마다 빗방울을 퉁기는 나무가 있고
다른 나무가 퉁긴 빗방울에
비로소 젖는 나무가 있고

비가 오면
매처럼 맞는 나무가 있고
죄를 씻는 나무가 있고

그저 우산으로 가리고 마는
사람이 있고

01 (가), (나)의 공통점으로 적절한 것은?
① 말하는 이가 작품에 직접 드러나 있다.
② 자연과 인간을 대비하여 제시하고 있다.
③ 대화를 주고받는 형식으로 이루어져 있다.
④ 같은 표현을 반복하여 운율을 형성하고 있다.
⑤ 자연물을 소재로 하여 주제를 드러내고 있다.

서술형
02 (가)를 다음과 같이 해석한 근거를 〈조건〉에 맞게 쓰시오.

나는 (가)를 읽으면서 소망을 이루려면 정성껏 준비해야 한다는 깨달음을 얻었어. 이런 관점에서 (가)는 우리에게 기다림의 자세를 생각하게 해.

조건
1. '독자'라는 단어를 활용할 것
2. 10자 이내로 쓸 것

03 (나)를 다음과 같이 해석한 근거로 알맞은 것은?

비를 맞는 나무와 사람의 모습을 대조하여 인간의 태도를 비판하고 있어.

① 작가의 삶　　　　　② 시의 내적 요소
③ 사회·문화적 배경　　④ 작가의 다른 작품
⑤ 작품이 독자에게 주는 의미

04 ~ 06 다음 시를 읽고 물음에 답하시오.

가난한 사랑 노래
– 이웃의 한 젊은이를 위하여

가난하다고 해서 외로움을 모르겠는가
너와 헤어져 돌아오는
눈 쌓인 골목길에 새파랗게 달빛이 쏟아지는데.
가난하다고 해서 두려움이 없겠는가
두 점을 치는 소리
방범대원의 호각 소리 메밀묵 사려 소리에
눈을 뜨면 멀리 육중한 기계 굴러가는 소리.
가난하다고 해서 그리움을 버렸겠는가
어머님 보고 싶소 수없이 뇌어 보지만
집 뒤 감나무에 까치밥으로 하나 남았을
새빨간 감 바람 소리도 그려 보지만.
가난하다고 해서 사랑을 모르겠는가
내 볼에 와 닿던 네 입술의 뜨거움
사랑한다고 사랑한다고 속삭이던 네 숨결
돌아서는 내 등 뒤에 터지던 네 울음.
가난하다고 해서 왜 모르겠는가
가난하기 때문에 이것들을
이 모든 것들을 버려야 한다는 것을.

---

04 이 시를 읽고 떠오르는 장면으로 적절하지 <u>않은</u> 것은?
① 고향 집과 어머니의 모습을 떠올리는 장면
② 땀 흘리는 보람을 느끼며 열심히 일하는 장면
③ 달빛이 비추는 눈 쌓인 골목길을 걸어가는 장면
④ 사랑하는 사람을 뒤로하고 괴로워하며 걸어가는 장면
⑤ 새벽에 일어나 밖에서 들려오는 소리에 귀를 기울이는 장면

05 이 시의 '가난하다고 해서 ……겠는가'라는 표현에 대한 설명으로 적절하지 <u>않은</u> 것은?
① 반복을 통해 구절의 의미를 강조하고 있다.
② 말하는 이의 감정을 강하게 드러내고 있다.
③ 쉽게 답을 짐작할 수 있는 사실을 의문문으로 표현한 것이다.
④ 의도와 반대로 표현하여 의미를 효과적으로 전달하고 있다.
⑤ 가난해도 인간으로서 느끼는 감정은 다 알고 있다는 의미를 담고 있다.

서술형
06 다음 기사를 참고하여 제목에 나타난 '이웃의 한 젊은이'는 어떤 사람인지 쓰시오.

> 1960년대 후반 봉제 공장 800여 개가 밀집해 있던 평화 시장에는 2만여 명의 노동자가 일하고 있었는데 대부분 농촌 출신이었다. 학교를 다니며 미래를 꿈꿔야 할 10대 중반의 나이에, 환기 장치 하나 없고 햇빛조차 들지 않는 비위생적인 환경에서 하루에 14시간 이상 허리도 펴지 못하고 일했다.
> – 《한국일보》, 2014년 11월 7일 자

이 시가 창작된 사회·문화적 배경을 고려할 때 '이웃의 한 젊은이'는 고향을 떠나 도시에서 (   )로 힘겹게 일하면서 살아가는 사람일 것 같아.

07~09 다음을 읽고 물음에 답하시오.

가 〈청중 분석하기〉

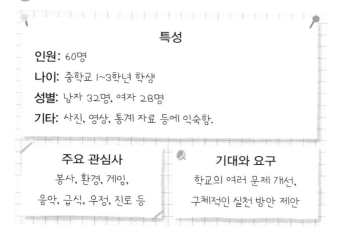

특성

인원: 60명
나이: 중학교 1~3학년 학생
성별: 남자 32명, 여자 28명
기타: 사진, 영상, 통계 자료 등에 익숙함.

주요 관심사
봉사, 환경, 게임,
음악, 급식, 우정, 진로 등

기대와 요구
학교의 여러 문제 개선,
구체적인 실천 방안 제안

나 저희는 오늘 우리 학교의 음식물 쓰레기 문제를 해결할 방안을 제안하려고 합니다. 저희 동아리는 지난 한 달간 우리 학교 학생들이 남긴 음식의 양을 매일 측정해 보았습니다.

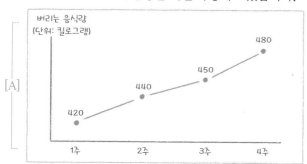

버리는 음식량
(단위: 킬로그램)

[A]

420 440 450 480
1주 2주 3주 4주

이 도표에서 확인할 수 있듯이 급식에서 남아서 버리는 음식의 양은 한 달 동안 계속 늘고 있었습니다. [중략]

급식에서 나오는 음식물 쓰레기의 양이 계속 늘다 보니, 이것을 처리하는 데 드는 비용도 만만치 않습니다. 저희가 조사해 보니 우리 학교에서도 일 년에 천만 원 가까운 돈이 든다고 합니다.

(발표 내용 요약 카드를 빠르게 확인한 뒤) 돈이 많이 드는 것만이 문제가 아닙니다. 음식물 쓰레기의 일부는 사료나 퇴비로 재활용되지만, 재활용되지 않는 음식물 쓰레기는 땅속에 묻거나 불에 태워 처리합니다. 그런데 음식물 쓰레기를 땅속에

묻거나 불에 태우면 토양이나 지하수, 대기 등이 오염됩니다. 우리가 먹고 남긴 음식이 환경을 위협하다니, 정말 심각한 일이 아닌가요?

07 발표를 준비할 때 (가)와 같이 청중 분석을 하는 이유로 적절한 것은?
① 청중과 친분을 쌓으려고
② 발표 내용의 신뢰도를 높이려고
③ 발표할 때 말하기 불안을 느끼지 않으려고
④ 발표를 들을 때의 유의 사항을 알려 주려고
⑤ 발표 내용의 수준을 정하는 데 도움을 받으려고

[서술형]
08 (나)에서 발표자가 제기한 문제를 다음과 같이 정리할 때, 빈칸에 공통으로 들어갈 말을 (나)에서 찾아 쓰시오.

- 우리 학교 급식에서 나오는 ____의 양이 계속 늘고 있으며 이를 처리하는 데 비용이 많이 든다.
- 땅속에 묻거나 불에 태우는 ____ 때문에 환경이 오염된다.

09 [A]에 대한 설명으로 적절하지 <u>않은</u> 것은?
① 청중의 관심과 흥미를 끌 수 있다.
② 통계 내용을 쉽게 파악할 수 있게 한다.
③ 문제 해결 방안을 구체적으로 제시해 준다.
④ 청중의 특성을 분석한 내용을 반영한 것이다.
⑤ 음식물 쓰레기 증가 상황을 한눈에 보여 준다.

10~13 다음 글을 읽고 물음에 답하시오.

가 먼저, 쫓기는 사람들의 무리가 드문드문 마을에 나타나기 시작했다. 그리고 곧이어 포성이 울렸다. 돌산을 뚫느라고 멀리서 터뜨리는 남포의 소리처럼 은은한 포성이 울릴 때마다 집 안의 기둥이나 서까래가 울고 흙벽이 떨었다. 포성과 포성의 사이사이를 뚫고 피란민의 행렬이 줄지어 밀어닥쳤고, 마을에서 잠시 머물며 노독(路毒)을 푸는 동안에 그들은 옷가지나 금붙이 따위 물건을 식량하고 바꾸었다. 바꿀 만한 물건이 없는 사람들은 동냥을 하거나 훔치기도 했다.

나 어른들은 피란민을 별로 달가워하지 않았다. 난생처음 들어 보는 별의별 이상한 사투리를 쓰는 그들이 사랑방이나 헛간이나 혹은 마을 정자에서 묵다 떠나고 나면 으레 집 안에서 없어지는 물건이 생긴다는 것이었다. 굶주린 어린애를 앞세워 식량을 애원하는 그들 때문에 어른들은 골머리를 앓곤 했다. 언제 끝날지 모르는 전쟁 때문에 뒤주 속에 쌀바가지를 넣었다 꺼내는 어머니의 인심이 날로 얄팍해져 갔다.

　그러나 우리 어린애들은 전혀 달랐다. 어른들 마음과는 아무 상관없이 누나와 나는 피란민들을 마냥 부러워하고 있었다.

다 뒤란 그늘 속에서도 그것은 충분히 반짝이고 있었다. 그걸 보더니 어머니의 눈에 환하게 불이 켜졌다.

　"아아니, 너, 고거 금가락지 아니냐!"

　말이 채 끝나기도 전에 금반지는 어느새 어머니의 손에 건너가 있었다. 솔개가 병아리를 채듯이 서울 아이의 손에서 금반지를 낚아채어 어머니는 한참을 칩떠보고 내립떠보는가 하면, 혓바닥으로 침을 묻혀 무명 저고리 앞섶에 싹싹 문질러 보다가 나중에는 이빨로 깨물어 보기까지 했다. 마침내 어머니의 얼굴에 만족스러운 미소가 떠올랐다.

　"아가, 너 요런 것 어디서 났냐?"

옷고름의 실밥을 뜯어 그 속에 얼른 금반지를 넣고 웅숭깊은 저 밑바닥까지 확실히 닿도록 두어 번 흔들고 나서 어머니는 서울 아이한테 물었다. 놀랍게도 어머니의 목소리는 서울 아이의 그것보다 훨씬 더 간드러지게 들렸다.

라 갈수록 밥 얻어먹는 설움이 심해지자, 하루는 또 명선이가 금반지 하나를 슬그머니 내밀어 왔다. 먼젓번 것보다 약간 굵어 보였다. 찬찬히 살피고 나더니 어머니는 한 돈 하고도 반짜리라고 조심스럽게 감정을 내렸다.

　"길에서 주웠다니까요."

　어머니의 다그침에 명선이는 천연덕스럽게 대꾸했다.

　"거참 요상도 허다. 따른 사람은 눈을 까뒤집어도 안 뵈는 노다지가 어째 니 눈에만 유독 들어온다냐?"

마 우리 논에 떨어지는 빗물이나 마찬가지로 아버지는 우리 집안에 우연히 굴러들어 온 명선이의 소유권을 마을 사람들 앞에서 우격다짐으로 가리고 있었다.

　[A] "우리가 친자식 이상으로 애끼고 길르는 아요. 만에 일이라도 야한티 해꼿이 혈라거든 앙화가 무섭다는 걸 멩심허시요!"

　덩달아 어머니도 위협을 잊지 않았다. 명선이가 입은 손해는 바로 우리 집안의 손해나 마찬가지라는 주장이었다. 물론 어머니는 명선이 때문에 생기는 이익이 곧바로 우리 이익이란 말을 입 밖에 비치지도 않았다.

---

10 이 글에 드러난 사회·문화적 상황과 거리가 <u>먼</u> 것은?
① 전쟁으로 식량이 부족해졌다.
② 전쟁 때문에 피란민이 많아졌다.
③ 피란길에 혼자 남겨진 아이들도 있었다.
④ 피란민들은 동냥이나 도둑질을 하기도 했다.
⑤ 피란민을 통해 마을에 새로운 문물이 들어왔다.

11 이 글에 대한 설명으로 적절하지 <u>않은</u> 것은?

① 사투리를 사용해 향토성과 사실성을 높였다.

② 어른들의 말과 행동을 통해 사회·문화적 상황을 짐작할 수 있다.

③ '나'와 어른들 사이의 외적 갈등을 중심으로 사건이 전개되고 있다.

④ 서술자인 '나'는 주인공인 명선이를 관찰하여 이야기를 전달하고 있다.

⑤ 전쟁 때문에 이기적으로 변한 어른들의 모습과 순수한 아이들의 모습을 대비하여 보여 주고 있다.

서술형

12 명선이를 대하는 어머니의 태도가 다음과 같이 달라진 이유를 〈조건〉에 맞게 쓰시오.

"따른 집에나 가 보라니께!"

"아가, 너 요런 것 어디서 났냐?"

조건

'~ 때문이다.' 형식의 한 문장으로 쓸 것

13 어머니가 [A]와 같이 말한 이유로 알맞은 것은?

① 혼자 남은 명선이가 안타까워서

② 명선이로부터 얻을 이익을 지키려고

③ 앞으로 명선이를 친자식처럼 기르려고

④ 그동안 명선이를 구박한 것이 미안해서

⑤ 명선이를 마을 사람들에게서 분리하려고

14 (가), (나)의 특성을 바르게 비교한 것은?

나 기존의 운동화보다 에너지 소모는 줄이고 내딛는 힘을 높여 주는 첨단 기술 운동화 역시 비슷한 논란이 되고 있다. 선수들이 금지된 약물 등을 복용하여 약물 검사(도핑 테스트)에서 적발되는 것에 비유하여, '기술 도핑'이라는 새말까지 생겨났다.

첨단 기술을 적용한 각종 스포츠용품이 선수들이 정정당당한 실력과 기량을 겨루는 스포츠 정신에 어긋나지 않도록 바람직한 규범과 합의가 이루어져야 할 것이다. '과학 기술과 인간의 조화'는 올림픽에서도 반드시 필요한 듯하다.

① (가)와 (나) 모두 기술 도핑을 긍정적으로 바라보고 있다.

② (가)는 (나)에 비해 핵심 정보가 간결하게 요약되어 있다.

③ (가)는 (나)에 비해 다양한 근거를 충분히 제시하여 내용을 논리적으로 전개하고 있다.

④ (나)는 (가)에 비해 휴대 전화나 컴퓨터 화면으로 읽기 편하다.

⑤ (나)는 (가)에 비해 생략된 내용이 많아 전체적인 흐름을 한번에 파악하기 어렵다.

15~18 다음 글을 읽고 물음에 답하시오.

가 젓가락질 동작은 겉보기에는 단순하지만, 계속되는 뇌의 자극 과정이다. 젓가락질의 미세한 움직임은 유아 및 어린이의 성장 발육에도 아주 유익하다. 젓가락질을 바르게 하려면 손가락 각각의 관절과 근육의 정확성과 섬세함이 요구된다.

특히 우리나라에서 많이 사용하는 쇠젓가락은 무거우면서도 가늘다. 당연히 젓가락질하는 데 더 정교하고 힘 있는 손놀림이 필요하다. 쇠젓가락은 음식에 힘을 정확하게 전달하기 때문에 음식을 원하는 대로 찢고, 자르고, 모으는 데 탁월하다. 우리나라 사람들은 젓가락질로 김치를 찢는 것은 물론, 손으로도 집기 어려운 작은 콩도 척척 집어낸다. 깻잎절임을 한 장씩 떼는 기술은 묘기 그 자체다. 고도의 집중력과 무게를 감지하는 예민한 손의 촉각은 달인에 가깝다.

정교한 젓가락질 덕분에 우리나라는 손을 위주로 하는 운동 경기에서 세계 최고다. 양궁, 핸드볼, 골프, 야구 등의 경기력이 이를 입증한다. 국제 기능 올림픽 대회 우승, 한 치의 오차도 없는 용접 기술이 이루어 낸 세계적 수준의 조선(造船) 기술 역시 젓가락질에 그 뿌리를 두고 있다.

우리 지역 초등학교들이 어린이들에게 바른 젓가락질을 가르치는 '젓가락의 날'을 운영한다고 한다. 정말 반가운 소식이다. 올바른 젓가락질 교육으로 미래에 세계 최고의 실력을 뽐낼 인재를 키울 수 있기를 기대해 본다.

나 무거운 쇠젓가락을 한 손에 쥔 채 김치를 찢어 내는 한국인들의 젓가락질은 같은 젓가락 문화권인 중국이나 일본에 견주어도 세계적인 수준입니다. 그러나 음식 문화 전문가들의 이야기를 들어 보면, 사실 젓가락을 쥐는 데 완벽한 표준은 없습니다. [중략]

국제표준화기구(ISO)에도 등록되지 않은 젓가락 사용법을 가지고 '누가 젓가락질을 잘하네, 못하네' 따지는 도도한 움직임이 언제 비롯됐는지는 따져 볼 만합니다. 한국인의 젓가락·숟가락 문화를 20년 가까이 연구한 주영하 한국학중앙연구원 민속학 교수는 "얼마나 젓가락질을 잘하는지 따지는 것은 일본에서 들어온 풍속"이라고 설명합니다.

원래 ⊙한국 문화에서는 숟가락이 더 중요했다는 것입니다. 밥과 국만으로 연명한 조선 민중에게 젓가락은 호사스러운 물건이었습니다. 잘게 썬 밑반찬을 푸짐하게 차려 먹던 양반님네나 소장하는 희귀품이었던 것이지요. 실제 옛 풍속화를 보면 민초들이 숟가락만 들고 밥 먹는 풍경을 볼 수 있습니다. 젓가락은 양반가의 남자가 아니면 가진 경우가 드물었고 양반 여성들도 숟가락으로만 밥을 먹었습니다.

다 사랑하는 현서에게

현서야, 엄마가 오랜만에 네게 편지를 쓰는구나.

며칠 전 서투른 젓가락질 때문에 할머니께 혼났었지? 그때 너는 밥만 잘 먹으면 되지 젓가락질을 잘하는 것이 뭐가 중요하냐고 했지.

그런데 현서야, 많은 사람이 바른 젓가락질을 식사 예절이라고 생각해. 학교에서 밥상머리 교육이라는 말을 들어 본 적이 있지? 올바른 젓가락질을 밥상머리 교육의 하나라고 보는 거야.

엄마가 신문에서 읽었는데 우리나라 사람들이 양궁처럼 손을 사용하는 분야에서 뛰어난 것이 젓가락질 덕분이래. 젓가락질로 어릴 때부터 정교하고 섬세하게 손을 사용하는 훈련을 하는 셈이거든.

이제 왜 할머니께서 젓가락질을 바르게 해야 한다고 말씀하셨는지 이해할 수 있겠니? 엄마는 네가 젓가락질도 잘하고 밥도 잘 먹는 건강한 사람이 되면 좋겠어.

[서술형]

15 젓가락질과 관련하여 (가)와 (다)에 공통적으로 드러난 관점을 15자 이내의 한 문장으로 쓰시오.

16 (나)의 글쓴이의 관점을 뒷받침할 수 있는 근거로 적절하지 <u>않은</u> 것은? (정답 2개)

① 한국 문화에서는 숟가락이 더 중요했다.

② 젓가락을 쥐는 방법에 완벽한 표준은 없다.

③ 젓가락질을 잘하는지 따지는 것은 일본에서 들어온 풍속이다.

④ 정교한 젓가락질 덕분에 우리나라의 손 기술은 세계적인 수준이다.

⑤ 젓가락질은 뇌를 자극하고 유아 및 어린이의 성장 발육에도 유익하다.

17 (가)와 (다)의 형식상 특성을 다음과 같이 비교할 때, 괄호 안에 들어갈 알맞은 말을 고르시오.

> (가)는 주장과 그것을 뒷받침하는 근거를 제시하는 (논설문, 편지글)이야.

> (다)는 엄마가 자녀에게 보내는 (논설문, 편지글)(으)로 친근한 말투를 썼어.

18 ㉠을 뒷받침하는 근거를 다음과 같이 정리할 때, 빈칸에 들어갈 알맞은 말을 차례대로 쓰시오. [서술형]

- (   )은 양반이나 소장하는 희귀품이었다.
- 민중이나 양반 여성들은 (   )으로만 밥을 먹었다.

[19~20] 다음 글을 읽고 물음에 답하시오.

가 순철: (부동자세로 서서) 차렷! 경례!

일동: (고개 숙여 합창하며) 안녕하세요!

　감회 어린 표정으로 교탁 앞에 선 수하, 교단 아래를 천천히 살펴보면, 올망졸망한 아이들이 잔뜩 호기심 어린 눈망울로 그를 주시하고 앉았다. 들쭉날쭉한 나이만큼이나 발육 상태나 체구가 크게 차이가 나는 아이들로 진풍경인 교실. 목발을 책상 옆으로 누인 소아마비 아동도 몇몇 눈에 들어온다.

나 수하: (으잉?) …… 근데, 여태 집에 안 가구 뭐 하는 거냐? / 홍연: 저…… 벤또를 놓구 가서요.

수하: 허어, 그래. 얼른 찾아보거라.

　돌아서는 수하에 홍연은 어쩔 수 없이 도시락 찾는 척 교실로 들어서려는데. / 홍연이 발걸음을 옮길 때마다 둘러맨 책보 속 빈 도시락에서 수저가 맞부딪치며 내는 달그락거리는 소리.

19 (가)에 드러난 당시의 생활상으로 알맞은 것은?

① 점심은 주로 급식으로 해결했다.

② 아이들이 대체로 건강이 좋지 않았다.

③ 아이들은 선생님에게 별로 관심이 없었다.

④ 학교에서 우리말과 한글을 배울 수 없었다.

⑤ 다양한 연령의 아이들이 함께 수업을 들었다.

20 [서술형] 이 글의 사회·문화적 배경이 작품의 분위기에 미친 영향을 〈보기〉와 같이 정리할 때, 빈칸에 들어갈 알맞은 말을 3음절로 쓰시오.

> ─ 보기 ─
> 　1960년대 강원도 산골 마을이라는 배경은 선생님을 향한 홍연의 (   )을 더욱 순수하고 풋풋하게 느껴지게 한다.

핵심 정리 01 시 <청포도> 작품 개관

● 작품 개관

주제
- 평화롭고 풍요로운 삶에 대한 소망
- 조국 ❶ ㄱㅂ 의 염원

특징
① 의태어를 사용하여 생동감과 운율을 형성함.
② '청포도', '손님'과 같은 ❷ ㅅㅈ 적 표현을 사용하여 주제를 드러냄.
③ 푸른색과 흰색의 색채 대비를 통해 말하는 이의 소망과 기대를 강조함.

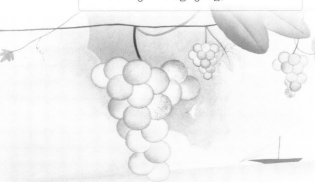

답 ❶ 광복 ❷ 상징

핵심 정리 02 시 <청포도>의 다양한 해석

● 문학 작품의 해석 방법

내재적 관점	외재적 관점
작품의 소재, 구조, ❶ ㅍㅎ 등 내적 요소를 중심으로 작품을 해석하는 방법	작가의 삶, 사회·문화적 배경, 작품이 독자에게 주는 의미 등 외적 요소를 중심으로 작품을 해석하는 방법

● 시 <청포도>의 다양한 해석

작품 내적 요소 중심	평화로운 고향을 회복하고자 하는 ❷ ㅅㅁ 을 드러냄.
작가 또는 현실 중심	조국 광복의 염원과 의지를 보여 줌.
독자 중심	기다림의 자세를 일깨워 줌.

어떤 근거를 제시하느냐에 따라 작품에 대한 해석이 달라질 수 있어.

답 ❶ 표현 ❷ 소망

핵심 정리 03 시 <가난한 사랑 노래> 작품 개관

● 작품 개관

주제 가난한 젊은이들의 아픈 사랑과 외로운 삶

특징
① 다양한 ❶ ㄱㄱ 적 이미지를 활용하여 말하는 이의 정서를 효과적으로 표현함.
② 설의법, 반복법, 도치법 등의 표현 방법과 영탄적 어조로 주제를 인상 깊게 전함.
③ 고단한 삶을 살아가는 ❷ ㅈㅇㅇ 들에 대한 시인의 따뜻한 시선이 드러남.

답 ❶ 감각 ❷ 젊은이

핵심 정리 04 시 <가난한 사랑 노래>의 사회·문화적 배경과 창작 의도

● 사회·문화적 배경을 바탕으로 작품 이해하기

- 등장인물의 말과 행동, 인물들 간의 ❶ ㄱㄱ, 사건을 바탕으로 작품의 사회·문화적 배경 파악하기
- 사회·문화적 배경을 바탕으로 작품의 의미 파악하기

↓

현재적 관점에서 작품 파악하기

● 시 <가난한 사랑 노래>의 사회·문화적 배경과 창작 의도

시구	사회·문화적 배경
두 점을 치는 소리, 방범대원의 호각 소리, 육중한 기계 굴러가는 소리	1970~1980년대 산업화 시기 도시 ❷ ㄴㄷㅈ 의 힘겨운 삶

↓

창작 의도	당시 젊은이들을 안타깝게 여기고 위로하고자 함.

답 ❶ 관계 ❷ 노동자

02 이것만은 꼭! 시 〈청포도〉에 나타난 색채 이미지의 대조

❶ ㅍㄹ 색 이미지 (평화, 희망)		흰색 이미지 (순수, 깨끗함)
청포도, 하늘, 푸른 바다, 청포	↔	흰 돛단배, 은쟁반, 하이얀 모시 수건

↓

평화롭고 아름다운 ❷ ㄱㅎ 의 모습과 이를 기다리는
말하는 이의 기대와 희망을 강조함.

답 ❶ 푸른 ❷ 고향

01 이것만은 꼭! 시의 구성

1연	내 고장 칠월에는 ❶ ㅊㅍㄷ 가 익어 감.
2연	청포도 속에 꿈과 소망이 담김.
3연	흰 돛단배가 밀려오기를 바람.
4연	청포를 입고 찾아온다고 한 ❷ ㅅㄴ 을 기다림.
5연	손님과 함께 청포도를 따 먹고 싶음.
6연	손님이 올 때를 대비함.

〈청포도〉는 풍요롭고
평화로운 세상을
회복하기를 바라는 간절한
소망을 담아냈어.

답 ❶ 청포도 ❷ 손님

04 이것만은 꼭! 시 〈가난한 사랑 노래〉에 드러난 말하는 이의 상황과 정서

말하는 이	상황
고향을 떠나 ❶ ㄷㅅ 로 온 젊은이인 '나'	• 고향에 계신 어머니를 그리워함. • 사랑하는 사람과 이별함.

↓

말하는 이의 정서	• 이별로 인한 외로움 • 고달픈 현실에 대한 두려움 • 떠나온 고향과 ❷ ㅇㅁㄴ 에 대한 그리움 • 사랑하면서도 헤어질 수밖에 없는 아픔 • 가난 때문에 모든 것을 포기해야 하는 서러움

가난하기 때문에
버려야 한다고 말하는
'이 모든 것들'이 무엇인지
생각해 봐.

답 ❶ 도시 ❷ 어머니

03 이것만은 꼭! 시의 구성

1~3행	'너'와 헤어져 돌아오는 길의 외로움
4~7행	고달픈 현실 생활의 두려움
8~11행	고향을 향한 그리움
12~15행	❶ ㅅㄹ 하면서도 헤어질 수밖에 없는 아픔
16~18행	❷ ㄱㄴ 때문에 모든 것을 버려야 하는 서러움

이 시는 1970~1980년대
도시 노동자의 고달픈 삶의
모습을 보여 주고, 열심히 일해도
가난하게 살 수밖에 없었던
젊은이들을 위로하고자 했어.

답 ❶ 사랑 ❷ 가난

핵심 정리 05 · 소설 〈기억 속의 들꽃〉 작품 개관

● 작품 개관

갈래
현대 소설, 전후 소설

배경
6·25 전쟁 시기, 만경강 근처의 어느 마을

주제
전쟁의 비극성과 비인간성

특징
① 과거 ❶ ⟨ㅎㅅ⟩의 형식을 취하면서 어린아이의 시선을 통해 전쟁의 비극성과 비인간성을 드러냄.
② 사투리와 비속어를 사용하여 ❷ ⟨ㅎㅌ⟩적인 분위기를 형성하고 사실감을 높임.
③ 상징적 의미를 담고 있는 제목으로 주인공 명선이의 비극적인 삶의 모습을 나타냄.

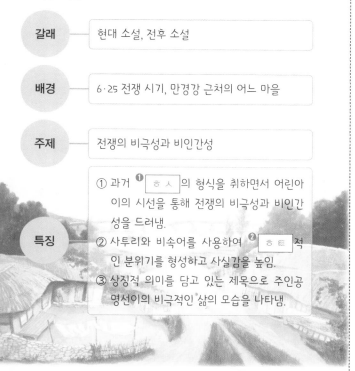

답 ❶ 회상 ❷ 향토

핵심 정리 06 · 소설 〈기억 속의 들꽃〉 글의 구성

● 글의 구성

발단 1	전쟁이 나고 '나'의 마을에 피란민이 오고 감.
발단 2	'나'는 누나, 할머니와 피란을 떠났다가 ❶ ⟨ㅇㅁㄱ⟩을 보고 겁을 먹어 집에 돌아옴.
전개 1	피란길에 혼자 남겨진 명선이는 '나'의 어머니에게 금반지를 내밀고 '나'의 집에 살게 됨.
전개 2	기대와 달리 명선이는 놀고먹기만 하여 '나'의 부모님에게 미움을 삼.
위기	❷ ⟨ㄱㅂㅈ⟩의 출처를 묻는 추궁을 피해 집을 나간 명선이가 여자아이임이 밝혀짐.
절정	끊어진 다리 근처에서 놀던 명선이가 비행기 폭음에 놀라 다리 아래로 떨어짐.
결말	'나'는 명선이가 떨어졌던 다리 끝에서 금반지가 들어 있는 주머니를 발견하지만 놀라서 강물에 떨어뜨리고 맒.

답 ❶ 인민군 ❷ 금반지

핵심 정리 07 · 소설 〈기억 속의 들꽃〉의 사회·문화적 상황과 창작 의도

● 소설 〈기억 속의 들꽃〉의 사회·문화적 상황과 창작 의도

시대적 배경	사회·문화적 상황
피란민, 포성, 폭격, 인민군, 호주기 편대 → 6·25 전쟁	• ❶ ⟨ㅈㅈ⟩으로 식량을 구하기 어려워짐. • 인심이 각박해지고, 인간성을 상실하게 됨.

↓

창작 의도
• 삶을 황폐하게 만드는 전쟁과 그로 인해 이기적으로 변한 사람들의 모습을 비판하고자 함.
• 전쟁 때문에 나타나는 인간성 ❷ ⟨ㅅㅅ⟩을 강조하고자 함.

답 ❶ 전쟁 ❷ 상실

핵심 정리 08 · 소설 〈토끼전〉 작품 개관

● 작품 개관

갈래
고전 소설, 판소리계 소설, 우화 소설

주제
• 토끼 중심: 위기를 극복하는 ❶ ⟨ㅈㅎ⟩
• 별주부 중심: 임금에 대한 충성심
• 용왕 중심: 이기적인 지배층에 대한 비판

특징
① 동물을 ❷ ⟨ㅇㅇㅎ⟩하여 인간 사회를 풍자한 우화적 수법을 사용함.
② 창작 당시의 사회적 배경을 바탕으로 민중의 비판 의식을 반영함.

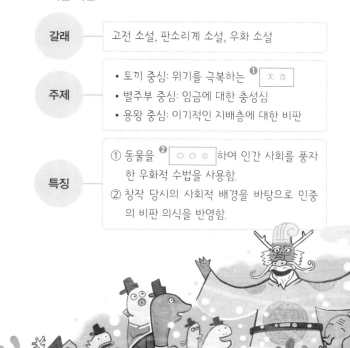

답 ❶ 지혜 ❷ 의인화

06 이것만은 꼭! ① 소설 〈기억 속의 들꽃〉에 드러난 복선

• 명선이를 지옥의 저쪽 가장자리에 있는 귀신에 비유함. • 명선이가 머리에 꽂고 있던 쥐바라숭꽃이 강으로 떨어짐.	→	명선이의 **①** ㅈ ㅇ 을 암시함.

06 이것만은 꼭! ② 소설 〈기억 속의 들꽃〉의 명선이가 죽은 원인

직접적인 원인	근본적인 원인
② ㅂ ㅎ ㄱ 의 폭음	전쟁의 잔인함, 어른들의 탐욕

답 ① 죽음 **②** 비행기

---

05 이것만은 꼭! 소설 〈기억 속의 들꽃〉 주요 소재의 상징적 의미

들꽃 (쥐바라숭꽃)	• 콘크리트 더미에서 피어난 들꽃은 전쟁 중 **①** ㅂ ㅁ ㄴ 을 잃고 낯선 곳에서 살아가는 명선이의 강인한 생명력을 상징적으로 보여 줌. • 강물로 떨어지는 들꽃은 다리에서 떨어져 죽음을 맞이한 명선이를 상징함.
만경강 다리	• 명선이가 **②** ㄱ ㅂ ㅈ 를 숨긴 장소이자 죽게 된 장소임. • 오갈 데 없어진 명선이의 처지를 상징함. • 전쟁의 비극성과 처참함을 드러냄.

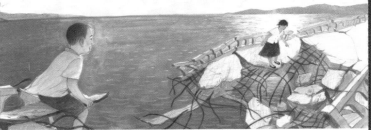

답 ① 부모님 **②** 금반지

---

08 이것만은 꼭! 소설 〈토끼전〉의 등장인물이 상징하는 계층과 창작 의도

등장인물	계층		창작 의도
토끼	백성	→	고난을 극복하는 지혜와 헛된 **①** ㅇ ㅅ 을 버리는 태도 강조
용왕	지배층	→	자신을 위해 힘없는 백성을 희생시키는 **②** ㅈ ㅂ ㅊ 비판
별주부	신하	→	우직한 충성심과 융통성 있는 태도 강조

답 ① 욕심 **②** 지배층

---

07 이것만은 꼭! 사회·문화적 상황이 〈기억 속의 들꽃〉의 등장인물에게 미친 영향

피란민	피란을 다니면서 상황이 어려우면 동냥이나 **①** ㄷ ㄷ ㅈ 을 하기도 함.
명선이	• 살아남으려고 뻔뻔하게 행동하며 금반지가 든 주머니를 숨김. • '나'의 부모님에게 금반지를 주고 밥을 편하게 얻어먹고자 함.
부모님과 마을 사람들	• **②** ㅍ ㄹ ㅁ 에 대한 인심이 점점 야박해짐. • 명선이의 금반지를 빼앗으려는 탐욕스러운 모습을 보임.

답 ① 도둑질 **②** 피란민

핵심 정리 09 — 시나리오 <내 마음의 풍금> 작품 개관

● 작품 개관

배경	1960년대, 강원도 산골 마을 산리
주제	총각 선생님에 대한 산골 학교 여학생의 순수한 ❶ ㅅㄹ
특징	① 인물의 행동, 대사와 지시문을 통해 인물의 성격과 심리를 제시함. ② 함축적인 대사를 통해 인물의 ❷ ㅅㄹ 를 효과적으로 드러냄. ③ 향토적이고 토속적인 풍경과 소재를 활용하여 소박한 시골 마을의 모습을 표현함.

답 ❶ 사랑 ❷ 심리

핵심 정리 10 — <젓가락으로 시작하는 밥상머리 교육> 글의 구성

● 글의 구성

처음	한 젊은이의 서투른 ❶ ㅈㄱㄹㅈ 을 봄.
중간	• 밥상머리 교육이 다시 주목받고 있으나 가장 기본이 되는 젓가락질 교육은 놓치고 있음. • 올바른 젓가락질 가르치기가 ❷ ㅂㅅㅁㄹ 교육의 출발점임. • 젓가락질은 뇌를 자극하는 동작이며, 손가락 관절과 근육 발달에 도움이 됨. • 쇠젓가락 사용과 정교한 젓가락질 덕분에 우리나라의 손 기술이 세계적인 수준으로 인정받고 있음.
끝	올바른 젓가락질 교육으로 인재를 양성하기를 기대함.

답 ❶ 젓가락질 ❷ 밥상머리

핵심 정리 11 — <젓가락질 잘해야만 밥 잘 먹나요> 글의 구성

● 글의 구성

처음	정석에 가까운 젓가락질을 하지 못하는 사람을 부정적으로 바라보는 사회적 시선이 존재함.
중간	• 젓가락을 쥐는 데 완벽한 표준은 없음. • 한중일 공통의 젓가락질 방식은 오랜 기간 인류가 지혜를 모은 것일 뿐임. • 젓가락질을 잘하는지 따지는 것은 ❶ ㅇㅂ 에서 들어온 풍속임. • 원래 한국 문화에서는 ❷ ㅅㄱㄹ 이 더 중요한 역할을 해 왔음.
끝	젓가락질이 서투르다는 이유로 비난받을 이유가 없음.

답 ❶ 일본 ❷ 숟가락

핵심 정리 12 — 동일한 화제를 다룬 여러 글을 비교하며 읽기

● 동일한 화제를 다루더라도 글의 관점이나 형식이 다양한 이유

• 글쓴이의 경험과 가치관에 따라 관점이 달라질 수 있음.
• 글쓴이가 자신의 ❶ ㅇㄷ 를 효과적으로 전달하기에 더 적절한 형식을 선택하여 표현함.

● 동일한 화제를 다룬 여러 글을 비교하며 읽기의 의의

• 대상을 다양한 시각으로 바라보게 되어 좁은 시각에서 벗어나 글을 폭넓고 깊이 있게 이해할 수 있음.
• 화제와 관련된 다른 사람들의 생각을 알아보고, 자신의 생각을 ❷ ㅈㄹ 하는 데 도움이 됨.
• 다양한 글의 형식을 살펴보고 주제를 효과적으로 전달하는 방법을 생각해 볼 수 있음.

다양한 관점의 글을 폭넓게 읽고 자신의 생각을 정리하면서 균형 있는 시각을 길러 봐.

답 ❶ 의도 ❷ 정리

10 이것만은 꼭! 젓가락질을 올바르게 해야 하는 이유

젓가락질 동작의 숨겨진 힘	올바른 젓가락질의 효과
• 단순한 동작이지만 계속해서 뇌를 자극하는 과정임. • 유아 및 어린이의 성장 발육에 유익함. • 손가락 관절과 근육의 정확성, **❶** ㅅㅅㅎ 을 요구함.	• 무거운 쇠젓가락을 사용하면 더욱 정교하고 힘 있는 손놀림이 발달함. • 고도의 집중력과 무게를 예민하게 감지하는 손의 **❷** ㅊㄱ 이 발달함. • 우리나라가 손을 위주로 하는 운동 경기나 기술 면에서 세계적인 수준으로 우수함.

답 ❶ 섬세함 ❷ 촉각

---

09 이것만은 꼭! 시나리오 〈내 마음의 풍금〉의 사회·문화적 배경과 분위기

사회·문화적 배경	• 시대적 배경: 1960년대 • 공간적 배경: 강원도 **❶** ㅅㄱ 마을

↓

작품의 분위기	• 순박하고 순수함이 느껴짐. • 아련한 향수가 느껴짐. • 향토적이고 토속적인 분위기를 형성함. • 선생님을 향한 **❷** ㅎㅇ 의 짝사랑이 더욱 풋풋하게 느껴짐.

답 ❶ 산골 ❷ 홍연

---

12 이것만은 꼭! 동일한 화제를 다루는 두 글의 관점 비교하기

〈젓가락으로 시작하는 밥상머리 교육〉	〈젓가락질 잘해야만 밥 잘 먹나요〉
올바른 젓가락질을 가르쳐야 한다.	젓가락질을 잘 못해도 괜찮다.

• 밥상머리 교육의 핵심은 올바른 젓가락질임. • 젓가락질은 **❶** ㄴ 를 자극하여 유아 및 어린이의 성장 발육에 도움이 됨. • 올바른 젓가락질 교육으로 세계적인 인재를 기를 수 있음.	• 젓가락 사용법에는 정해진 **❷** ㅍㅈ 이 없음. • 젓가락질을 잘하는지 따지는 것은 일본에서 들어온 풍속임. • 한국 문화에서는 숟가락이 더 중요했음.

↔

답 ❶ 뇌 ❷ 표준

---

11 이것만은 꼭! 젓가락질을 잘 못해도 괜찮은 이유

표준 젓가락질의 유무	젓가락질의 중요성 여부
• 젓가락을 쥐는 데 완벽한 표준은 없음. • 젓가락을 사용하는 문화권의 공통된 기술은 오랜 세월 자연스럽게 다듬어진 것임. • 젓가락 사용법의 **❶** ㄱㅇ 을 찾을 수 없음.	• 젓가락질을 잘하는지 따지는 것은 일본에서 들어온 풍속임. • **❷** ㅎㄱ 문화에서는 젓가락보다 숟가락이 더 중요했음.

답 ❶ 기원 ❷ 한국

핵심 정리 13 카드 뉴스와 글의 관점 및 형식 비교하기

● 카드 뉴스와 글의 관점 및 형식 비교하기

카드 뉴스	글
• 글과 시각 자료를 활용하여 정보를 전달함. • 장면을 분할해서 정보를 나누어 전달함. • ❶ ⃞ ㅎㅅ ⃞ 정보만 간추려서 전달함.	• 글로 정보를 전달함. • 여러 문단이 이어지면서 정보를 하나의 흐름으로 전달함. • 구체적이고 자세한 정보까지 전달함.

↓

글쓴이는 자신의 의도를 효과적으로 전달하기에 더 적절한 ❷ ⃞ ㅎㅅ ⃞을 선택하여 표현함.

핵심 정리 14 발표를 준비하는 과정

● 발표를 준비하는 과정

청중 분석하기	• 인원, 나이, 성별, 직업 등 ❶ ⃞ ㅊㅈ ⃞의 특성 • 청중의 관심사, 기대와 요구, 주제와 관련된 입장 등

↓

발표 내용 마련하기	• 청중의 관심과 요구를 반영하여 구체적인 발표 ❷ ⃞ ㄴㅇ ⃞과 순서 정하기 • 발표 자료를 수집하고 내용을 구체화하기

↓

발표하기	• 매체 자료를 활용하여 효과적으로 발표하기 • 말하기 불안에 대처하기

발표 내용을 잘 정리해서 자연스럽게 전달할 수 있는지 점검해 보자.

발표할 때 목소리와 시선, 손짓 등을 어떻게 할지 생각해 봐야겠어.

핵심 정리 15 청중을 분석할 때 파악해야 하는 것

● 청중을 분석할 때 파악해야 하는 것

청중의 특성	인원, 나이, 성별, 직업, 주거 지역, 지식수준, 말하기 주제 및 내용과 관련하여 알고 있는 정도 등
청중의 관심과 요구	주제와 관련된 입장, 흥미와 관심사, 가치관, 판단 기준, 관여도, 청중이 말하기에서 ❶ ⃞ ㄱㄷ ⃞하는 것, 얻고자 하는 것 등

↓

청중의 관심과 요구에 따라 말할 내용이나 말하기의 방식이 달라져야 말하기 ❷ ⃞ ㅁㅈ ⃞을 효과적으로 달성할 수 있음.

핵심 정리 16 말하기 불안의 원인과 그 대처 방법

● 말하기 불안의 원인과 그 대처 방법

말하기 불안의 주요 원인	• 공식적인 말하기 상황에 익숙하지 않음. • 상대방이나 말하기 과제와 관련하여 과도한 ❶ ⃞ ㅂㄷ ⃞을 느낌. • 말하기 준비가 미흡함.
말하기 불안을 극복하는 방법	• 말하기 불안의 원인을 정확히 점검하고 해결 방법 찾기 • 긍정적인 말하기 ❷ ⃞ ㄱㅎ ⃞ 쌓기, 말하기에 자신감 가지기 • 심리적 불편함을 줄이는 다양한 방법 연습하기 • 말할 내용을 연습하며 충분히 준비하기

사람들 앞에 서면 갑자기 머릿속이 하얗게 되고 무슨 말을 해야 할지 생각이 안 나.

사람들이 모두 나만 쳐다보고 있으니까 혹시라도 실수할까 봐 겁이 나.

14 이것만은 꼭! 소진이네 동아리의 발표 준비

청중 분석하기	• 특성: 매체 자료에 익숙한 중학교 1~3학년 • 관심사: 봉사, 환경, 게임, 음악, 급식 등 • 기대와 요구: 학교의 여러 문제 개선 등
발표 내용 마련하기	• 청중의 주요 관심사와 관련하여 내용을 마련함. • ❶ ⌷ ㅁㅊ 자료에 익숙한 청중의 특성을 고려하여 사진, 영상, 도표 등을 준비함. • 청중의 기대와 요구를 반영하여 문제를 개선할 구체적인 실천 방안을 제시함.
발표하기	• 학교 ❷ ⌷ ㄱㅅ 에서 나오는 음식물 쓰레기의 양이 점점 늘어남. • 음식물 쓰레기 처리 비용이 많이 들고, 환경오염을 유발하기도 함. • 급식 신호등 운동, 텃밭 비료 만들기 등을 제안함.

답 ❶ 매체 ❷ 급식

---

13 이것만은 꼭! '기술 도핑'을 화제로 다룬 서로 다른 형식의 글 비교

관점
스포츠에 과학 기술을 도입하는 것에 대한 규범과 합의가 필요함.

⬇

〈스포츠 '기술 도핑' 논란〉	〈첨단 기술의 승리? 신종 도핑 반칙?〉
카드 뉴스	칼럼(논설문)
• 다양한 ❶ ⌷ ㅅㄱ 자료를 활용함. • 핵심 정보가 간결하게 요약되어 있음. • 장면 사이에 생략된 내용이 많음.	• 복잡한 내용을 자세하고 분명하게 전달함. • 다양한 근거와 ❷ ⌷ ㅅㄹ 를 충분히 제시함. • 휴대 전화나 컴퓨터 화면으로 읽을 때 불편함.

답 ❶ 시각 ❷ 사례

---

16 이것만은 꼭! 소진이의 말하기 불안 대처 방법

• ❶ ⌷ ㅅㅎㅎ 을 하며 마음을 편안하게 함.
• 청중과 눈을 맞추며 교감하여 편안한 마음을 되찾음.
• 적절한 ❷ ⌷ ㅈㅁ 으로 청중의 참여를 끌어내고 발표 분위기를 편안하게 만듦.
• 사전에 발표 내용 요약 카드를 준비하여 내용이 기억나지 않을 때 활용함.

긴장돼서 목소리가 떨렸는데 심호흡하고 친구들과 눈을 맞추면서 말하니까 점차 마음이 편해졌어.

답 ❶ 심호흡 ❷ 질문

---

15 이것만은 꼭! 소진이가 발표에서 활용한 매체 자료와 그 효과

매체 자료	• 급식에서 나온 음식물 쓰레기의 양 도표 • 영양사 선생님과 학생들의 인터뷰 영상 • 급식 ❶ ⌷ ㅅㅎㄷ 운동 예시 영상 • 빈곤 국가 어린이를 후원하는 사진과 희망을 떠올리게 하는 새싹 사진

⬇

효과	• 사진, 영상, 통계 자료에 익숙한 청중의 특성을 반영하여 듣는 이의 ❷ ⌷ ㄱㅅ 을 유도함. • 실제 현황이나 수치를 시각적으로 확인하여 발표 내용을 더 쉽게 이해할 수 있음.

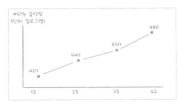

답 ❶ 신호등 ❷ 관심

'쉽고 빠르게' 수능 국어의 기초를 쌓다!

시작은 # 하루 수능 국어

[국어 기초 / 문학 기초 / 독서 기초]

1·6·5·4 프로젝트 완성

하루 6쪽, 일주일에 5일,
4주 완성의 간결한 구성으로
단기간에 수능 국어 입문!

하루하루 쌓이는 공부 습관

만화, 그림, 퀴즈 등을 활용한
재미있는 구성과 부담 없는 하루 학습량으로
공부 습관과 함께 자라나는 자신감!

최적의 수능 입문서

어렵고 복잡한 설명은 NO!
이해하기 쉽고 직관적인 설명으로
국어의 기본기를 탄탄하게!

수능 국어에 다가가는 완벽한 첫걸음! 예비고~고2(국어 기초/문학 기초/독서 기초)

언제나 만점이고 싶은 친구들

Welcome!

숨 돌릴 틈 없이 찾아오는 시험과 평가,
성적과 입시 그리고 미래에 대한 걱정.
중·고등학교에서 보내는 6년이란 시간은
때때로 힘들고, 버겁게 느껴지곤 해요.

그런데 여러분, 그거 아세요?
지금 이 시기가 노력의 대가를
가장 잘 확인할 수 있는 시간이라는 걸요.

안 돼, 못하겠어, 해도 안 될 텐데ㅡ
어렵게 생각하지 말아요. 천재교육이 있잖아요.
첫 시작의 두려움을 첫 마무리의 뿌듯함으로 바꿔줄게요.

펜을 쥐고 이 책을 펼친 순간
여러분 앞에 무한한 가능성의 길이 열렸어요.

우리와 함께 꽃길을 향해 걸어가 볼까요?

#시험대비
#핵심정복

**7일 끝
중간고사
기말고사**

Chunjae
Makes
Chunjae

[7일 끝] 중학 국어 노미숙 3-2

개발총괄	김덕유
편집개발	조은미, 김수나, 김보경
조판	풀굿(황민경)
제작	황성진, 조규영

발행일	2021년 6월 15일 초판 2021년 6월 15일 1쇄
발행인	(주)천재교육
주소	서울시 금천구 가산로9길 54
신고번호	제2001-000018호
고객센터	1577-0902
교재 내용문의	(02)3282-1752

※ 정답 분실 시에는 천재교육 홈페이지에서 내려받으세요.

7일 **끝**으로 끝내자!

중학 국어 3-2

BOOK 2

7일 끝 중학 국어

차례

1일 (1) 보고하는 글 쓰기

생각 열기 보고하는 글을 쓰면 어떤 도움이 될까?

1일 교과서 **핵심 정리**

圓 교과서 140~143쪽

핵심 1 보고서의 구성 요소와 보고서를 쓸 때 유의할 점

보고서	관찰, 조사, 실험의 절차와 결과를 정리하여 쓴 글
보고서의 구성 요소	관찰·조사·실험의 목적, ❶ ⬚ ⬚ , 기간, 대상, 방법, 결과 등
보고서를 쓸 때 유의할 점	• 관찰, 조사, 실험한 절차와 결과가 잘 드러나게 해야 함. • 내용을 명확하고 간결하게 제시해야 함. • 표, 그래프, 그림, 사진 등의 ❷ ⬚ ⬚ 자료를 효과적으로 활용해야 함. • 쓰기 윤리를 준수해야 함.

❶ 주제

❷ 매체

핵심 2 쓰기 윤리의 개념과 글을 쓸 때 지켜야 할 쓰기 윤리

쓰기 윤리	글쓴이가 글을 쓰는 과정에서 준수해야 할 윤리적 ❸ ⬚ ⬚
글을 쓸 때 지켜야 할 쓰기 윤리	• 다른 사람의 글이나 자료는 출처를 밝혀 바르게 인용해야 함. • 조사 결과를 변형하거나 ❹ ⬚ ⬚ 하지 않아야 함.

❸ 규범

❹ 왜곡

⬇

쓰기 윤리를 지키지 않을 때 발생하는 문제점	• 글의 신뢰성이 떨어짐. • 다른 사람의 ❺ ⬚ ⬚ ⬚ 을 침해함. • 잘못된 정보를 전달하여 독자와 사회에 부정적인 영향을 미칠 수 있음.

❺ 저작권

핵심 3 수현이네 모둠이 조사 보고서를 쓰는 과정 ①

계획하기	• 목적과 주제 정하기 – 목적: 우리 학교 학생들의 건강을 위해 – 주제: 음료수로 ❻ ⬚ ⬚ 를 지나치게 섭취하는 문제 • 조사 계획서 작성하기: 조사하려는 내용에 맞는 적절한 조사 방법을 계획하고, 모둠원의 역할을 공평하게 분담함.
조사하기	• 설문 조사: ❼ ⬚ ⬚ ⬚ 를 만들어서 학생들이 음료수를 마시는 실태를 조사함. • 현장 조사: 상점을 방문하여 학생들이 즐겨 마시는 음료수에 들어 있는 당류의 양을 조사함. • 자료 조사: 식품의약품안전처 누리집에서 하루 동안 가공식품으로 섭취하는 당류의 적정량을 확인함. • 면담 조사: 보건 선생님과 ❽ ⬚ ⬚ 하여 당류를 지나치게 섭취하면 생기는 문제와 당류 섭취를 줄이는 방법을 알아봄.

❻ 당류

❼ 설문지

❽ 면담

기초 확인 문제

정답과 해설 32쪽

01 다음 빈칸에 들어갈 알맞은 말을 쓰시오.

(1) ( )는 관찰, 조사, 실험의 절차와 결과를 정리하여 쓴 글이다.

(2) 보고서를 쓸 때에는 관찰, 조사, 실험한 절차와 ( )가 잘 드러나게 해야 한다.

(3) 다른 사람의 글이나 자료를 ( )할 때에는 출처를 밝혀야 한다.

02 다음 뉴스를 보고 나눈 대화에서 빈칸에 들어갈 알맞은 말을 쓰시오.

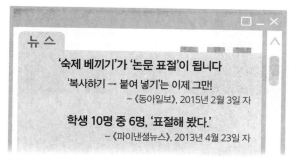

'숙제 베끼기'가 '논문 표절'이 됩니다

'복사하기 → 붙여 넣기'는 이제 그만!
－《동아일보》, 2015년 2월 3일 자

학생 10명 중 6명, '표절해 봤다.'
－《파이낸셜뉴스》, 2013년 4월 23일 자

누구나 한 번쯤 숙제를 베껴서 내 봤을 텐데, 숙제 베끼기가 큰 잘못은 아니지 않을까?

아니야. 다른 사람의 글을 함부로 베끼는 것은 쓰기 ( )를 어기는 일이야. 다른 사람의 글을 인용할 때에는 반드시 출처를 밝혀야 해.

03 조사 보고서를 쓸 때 유의할 점으로 적절하지 <u>않은</u> 것은?

① 쓰기 윤리를 준수한다.

② 매체 자료를 효과적으로 활용한다.

③ 내용을 간결하고 명확하게 제시한다.

④ 조사 절차와 결과가 잘 드러나게 한다.

⑤ 조사 결과를 조사 목적에 맞게 변형한다.

04 수현이네 모둠이 작성하려는 보고서의 목적과 주제가 다음과 같을 때, 빈칸에 들어갈 알맞은 말을 쓰시오.

> 수현이네 모둠은 우리 학교 학생들의 건강을 위해 ( )로 당류를 지나치게 섭취하는 문제를 조사하고자 한다.

05 〈보기〉에서 설명하는 조사 방법으로 알맞은 것은?

┤ 보기 ├

주제를 잘 알고 있는 전문가를 직접 만나 정보를 수집하는 조사 방법

① 자료 조사　　　② 설문 조사

③ 현장 조사　　　④ 면담 조사

⑤ 실험 조사

핵심 **4** 수현이네 모둠이 조사 보고서를 쓰는 과정 ②

조사 내용 정리 및 결과 분석하기	• 조사의 절차와 ❶ ☐☐를 구체적으로 밝혀 적고자 함. • 매체 자료를 적절하게 활용하여 조사 결과를 제시하고자 함. 　– 설문 조사 결과: ❷ ☐☐를 활용하여 제시함. 　– 현장 조사 결과: 음료수에 들어 있는 당류의 양을 보여 주는 영양 성분표 사진을 제시함. • 쓰기 윤리에 어긋난 내용 　– 학생들이 일주일에 음료수를 마시는 횟수(조사 결과)를 ❸ ☐☐하려 함. 　– 당류가 많이 들어 있는 음료수(의도에 맞는 결과)만 골라서 제시하려 함.	❶ 결과 ❷ 도표 ❸ 과장
보고서 쓰기 및 평가하기	• 보고서의 구성 요소를 갖추어 조사 절차와 결과가 잘 드러나도록 작성함. • 조사 결과를 ❹ ☐☐하거나 왜곡하지 않았음. • 글의 끝부분에 참고 자료의 출처를 구체적으로 밝히기로 함.	❹ 변형

선택 학습

핵심 **5** 쓰기 윤리를 고려하여 보고서 쓰기

• 재희와 가영이가 쓰려고 하는 보고서의 목적과 주제

목적	건조한 겨울에 ❺ ☐☐하려고	❺ 대비
주제	다양한 가습 방법의 효과 비교	

핵심 **6** 재희와 가영이가 작성한 실험 보고서

준비물	물을 담은 ❻ ☐☐ 2개, 숯, 젖은 수건, 습도계 3개, 아크릴 상자 3개	❻ 그릇
실험 과정	① 상자마다 습도계를 넣고 습도를 측정하여 기록한다. ② 각 상자에 물을 담은 그릇, 젖은 수건, 숯과 물을 담은 그릇을 넣는다. ③ 두 시간이 지난 뒤 ❼ ☐☐☐를 확인하고 습도를 기록한다.	❼ 습도계

실험 결과 및 분석

• 실험 결과

상자에 넣은 물건	물건을 넣기 전	물건을 넣고 두 시간 뒤
(가) 물을 담은 그릇	23퍼센트	47퍼센트
(나) 젖은 수건	23퍼센트	57퍼센트
(다) 숯과 물을 담은 그릇	23퍼센트	50퍼센트

47%	57%	50%	■ 물건을 넣기 전
23%	23%	23%	■ 물건을 넣고 두 시간 뒤
(가)	(나)	(다)	

• 실험 결과 분석

　가습 효과는 ❽ ☐☐☐☐이 가장 높았고, 그다음으로 숯과 물을 담은 그릇, 물을 담은 그릇 순으로 나타났다.

❽ 젖은 수건

기초 확인 문제

정답과 해설 32쪽

06 〈보기〉의 ㉠～㉤ 중, 다음 대화와 관련 있는 보고서 쓰기의 단계를 고르시오.

> 조사 내용만 정리했더니 어디에서 어떻게 조사했는지 알 수가 없네.

> 맞아. 어디에서 어떻게 조사했고 어떤 과정을 거쳐 결과가 나왔는지 구체적으로 밝혀야 해.

> **보기**
> ㉠ 계획하기 ㉡ 관찰, 조사, 실험하기
> ㉢ 내용 정리 및 결과 분석하기
> ㉣ 보고서 쓰기 ㉤ 평가하기

07 조사 결과를 분석하면서 나눈 다음 대화에서 빈칸에 들어갈 내용으로 적절하지 않은 것은?

> 나연: 문제를 강조하려면 학생들이 일주일에 음료수를 마시는 횟수를 과장해서 제시해야 할 것 같아.

> 희준: 당류가 많이 들어 있는 음료수만 골라서 제시해도 되지 않을까?

> 태우:

> 📷 _____ 전송

① 보고서를 쓸 때에는 쓰기 윤리를 지켜야 해.
② 조사 결과를 우리 마음대로 고치는 게 좋겠어.
③ 의도에 맞는 결과만 제시하는 것은 옳지 않아.
④ 조사 결과를 함부로 왜곡하거나 변형하면 안 돼.
⑤ 그렇게 하면 우리가 조사한 내용과 달라져서 안 돼.

08 다음 중 수현이네 모둠이 작성한 보고서를 바르게 평가한 사람의 이름을 쓰시오.

> 정윤: 참고한 자료의 출처를 의도적으로 밝히지 않기로 했어.

> 민서: 조사 결과를 변형하거나 왜곡하지 않고 사실대로 제시했어.

09 재희와 가영이가 쓰려는 보고서의 주제를 쓰시오.

10 다음은 보고서를 작성하면서 재희와 가영이가 주고받은 대화이다. 빈칸에 들어갈 말로 적절한 것은?

> 재희: 책에서는 물에 숯을 넣으면 넣기 전보다 가습 효과가 두 배 정도 좋아진다고 했는데, 우리 실험 결과는 큰 차이가 없네. 결과를 고쳐야 하나?
> 가영: (   )을/를 함부로 고쳐서는 안 돼. 사실대로 쓰지 않고 마음대로 고쳐 쓰는 것은 쓰기 윤리를 어기는 행동이야.

① 실험 기간   ② 실험 내용
③ 실험 목적   ④ 실험 방법
⑤ 실험 절차

1일 교과서 기출 베스트

01~02 다음을 보고 물음에 답하시오.

우리 학교 학생들이 음료수로 당류를 얼마나 섭취하는지 조사해 보자.

구체적인 조사 내용과 방법을 정하고, 역할을 분담해 보자.

조사 계획서

20○○. 10. 2.

1. 조사 목적 및 주제 : 우리 학교 학생들의 건강을 위해 음료수로 당류를 지나치게 섭취하는 문제를 조사함.

2. 조사 계획
(1) 조사 기간 : 10월 5일부터 10일까지
(2) 조사 대상 : 책과 인터넷 등 각종 자료, 다양한 음료수, 우리 학교 학생 및 관련 분야 전문가
(3) 조사 내용
  ① ㉠우리 학교 학생들이 음료수를 마시는 실태
  ② 학생들이 즐겨 마시는 음료수에 들어 있는 당류의 양
  ③ 하루 동안 가공식품으로 섭취하는 당류의 적정량
  ④ 당류를 지나치게 섭취하면 생기는 문제와 당류 섭취를 줄이는 방법

---

01 이 조사 계획서에서 알 수 있는 내용이 <u>아닌</u> 것은?

① 조사 목적 ② 조사 주제
③ 조사 기간 ④ 조사하려는 내용
⑤ 모둠원의 역할 분담

빈출 유형 적절한 자료 조사 방법 파악

02 ⓐ~ⓓ 중, ㉠을 조사하는 방법으로 적절한 것을 모두 고르시오.

ⓐ 자료 조사   ⓑ 설문 조사
ⓒ 현장 조사   ⓓ 면담 조사

빈출 유형 보고서 쓰기 과정 이해

03 다음 중 보고서를 쓰기 위해 계획하는 단계에서 해야 할 일로 적절한 것은?

① 조사의 목적과 주제를 정해야 해.

② 주제를 잘 알고 있는 전문가를 만나야 해.

③ 참고 자료의 출처를 구체적으로 밝혀야 해.

④ 보고서에 활용할 매체 자료의 종류를 정해야 해.

⑤ 보고서의 구성 요소를 갖추어 보고서를 작성해야 해.

전송

04~06 다음을 보고 물음에 답하시오.

가

설문 조사

설문지의 처음 부분에 조사 내용을 안내하는 글을 제시하자. 질문은 쉽고 간결하게 해야지.

나

(㉠)

식품의약품안전처 누리집에서 찾은 내용을 자료로 활용해 보자. 참고 자료의 출처도 정리해야지.

다

면담 조사

청소년 건강과 관련된 문제이니 보건 선생님께 여쭤보면 되겠지?

당류를 지나치게 섭취하면 어떤 문제가 생기나요?

빈출 유형 설문지를 만들 때 고려할 점 이해

04 (가)에서 설문지를 만들 때 고려해야 할 사항으로 적절하지 **않은** 것은?

① 설문의 주체와 목적을 분명히 밝혀야 한다.

② 조사 목적에 적합한 질문으로 구성해야 한다.

③ 응답자를 고려하여 최대한 많은 양의 질문을 구성한다.

④ 쉽고 간단한 질문을 먼저 하고 복잡한 질문을 나중에 한다.

⑤ 응답자가 쉽게 이해할 수 있도록 쉽고 간결하게 질문을 만든다.

05 (나)의 내용을 바탕으로 ㉠에 들어갈 적절한 조사 방법을 쓰시오.

빈출 유형 면담 조사 시 준비 사항 이해

06 다음 질문에 대한 대답으로 적절하지 **않은** 것은?

(다)에서 면담 조사를 실시하기 전에 어떤 준비를 해야 할까?

① 면담에 필요한 준비물을 챙겨야 해.

② 면담할 주제와 관련된 정보를 수집해야 해.

③ 보건 선생님에게 면담을 요청하고 면담 시각과 장소를 정해야 해.

④ 면담하려는 목적과 주제를 고려하여 구체적인 질문을 만들야 해.

⑤ 보건 선생님 몰래 녹음할 수 있도록 녹음기를 감출 방법을 생각해야 해.

07~08 다음 글을 읽고 물음에 답하시오.

가 우리 학교 학생들이 음료수를 마시는 실태(총 100명)

[A]
- 일주일에 음료수를 마시는 횟수
  1~2회: 20명 / 3~4회: 42명
  5~6회: 28명 / 7회 이상: 10명
- 즐겨 마시는 음료수 종류
  1위: 탄산음료(40명)
  2위: 초코우유(24명)
  ⋮
- 영양 성분표 확인 여부
  확인한다: 8명
  확인하지 않는다: 92명

나 학생들이 즐겨 마시는 음료수에 들어 있는 당류의 양(250밀리리터 기준)
- 탄산음료: 26그램
- 초코우유: 32그램
- 에너지 음료: 27그램
- 과일주스: 20그램

다 하루 동안 가공식품으로 섭취하는 당류의 적정량
  하루에 섭취하는 열량의 10퍼센트(약 50그램) 이내

라 당류를 지나치게 섭취하면 생기는 문제와 당류 섭취를 줄이는 방법
- 당류를 지나치게 섭취하면 생기는 문제
  비만 위험 증가, 기억력 감퇴, 피부 노화 촉진, 당뇨병과 간 질환 등의 발생 위험 증가.
- 당류 섭취를 줄이는 방법
  물을 자주 마셔서 음료수를 마시는 횟수 줄이기.
  ⋮

07 [빈출 유형] 조사 결과 분석 내용 파악

(가)~(라)의 조사 결과를 분석한 내용으로 적절하지 않은 것은?

① 우리 학교 학생들은 탄산음료를 가장 즐겨 마신다.

② 우리 학교 대부분의 학생은 영양 성분표를 확인한다.

③ 250밀리리터를 기준으로 초코우유에 가장 많은 당류가 포함되어 있다.

④ 당류를 지나치게 섭취하면 건강과 관련한 다양한 문제가 생길 수 있다.

⑤ 하루 동안 가공식품으로 섭취하는 당류의 적정량은 약 50그램 이내이다.

08 [빈출 유형] 매체 자료 활용 효과 파악

[A]를 〈보기〉와 같이 나타낸 효과가 다음과 같을 때, 빈칸에 들어갈 알맞은 말을 쓰시오.

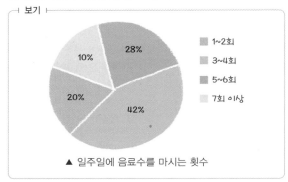

─ 보기 ─

■	1~2회
■	3~4회
■	5~6회
■	7회 이상

28%
10%
20%
42%

▲ 일주일에 음료수를 마시는 횟수

( )를 활용하니까 조사 결과를 한눈에 파악할 수 있어.

09~11 다음 글을 읽고 물음에 답하시오.

가 1. 조사 목적 및 주제

우리 학교 학생들의 건강을 위해 음료수로 당류를 지나치게 섭취하는 문제를 조사함.

2. 조사 기간, 대상 및 방법

(1) 조사 기간: 10월 5일부터 10일까지

(2) 조사 대상: 책과 인터넷 등 각종 자료, 다양한 음료수, 우리 학교 학생 및 보건 선생님

(3) 조사 방법

① 설문 조사: 설문지를 활용하여 우리 학교 학생 100명을 대상으로 음료수를 마시는 실태를 조사함.

② 현장 조사: 학교 앞 상점을 방문하여 학생들이 즐겨 마시는 음료수의 대표적인 제품을 종류별로 하나씩 골라 해당 제품의 영양 성분표를 확인함. [중략]

4. 결론

우리 학교 학생들은 음료수를 많이 마시고 있으며 학생들이 즐겨 마시는 음료수에는 당류가 하루 동안 가공식품으로 섭취하는 적정량의 반 이상 들어 있다. 그럼에도 학생 대부분이 영양 성분표를 확인하지 않을 정도로 음료수로 당류를 지나치게 섭취한다는 점을 모르고 있다. 당류를 지나치게 섭취하면 건강에 나쁜 영향을 줄 수 있으므로 당류 섭취를 줄이려는 다양한 노력을 해야 한다.

나 재희: 건조한 겨울에 대비해 다양한 가습 방법의 효과를 비교하여 보고서를 써 보자. 무엇을 준비해야 할까?

가영: 먼저 습도계로 아크릴 상자 안쪽의 습도를 확인해야 해. 그러고 나서 준비한 물건을 하나씩 상자 안에 넣고 두 시간 뒤 습도가 어떻게 변했는지 살펴보자.

재희: 책에서는 물에 숯을 넣으면 넣기 전보다 가습 효과가 두 배 정도 좋아진다고 했는데, 우리 실험 결과는 큰 차이가 없네. ⓐ <u>결과를 고쳐야 하나?</u>

09 (가)와 같은 글에 대한 설명으로 적절하지 <u>않은</u> 것은?

① 일정한 짜임에 맞게 써야 한다.

② 내용이 정확하고 명료해야 한다.

③ 있는 그대로의 사실을 기록해야 한다.

④ 글의 목적과 주제가 구체적이어야 한다.

⑤ 개인의 견해를 바탕으로 작성해야 한다.

10 (나)에서 재희와 가영이가 작성하려는 보고서의 주제로 적절한 것은?

① 습도 변화 관찰의 필요성

② 건조한 겨울철 대비 방법

③ 겨울철 습도계 활용 방법

④ 다양한 가습 방법의 효과 비교

⑤ 과학 실험의 과정과 절차 소개

11 ⓐ와 관련하여 재희에게 해 줄 수 있는 충고로 적절한 것은?

> **댓글**
>
> ↳ 이수 책 내용이 틀린 거니까 신경 쓰지 마. ────────── ①
>
> ↳ 민경 필요하면 실험 결과를 수정할 수 있어. ────────── ②
>
> ↳ 윤슬 실험 결과를 책 내용과 동일하게 고쳐야 해. ────────── ③
>
> ↳ 미진 결과가 달라질 수도 있으니 실험을 다시 한번 해 봐. ────────── ④
>
> ↳ 나정 쓰기 윤리를 지켜서 실험 결과를 있는 그대로 써야 해. ────────── ⑤

(2) 문장의 짜임과 양상 ①

생각 열기 국어 문장의 짜임에는 어떤 것이 있을까?

핵심 1 문장 성분

• 문장 성분: 문장을 이루는 각 **❶**[ ][ ]

주성분	• 문장을 이루는 데 꼭 필요한 성분 • 주어, 서술어, 목적어, **❷**[ ][ ]가 있음.
부속 성분	• 다른 성분을 꾸며 주는 성분 • 관형어, 부사어가 있음.
독립 성분	• 다른 성분과 직접적인 관계를 맺지 않고 **❸**[ ][ ]적으로 쓰이는 성분 • 독립어가 있음.

❶요소

❷보어

❸독립

핵심 2 주성분

주어	• 문장에서 동작이나 작용, 상태나 성질의 **❹**[ ][ ]가 되는 말 • 문장에서 '누가 / 무엇이'에 해당하는 말 예 <u>하늘이</u> 파랗다.
서술어	• 문장에서 동작이나 작용, 상태나 성질 등을 풀이하는 말 • 문장에서 '어떠하다 / 어찌하다 / 무엇이다'에 해당하는 말 예 지후가 <u>달린다</u>.
목적어	• **❺**[ ][ ][ ]가 나타내는 행위의 대상이 되는 말 • 문장에서 '무엇을'에 해당하는 말 예 우리는 <u>점심을</u> 먹는다.
보어	• 서술어 '**❻**[ ][ ]/아니다' 앞에서 의미를 보충하는 말 예 나는 <u>회장이</u> 되었다.

❹주체

❺서술어

❻되다

핵심 3 부속 성분

관형어	• 체언 앞에서 **❼**[ ][ ](명사, 대명사, 수사)의 뜻을 꾸며 주는 말 예 <u>새</u> 신발을 신었다.
부사어	• 주로 **❽**[ ][ ](동사, 형용사)의 뜻이 분명하게 드러나도록 꾸며 주는 말 예 하늘이 <u>정말</u> 파랗다.

❼체언

❽용언

기초 확인 문제

01 다음 중 주성분에 속하지 <u>않는</u> 것은?

① 주어   ② 보어   ③ 부사어
④ 목적어   ⑤ 서술어

02 다음 중 문장 성분에 대해 잘못 설명한 사람의 이름을 쓰시오.

지연: 문장을 이루는 각 요소를 문장 성분이라고 해.

반석: 주성분은 문장을 이루는 데 꼭 필요한 성분이야.

율희: 부속 성분은 다른 성분과 직접적인 관계를 맺지 않고 독립적으로 쓰이는 성분이야.

03 〈보기〉를 참고하여 밑줄 친 부분의 문장 성분을 쓰시오.

┤ 보기 ├

<u>하늘이</u> 매우 <u>파랗다.</u>
  주어   서술어

(1) <u>지후가</u> 달린다.
    (   )

(2) 우리는 김밥을 <u>먹는다.</u>
          (   )

04 다음 문장 성분의 특성을 바르게 연결하시오.

(1) 보어 •

(2) 목적어 •

(3) 관형어 •

(4) 부사어 •

• ㉠ 서술어가 나타내는 행위의 대상이 되는 말

• ㉡ 서술어 '되다/아니다' 앞에서 의미를 보충하는 말

• ㉢ 체언 앞에서 체언(명사, 대명사, 수사)의 뜻을 꾸며 주는 말

• ㉣ 주로 용언(동사, 형용사)의 뜻이 분명하게 드러나도록 꾸며 주는 말

05 〈보기〉의 밑줄 친 부분에 대한 설명으로 적절한 것은?

┤ 보기 ├

<u>새</u> 신발을 신었다.

① 다른 성분을 꾸며 주는 말이다.
② 문장에서 '무엇을'에 해당하는 말이다.
③ 문장에서 '어떠하다'에 해당하는 말이다.
④ 문장에서 '누가/무엇이'에 해당하는 말이다.
⑤ 다른 성분과 직접적인 관계를 맺지 않고 독립적으로 쓰이는 말이다.

핵심 4 ｜ 독립 성분

| 독립어 | • 부름, 응답, ❶ □□ 등을 나타내는 말
예 와, 무지개가 떴다. |

❶ 감탄

핵심 5 ｜ 문장의 짜임

| 홑문장 | • ❷ □□ 와 서술어의 관계가 ❸ □ 번만 나타나는 문장
예 화단에 국화가 활짝 피었다.
　　　　 주어　　 서술어
예 내년에 내 동생은 중학생이 된다.
　　　　 주어　　　　 서술어 |

❷ 주어
❸ 한

| 겹문장 | • 주어와 ❹ □□□ 의 관계가 ❺ □ 번 이상 나타나는 문장
예 화단에 국화가 활짝 피어서 벌이 많이 날아왔다.
　　　　 주어　　 서술어　 주어　　 서술어
예 내년에 나는 고등학생이 되고, 내 동생은 중학생이 된다.
　　　　 주어　　 서술어　　 주어　　 서술어
• 겹문장에는 이어진문장과 안은문장이 있음. |

❹ 서술어
❺ 두

핵심 6 ｜ 문장의 확대 방식에 따른 겹문장의 종류

| 이어진문장 | • 둘 이상의 ❻ □□□ 이 나란히 이어져서 이루어진 문장
예 준수가 노래한다. + 세인이가 춤춘다.
　　 홑문장　　　　　　 홑문장
➡ 준수가 노래하고 세인이가 춤춘다.
　　 주어　 서술어　　 주어　 서술어
➡ '준수가 노래한다.'라는 홑문장과 '세인이가 춤춘다.'라는 홑문장이 나란히 이어져서
　 이루어짐. |

❻ 홑문장

| 안은문장 | • 한 홑문장이 다른 홑문장을 하나의 ❼ □□□ 처럼 안고 있는 문장
예 우리는 (무엇)을 바란다. + 민서가 돌아오다.
　　 홑문장　　　　　　 홑문장
➡ 우리는 민서가 돌아오기를 바란다.
　 주어　 주어　 서술어　　 서술어
➡ '우리는 (무엇)을 바란다.'라는 ❽ □□□ 속에 '민서가 돌아오다.'라는 홑문장
　 이 하나의 문장 성분처럼 안겨 있음. |

❼ 문장 성분
❽ 홑문장

기초 확인 문제

06 다음 밑줄 친 부분의 문장 성분으로 알맞은 것은?

> <u>와</u>, 무지개가 떴다.

① 주어　　② 보어　　③ 목적어
④ 서술어　　⑤ 독립어

07 다음 문장에서 주어와 서술어를 모두 찾아 쓰시오.

화단에 국화가 활짝 피어서 벌이 많이 날아왔다.

(1) 주어: (　　　　　), (　　　　　)
(2) 서술어: (　　　　　), (　　　　　)

08 다음 문장이 홑문장이면 '홑', 겹문장이면 '겹'이라고 쓰시오.

(1) 우리는 밥을 먹는다.　　　　　(　　)
(2) 내년에 내 동생은 중학생이 된다.　　(　　)
(3) 내년에 나는 고등학생이 되고, 내 동생은 중학생이 된다.　　　　　(　　)

09 다음 겹문장에 대한 설명을 바르게 연결하시오.

(1) 이어진 문장 ・

(2) 안은 문장 ・

・㉠ 한 홑문장이 다른 홑문장을 하나의 문장 성분처럼 안고 있는 문장

・㉡ 둘 이상의 홑문장이 나란히 이어져서 이루어진 문장

10 다음 중 제시된 문장의 확대 방식을 바르게 설명한 사람의 이름을 쓰시오.

> 우리는 (무엇)을 바란다. + 민서가 돌아오다.
>
> → <u>우리는</u>　<u>민서가</u> <u>돌아오기를</u> <u>바란다.</u>
> 　　　주어　　　주어　　서술어　　　서술어

혜지: 둘 이상의 홑문장이 나란히 이어져서 이루어진 이어진문장이야.

서준: 한 홑문장이 다른 홑문장을 하나의 문장 성분처럼 안고 있는 안은문장이야.

빈출 유형 주성분 이해

01 〈보기〉에서 밑줄 친 부분의 공통점으로 적절한 것은?

보기

• <u>하늘이</u> 파랗다.

• <u>지후가</u> 달린다.

① '무엇을'에 해당하는 말이다.

② '누가/무엇이'에 해당하는 말이다.

③ 생략해도 문장의 의미가 온전하다.

④ 서술어가 나타내는 행위의 대상이 되는 말이다.

⑤ 문장에서 동작이나 작용, 상태나 성질 등을 풀이하는 말이다.

빈출 유형 문장 성분 이해

02 ⓐ~ⓒ에 대한 설명으로 적절하지 <u>않은</u> 것은?

제가 (ⓐ) 만들었어요.
(ⓑ) 코코아를 닦었어요.
엄마, 맛있게 (ⓒ)

① ⓐ에는 '무엇을'에 해당하는 말이 들어가야 한다.

② ⓑ에는 '누가/무엇이'에 해당하는 말이 들어가야 한다.

③ ⓒ에는 서술어가 나타내는 행위의 대상이 되는 말이 들어가야 한다.

④ ⓐ에는 '빵을', ⓑ에는 '누나가' 등이 들어갈 수 있다.

⑤ ⓐ~ⓒ에 적절한 문장 성분이 들어가야 온전한 문장이 된다.

빈출 유형 부속 성분 이해

03 다음 문장을 보고 나눈 대화 내용으로 적절하지 <u>않은</u> 것은?

까만 모자가 정말 멋있다.

① 모두 4개의 문장 성분으로 이루어진 문장이야.

② '까만'은 체언인 '모자'를 꾸며 주고 있어.

③ '정말'은 용언인 '멋있다'를 꾸며 주고 있어.

④ '까만'과 '정말'은 뒤에 오는 말을 꾸며 주는 부속 성분이야.

⑤ '까만'과 '정말'을 생략하면 문장의 의미가 온전하지 않아.

전송

04 〈보기〉의 문장에서 주어와 서술어를 찾아 쓰시오.

보기

화단에 국화가 활짝 피었다.

(1) 주어: (　　　　　)

(2) 서술어: (　　　　　)

빈출 유형 독립 성분 이해

05 〈보기〉의 밑줄 친 부분에 대한 설명으로 적절하지 <u>않은</u>
것은?

┌ 보기 ┐

와, 무지개가 떴다.

① 감탄의 의미를 나타낸다.

② '어머, 앗' 등의 말로 대신할 수 있다.

③ 생략해도 온전한 문장을 이룰 수 있다.

④ 다른 성분을 꾸며 주는 부속 성분에 해당한다.

⑤ 문장에서 다른 성분과 직접적인 관계를 맺지 않
는다.

빈출 유형 이어진문장 이해

06 다음 문장에 대한 설명으로 적절하지 <u>않은</u> 것은?

내년에 ㉠나는 ㉡고등학생이 ㉢되고, 내 동생
은 중학생이 된다.

① ㉠은 주어, ㉢은 서술어이다.

② ㉡은 서술어 '되다/아니다' 앞에서 의미를 보충
하는 말인 보어이다.

③ ㉠~㉢은 모두 문장을 이루는 데 꼭 필요한 성분
이다.

④ 주어와 서술어의 관계가 한 번만 나타나는 홑문
장이다.

⑤ 둘 이상의 홑문장이 나란히 이어져서 이루어진
이어진문장이다.

빈출 유형 홑문장과 겹문장의 짜임

07 (가), (나)의 문장의 짜임을 분석하여 제시된 기준에 따라
나누시오.

(가) 아이들이 운동장에서 종이비행기를 날리는
구나.

(나) 바람이 많이 불지만, 날씨는 아직 따뜻하다.

(1) 주어와 서술어의 관계가 한 번만 나타나는 문장	(2) 주어와 서술어의 관계가 두 번 이상 나타나는 문장

빈출 유형 안은문장 이해

08 다음 중 제시된 설명에 해당하는 문장은?

한 홑문장이 다른 홑문장을 하나
의 문장 성분처럼 안고 있어.

① 우리는 밥을 먹는다.

② 내년에 내 동생은 중학생이 된다.

③ 준수가 노래하고 세인이가 춤춘다.

④ 너는 배를 좋아하지만, 나는 배를 싫어한다.

⑤ 나는 삼촌이 여행을 떠났다는 사실을 알았다.

(2) 문장의 짜임과 양상 ②

정확하고 자연스러운 문장을 만들어야 하는 이유는 무엇일까?

핵심 1 이어진문장의 종류

대등하게 이어진 문장	• 앞뒤 문장이 나열, 대조, 선택 등의 의미 관계로 **❶** ⬚⬚ 하게 이어짐. 예 비가 왔다. + 바람이 불었다. 　➡ 비가 오고 바람이 불었다. (나열) 예 동생은 김밥을 먹었다. + 언니는 김밥을 먹지 않았다. 　➡ 동생은 김밥을 먹었지만, 언니는 김밥을 먹지 않았다. (대조)
종속적으로 이어진 문장	• 앞뒤 문장이 원인, 조건, 의도 등의 의미 관계로 **❷** ⬚⬚ 적으로 이어짐. 예 비가 왔다. + 우리는 소풍을 연기했다. 　➡ 비가 와서 우리는 소풍을 연기했다. (원인과 **❸** ⬚⬚) 예 비가 그치다. + 지수는 외출할 것이다. 　➡ 비가 그치면 지수는 외출할 것이다. (조건)

❶ 대등

❷ 종속

❸ 결과

핵심 2 안은문장에서 안긴문장이 하는 역할

• 안긴문장: **❹** ⬚⬚⬚⬚ 속에 들어가 하나의 문장 성분처럼 쓰이는 홑문장

　예 우리는 <u>민서가 돌아오기</u>를 바란다.
　　　　　안긴문장

• 안은문장에서 안긴문장은 **❺** ⬚⬚, 목적어, 관형어, 부사어, 서술어 등의 역할을 함.

❹ 안은문장

❺ 주어

주어 역할	마지막 회에서 무엇 이 밝혀지겠지? + 주인공이 범인이다. ➡ 마지막 회에서 <u>주인공이 범인임</u>이 밝혀지겠지? 　　　　　안긴문장이 주어의 역할을 함.
목적어 역할	나는 무엇 을 기다렸다. + 드라마가 시작한다. ➡ 나는 <u>드라마가 시작하기</u>를 기다렸다. 　　안긴문장이 **❻** ⬚⬚⬚ 의 역할을 함.
관형어 역할	민호는 어떤 꽃다발을 들었다. + 그녀가 꽃다발을 만들었다. ➡ 민호는 <u>그녀가 만든</u> 꽃다발을 들었다. 　　안긴문장이 **❼** ⬚⬚⬚ 의 역할을 함.
부사어 역할	누군가 어떻게 그녀에게 다가왔다. + 소리도 없다. ➡ 누군가 <u>소리도 없이</u> 그녀에게 다가왔다. 　　안긴문장이 부사어의 역할을 함.
서술어 역할	민호는 어떠하다. + 키가 크다. ➡ 민호는 <u>키가 크다</u>. 　　안긴문장이 **❽** ⬚⬚⬚ 의 역할을 함.

❻ 목적어

❼ 관형어

❽ 서술어

기초 확인 문제

정답과 해설 **34**쪽

01 다음 문장의 종류를 바르게 연결하시오.

(1) 비가 와서 우리는 소풍을 연기했다. ·

(2) 동생은 김밥을 먹었지만, 언니는 김밥을 먹지 않았다. ·

· ㉠ 대등하게 이어진 문장

· ㉡ 종속적으로 이어진 문장

02 다음 중 〈보기〉의 문장에 대해 바르게 설명한 사람의 이름을 쓰시오.

┌ 보기 ┐
비가 오고 바람이 불었다.

찬희: 두 홑문장이 나란히 이어져서 이루어진 문장이야.

영민: 그리고 앞뒤 문장이 대조의 의미 관계로 이어졌어.

하진: 아니야. 이 문장은 안긴문장을 안고 있는 안은문장이야.

03 다음 그림을 참고하여 제시된 두 홑문장을 조건의 의미 관계로 이어진 문장으로 만드시오.

· 비가 그치다.
· 지수는 외출할 것이다.

04 다음 문장에서 안긴문장을 찾아 쓰시오.

민호는 그녀가 만든 꽃다발을 들었다.

05 다음 문장에서 안긴문장이 하는 역할로 알맞은 것은?

민호는 키가 크다.

① 주어   ② 서술어   ③ 목적어

④ 관형어   ⑤ 부사어

교과서 **핵심 정리**

📖 교과서 162~165쪽, 170~171쪽

핵심 3 의미가 정확하고 자연스러운 문장 만들기

• 필요한 ❶ [　][　][　][　] 을 잘 갖추고 있는지 확인한다. ❶ 문장 성분

> 예 물은 섭씨 100도 이상에서는 기체가 되고, 섭씨 100도 이하에서는 된다.
> ➡ '(물은) 섭씨 100도 이하에서는 된다.' 부분에 ❷ [　][　] 가 빠져 있음.

→ 물은 섭씨 100도 이상에서는 기체가 되고, 섭씨 100도 이하에서는 액체가 된다.

❷ 보어

• 문장 성분의 ❸ [　][　] 이 어색한 부분은 없는지 살펴본다. ❸ 호응

> 예 많은 사람이 춤과 노래를 부르며 축제를 즐기고 있다.
> ➡ 목적어 '춤(을)'과 호응하는 서술어가 빠져 있어서 어색함.

→ 많은 사람이 춤을 추고 노래를 부르며 축제를 즐기고 있다.

• ❹ [　][　][　] 표현(한 문장이 둘 이상의 의미로 해석되는 것)의 경우 문장을 자세하게 풀어 쓰거나 어순을 바꾸고 쉼표나, 보조사를 활용하여 의미를 명확하게 한다. ❹ 중의적

> 예 윤경이는 혜성이와 영주를 불렀다.
> ➡ '혜성이와'는 윤경이와 함께 영주를 부른 주체로도 해석되고, 윤경이가 부른 두 대상 중 하나로도 해석될 수 있음.

→ 윤경이는 혜성이와 둘이서 영주를 불렀다. / 윤경이는 혼자서 혜성이와 영주를 불렀다.

핵심 4 문장의 짜임에 따른 표현 효과

홑문장	• 내용을 ❺ [　][　] 하고 명료하게 전달할 수 있음. • 속도감, 긴장감을 느끼게 함. • 반복되면 글이 단순한 느낌을 줄 수 있음.
겹문장	• 내용을 ❻ [　][　][　] 이고 집중력 있게 전달할 수 있음. • 사건의 연결 관계, 글의 흐름을 파악하기 쉬움. • 지나치게 활용하면 글이 복잡해질 수 있고 어색한 문장이 만들어질 수 있음.

→ 표현 의도에 따라 다양한 짜임의 문장을 효과적으로 활용해야 함.

❺ 간결

❻ 논리적

선택 학습

핵심 5 다양한 짜임의 문장 탐구하고 활용하기

❼ [　][　][　]		선무당이 사람 잡는다.
겹문장	이어진문장	• 까마귀 날자 배 떨어진다. • 사공이 많으면 배가 산으로 간다.
	❽ [　][　][　][　]	작은 고추가 더 맵다.

❼ 홑문장

❽ 안은문장

정답과 해설 **34쪽**

06 다음 질문에 적절한 댓글을 단 사람의 이름을 쓰시오.

> 질문이 있어요!
>
> '많은 사람이 춤과 노래를 부르며 축제를 즐기고 있다.'라는 문장이 왜 어색한가요? ♥ ↱
>
> ↳ 준서: 부사어와 어울리지 않는 서술어가 사용되어서 어색해요.
>
> ↳ 윤아: 목적어 '춤(을)'과 호응하는 서술어가 빠져 있어서 어색해요.

07 다음과 같이 한 문장이 둘 이상의 의미로 해석되는 것을 무엇이라고 하는지 2어절로 쓰시오.

> 윤경이는 혜성이와 영주를 불렀다.

⬇

➡ 윤경이는 혜성이와 둘이서 영주를 불렀다.

➡ 윤경이는 혼자서 혜성이와 영주를 불렀다.

08 문장의 표현 효과를 고려하여 다음 괄호 안에서 알맞은 말을 고르시오.

> (홑문장, 겹문장)을 활용하면 내용을 간결하고 명료하게 전달할 수 있고 속도감과 긴장감을 느끼게 한다.

09 다음 대화의 빈칸에 들어갈 알맞은 말을 쓰시오.

> 어제 산 운동화에 대한 상품 평을 쓰려고 하는데 홑문장으로 간단하게 쓰는 게 좋겠지?

> 어떤 짜임의 문장을 활용하느냐에 따라 표현 ( )가 달라지니까, 표현 의도를 고려하여 다양한 짜임의 문장을 활용해야 해.

10 ⓐ~ⓓ 중, 주어와 서술어의 관계가 한 번만 나타나는 것을 고르시오.

> ⓐ 작은 고추가 더 맵다.
> ⓑ 선무당이 사람 잡는다.
> ⓒ 까마귀 날자 배 떨어진다.
> ⓓ 사공이 많으면 배가 산으로 간다.

01 〈보기〉의 문장을 다음과 같이 분석할 때, 빈칸에 들어갈 말로 적절한 것은?

> 빈출 유형 이어진문장 이해

┌─ 보기 ┐

비가 와서 우리는 소풍을 연기했다.

└─────┘

┌─────────────────────────┐
이 문장은 '비가 왔다.'라는 홑문장과 '우리는 소풍을 연기했다.'라는 홑문장이 나란히 이어져서 이루어진 종속적으로 이어진 문장으로, 앞뒤 문장이 (   )의 의미 관계로 이어져 있다.
└─────────────────────────┘

① 나열　　② 대조　　③ 선택
④ 의도　　⑤ 원인과 결과

02 다음 중 안은문장이 아닌 것은?

> 빈출 유형 안은문장 이해

① 민호는 키가 크다.
② 비가 그치면 지수는 외출할 것이다.
③ 나는 드라마가 시작하기를 기다렸다.
④ 누군가 소리도 없이 그녀에게 다가왔다.
⑤ 마지막 회에서 주인공이 범인임이 밝혀지겠지?

03 〈보기〉에서 밑줄 친 부분이 안은문장에서 하는 역할로 알맞은 것은?

> 빈출 유형 안긴문장의 역할 파악

┌─ 보기 ┐

민호는 그녀가 만든 꽃다발을 들었다.

└─────┘

① 주어　　　　　② 목적어
③ 관형어　　　　④ 부사어
⑤ 서술어

04 (가)와 (나)에 대한 설명으로 적절하지 <u>않은</u> 것은?

> 빈출 유형 이어진문장과 안은문장 구분

┌─────────────────────────┐
(가) 준수가 노래하고 세인이가 춤춘다.
(나) 누군가 소리도 없이 그녀에게 다가왔다.
└─────────────────────────┘

① (가)는 대등하게 이어진 문장이다.
② (나)는 안은문장이다.
③ (가)는 앞뒤 문장이 나열의 의미 관계로 이어졌다.
④ (나)에서 안긴문장은 주어의 역할을 한다.
⑤ (가)와 (나)는 주어와 서술어의 관계가 두 번 이상 나타나는 겹문장이다.

05 다음 대화의 빈칸에 들어갈 말로 적절한 것은?

'물은 섭씨 100도 이상에서는 기체가 되고, 섭씨 100도 이하에서는 된다.'라니, 이 문장 어색하지 않아?

'(물은) 섭씨 100도 이하에서는 된다.' 부분에 (   )가 빠져 있기 때문이야.

그럼 '물은 섭씨 100도 이상에서는 기체가 되고, 섭씨 100도 이하에서는 액체가 된다.'라고 고쳐 쓰면 되겠네!

📷 _____ 전송

① 주어
② 보어
③ 관형어
④ 부사어
⑤ 목적어

07 다음 문장을 〈보기〉에 제시된 그림의 의미만을 나타내도록 고쳐 쓰시오.

> 종현이는 어제 고향에서 온 혜리를 만났다.

⬇

┤ 보기 ├

---

06 빈출 유형 자연스러운 문장으로 고쳐쓰기

〈보기〉의 문장이 어색한 이유를 참고하여 정확하고 자연스러운 문장으로 고쳐 쓰시오.

┤ 보기 ├
나의 꿈은 올림픽에 나가서 금메달을 따기를 바랐다.

주어와 서술어의 호응이 이루어지지 않아서 어색한 문장이야.

---

08 빈출 유형 문장의 짜임과 그에 따른 표현 효과 파악

(가)와 (나)에 대한 설명으로 적절하지 <u>않은</u> 것은?

> (가) 복도로 나선다. 복도에도 인기척은 없다. 선장실로 올라간다. 선장은 없다. 벽장문을 연다. 총이 제자리에 세워져 있다. 벽장문을 닫는다.
> (나) 복도로 나서는데 복도에도 인기척은 없고, 선장실로 올라가도 선장은 없다. 벽장문을 여니 총이 제자리에 세워져 있어서 벽장문을 닫는다.

① (가)는 홑문장으로 이루어져 있다.
② (나)는 겹문장으로 이루어져 있다.
③ (가)는 표현이 간결하고 명료하다.
④ (나)는 사건의 흐름을 파악하기 쉽고 논리적인 느낌을 준다.
⑤ (나)는 (가)에 비해 긴장감과 강렬한 인상을 느끼게 한다.

4일 4. 세상을 보는 눈
(1) 논증 방법 파악하며 읽기

핵심 1 논증의 개념과 방법

• **논증**: 어떤 문제와 관련하여 근거를 들어 ❶ ☐☐ 을 이끌어 내는 논리적 전개 과정

❶ 결론

• **논증 방법**

귀납	• 구체적이고 개별적인 ❷ ☐☐ 에서 일반 법칙을 이끌어 내는 논증 방법 ⑩ 금붕어는 아가미로 숨을 쉰다. 　송사리도 아가미로 숨을 쉰다. 　그러므로 모든 물고기는 아가미로 숨을 쉰다. • 개별적인 것이나 특수한 것을 일반적인 것으로 만드는 일반화, 둘 이상의 대상이나 현상이 여러 면에서 비슷하다는 점을 근거로 다른 속성도 유사할 것이라고 추론하는 ❸ ☐☐ 가 있음.
연역	• ❹ ☐☐☐☐ 에서 개별적이고 구체적인 사실을 이끌어 내는 논증 방법 ⑩ 물고기는 아가미로 숨을 쉰다. 　금붕어는 물고기이다. 　그러므로 금붕어는 아가미로 숨을 쉰다. • 참인 대전제를 사용하는 삼단 논법이 대표적임.

❷ 사실

❸ 유추

❹ 일반 법칙

핵심 2 논증 방법을 파악하며 읽기의 효과

• 글의 주장과 근거를 파악함. • 글에 사용된 논증 방법을 파악함.	→	논증 방법을 중심으로 글의 논지 전개 방식이나 ❺ ☐☐ 를 파악함.	→	글의 내용을 효과적으로 이해함.

❺ 구조

핵심 3 〈밤도 대낮처럼 환하게, 인공 빛의 두 얼굴〉 글의 개관

갈래	칼럼(논설문)	성격	논증적, 설득적, 비판적
제재	빛 공해가 미치는 ❻ ☐☐☐		
주제	• 건강을 위해 ❼ ☐☐ 의 시계대로 살아가자. • 건강한 삶을 위해 불필요한 불을 끄자.		
특징	• 다양한 사례를 구체적으로 제시하여 빛 공해의 문제점을 부각함. • 빛 공해의 악영향을 근거로 제시하여 과도한 인공조명을 줄이자는 주장을 뒷받침함. • 귀납과 ❽ ☐☐ 의 논증 방법을 사용하여 주장의 설득력을 높임.		

❻ 악영향

❼ 자연

❽ 연역

기초 확인 문제

정답과 해설 35쪽

01 다음 대화를 보고 빈칸에 들어갈 알맞은 말을 쓰시오.

> 수민이도 우리 동아리 구성원이야.

> 우리 동아리에는 꽃꽂이를 좋아하는 친구들이 모였어.

> 그럼 수민이도 꽃꽂이를 좋아하겠네.

> 이처럼 어떤 문제와 관련하여 근거를 들어 결론을 이끌어 내는 논리적 전개 과정을 (　　　)이라고 한다.

02 논증 방법에 대한 설명을 바르게 연결하시오.

(1) 귀납 ・

・㉠ 일반 법칙에서 개별적이고 구체적인 사실을 이끌어 냄.

(2) 유추 ・

・㉡ 구체적이고 개별적인 사실에서 일반 법칙을 이끌어 냄.

(3) 연역 ・

・㉢ 둘 이상의 대상이나 현상이 여러 면에서 비슷하다는 점을 근거로 다른 속성도 유사할 것이라고 추론함.

03 다음 질문에 대한 알맞은 대답을 쓰시오.

> 보기
>
> 금붕어는 아가미로 숨을 쉰다.
> 송사리도 아가미로 숨을 쉰다.
> 그러므로 모든 물고기는 아가미로 숨을 쉰다.

> 〈보기〉에는 어떤 논증 방법이 사용되었을까?

04 〈보기〉에 연역의 논증 방법이 사용되었을 때, 빈칸에 들어갈 알맞은 말을 쓰시오.

> 보기
>
> 물고기는 아가미로 숨을 쉰다.
> (　　　)는 물고기이다.
> 그러므로 금붕어는 아가미로 숨을 쉰다.

05 ㉠~㉢ 중, 다음 질문에 대한 대답으로 적절하지 않은 댓글을 고르시오.

> **논증 방법을 파악하면서 주장하는 글을 읽으면 어떤 점이 좋은가요?**
>
> ↳ ㉠글의 내용을 효과적으로 이해할 수 있어.
> ↳ ㉡글의 전개 방식이나 구조를 파악하는 데 도움이 돼.
> ↳ ㉢글에서 설명하려고 하는 대상의 특성을 명확하게 파악할 수 있어.

4일 교과서 핵심 정리

교과서 184~191쪽, 206~207쪽

핵심 4 〈밤도 대낮처럼 환하게, 인공 빛의 두 얼굴〉의 구성

처음	인공조명의 발달로 대낮처럼 환한 밤
중간 1	빛 공해가 ❶[ ]에게 미치는 영향
중간 2	빛 공해가 동식물에 미치는 영향
끝	빛 공해를 줄이려는 ❷[ ]의 필요성

❶ 사람

❷ 노력

핵심 5 〈밤도 대낮처럼 환하게, 인공 빛의 두 얼굴〉에 사용된 논증 방법

귀납

구체적 사실	일반 법칙
• 근거 1: 빛 공해는 인간의 건강을 위협한다. • 근거 2: 빛 공해는 동물의 생태와 행동에 악영향을 미친다. • 근거 3: 빛 공해는 식물들이 ❸[ ]를 맺지 못하게 한다.	결론: 빛 공해는 인간과 동식물에 악영향을 미친다.

❸ 씨

연역

일반 법칙	구체적 사실
• 대전제: 지구상의 모든 ❹[ ]는 과도한 인공 빛에서 벗어나야 건강하게 살 수 있다. • 소전제: 인간은 지구상에 살아가는 생명체이다.	결론: 인간은 인공 빛을 줄여야 건강하게 살 수 있다.

❹ 생명체

선택 학습

핵심 6 〈집을 수리하고 나서〉 작품 개관

갈래	고전 수필	성격	경험적, 교훈적, 설득적
주제	❺[ ]을 알고 바로 고쳐 나가는 자세의 중요성		
특징	• 일상생활의 ❻[ ]에서 얻은 깨달음을 '정치 개혁'이라는 다소 무거운 화제와 연결하여 의미를 확장함. • 유추의 논증 방법을 사용하여 설득력을 높임.		

❺ 잘못

❻ 경험

핵심 7 〈집을 수리하고 나서〉에 사용된 논증 방법

집수리	=	사람의 잘못	=	나라의 ❼[ ]

↓

경험에서 얻은 깨달음을 자신의 잘못을 고치는 일과 나라를 다스리는 일에 적용하여 해석하는 ❽[ ]의 논증 방법을 사용하여 내용을 전개함.

❼ 정치

❽ 유추

기초 확인 문제

06 〈밤도 대낮처럼 환하게, 인공 빛의 두 얼굴〉에 대해 잘 못 설명한 사람의 이름을 쓰시오.

> 다영: 빛 공해가 미치는 악영향을 구체적으로 다루고 있어.

> 준태: 유추의 논증 방법을 사용하여 주장의 설득력을 높이고 있어.

> 민아: 건강한 삶을 위해 불필요한 불을 끄자는 글쓴이의 주장이 담겨 있는 글이야.

07 다음 논증 과정에서 사용된 논증 방법을 〈보기〉에서 골라 쓰시오.

┌─────────────────────────────────┐
│ **대전제** 지구상의 모든 생명체는 과도한 인공 빛에 │
│ 서 벗어나야 건강하게 살 수 있다. │
│ ↓ │
│ **소전제** 인간은 지구상에 살아가는 생명체이다. │
│ ↓ │
│ **결론** 그러므로 인간은 인공 빛을 줄여야 건강하 │
│ 게 살 수 있다. │
└─────────────────────────────────┘

┌ 보기 ┐
│ 귀납   연역   유추 │
└─────────────────────────────────┘

08 귀납의 논증 방법을 사용하여 〈보기〉에서 이끌어 낼 수 있는 결론을 정리하여 쓰시오.

┌ 보기 ┐
│ 근거 1: 빛 공해는 인간의 건강을 위협한다. │
│ 근거 2: 빛 공해는 동물의 생태와 행동에 악영 │
│ 향을 미친다. │
│ 근거 3: 빛 공해는 식물들이 씨를 맺지 못하게 │
│ 한다. │
│ ↓ │
│ 결론: 빛 공해는 인간과 동식물에 (   ) │
│ 을 미친다. │
└─────────────────────────────────┘

09 〈집을 수리하고 나서〉에 사용된 논증 방법으로 알맞은 것은?

① 귀납   ② 연역   ③ 유추
④ 일반화   ⑤ 삼단 논법

10 다음은 〈집을 수리하고 나서〉의 작가와 가상 인터뷰한 내용이다. 빈칸에 들어갈 알맞은 말을 쓰시오.

> 기자: 이 글을 통해 사람들에게 어떤 생각을 전달하려고 하셨나요?

> 작가: 저의 경험을 바탕으로 사람들에게 (   )이 있으면 바로 고쳐 나가는 것이 중요함을 전달하고 싶었습니다.

01~03 다음 글을 읽고 물음에 답하시오.

가 빛과 어둠! 우리는 빛은 항 상 좋은 것으로, 어둠은 나쁜 것 으로 인식하는 경향이 있다. 적 어도 건강상의 문제에서는 빛도 중요하지만 그에 못지않게 어둠 도 중요하다. 그런데 인공조명 의 발달로 밤과 낮의 구분이 없

어진 지 오래고, 도심의 밤은 항상 밝은 빛으로 가득하다. 대 낮처럼 환한 밤, 이런 모습은 과연 아무런 문제가 없을까?

나 인간의 몸에서 분비되는 여러 호르몬 가운데 생체 리듬
<small>사람의 생명 활동을 통하여 신체, 감성, 지성 등에 나타나는 일정한 주기적인 변동.</small>
에 관여하는 대표적인 호르몬인 멜라토닌은 밤과 같이 어두 운 환경 조건에서 만들어지고, 과도한 빛에 노출되면 합성이 중단된다. 멜라토닌은 수면과 체온을 조절하며, 그 밖에도 항산화 작용, 면역 기능 개선, 학습과 기억력 증진 등에 효과 가 있다고 알려져 있다.

 그런데 우리는 원하든 원하지 않든 과도한 인공 빛 속에서 살아간다. 그러다 보니 그 속에서 살아가고 있는 수많은 사 람은 의식도 하지 못한 채 빛 때문에 ㉠생체 리듬이 깨지고, 그것에서 비롯한 각종 증상에 시달리고 있다. 이와 관련한 연구 결과가 흥미롭다. 밤에 인공 빛에 과도하게 노출되면 유방암 발병률이 높아진다는 내용이다. 이는 과도한 빛이 멜 라토닌의 합성을 억제하기 때문으로 분석되고 있다.

다 지구상에서 살아가는 모든 생명체는 자연의 시계대로 살 때, 즉 과도한 인공 빛에서 벗어날 때 건강하게 살 수 있다. 인간은 다른 동물이나 식물과 마찬가지로 지구상에 살아가 는 생명체이다. 따라서 우리 인간 역시 인공 빛을 줄여야 건 강한 삶을 누릴 수 있을 것이다.

 세상이 바뀌기를 기다리기 전에 나부터 바꿔야 하지 않을

까? 자연의 시계대로 살아가려면 지금이라도 당장 불필요한 불을 끄자.

---

01 이 글에 대한 설명으로 알맞지 <u>않은</u> 것은?
① 주장을 뒷받침할 수 있는 객관적 근거를 제시하 고 있다.
② 빛에 대한 일반적인 인식과는 다른 의견을 제시 하고 있다.
③ 주관적인 의견은 배제한 채 객관적인 사실만 서 술하고 있다.
④ 문제 상황과 관련한 구체적인 사례들을 나열하 여 제시하고 있다.
⑤ 여러 사례를 통해 과도한 인공 빛이 사람에게 미 치는 악영향을 제시하고 있다.

02 ㉠의 원인을 (나)에서 찾아 3어절로 쓰시오.

빈출 유형 연역의 논증 방법 이해
03 (다)에서 주장을 이끌어 내는 과정을 다음과 같이 정리 할 때, 빈칸에 들어갈 알맞은 말을 쓰시오.

> 지구상의 모든 생명체는
> 과도한 인공 빛에서 벗어나야
> 건강하게 살 수 있다.
>
> ↓
>
> 인간은 지구상에 살아가는
> 생명체이다.
>
> ↓
>
> 그러므로 인간은 인공 빛을 줄여야
> 건강하게 살 수 있다.

논증 방법
( )

04~06 다음 글을 읽고 물음에 답하시오.

가 우리 집에는 퇴락(頹落)한 행랑채가 있다. 그런데 그중
_{낡아서 무너지고 떨어진.}
세 칸이 곧 쓰러질 것만 같아, 어쩔 수 없이 전부 수리하게
되었다.

이 일이 있기 전, 그 세
칸 가운데 두 칸은 오래
전부터 비가 샜었는데
나는 그것을 알고도 그
냥 내버려 두다가 미처
수리를 하지 못했고, 나
머지 한 칸은 한 번밖에 비가 새지 않았을 때 급히 기와를 교
체하게 했다.

그런데 이번에 수리를 하고 보니 비가 오래 샌 곳은 서까
래와 추녀며 기둥과 들보가 모두 썩어서 못 쓰게 되었으므로
경비가 많이 들었고, 한 번밖에 비가 새지 않은 곳은 재목이
모두 온전하여 다시 쓸 수 있었기 때문에 비용을 줄일 수 있
었다.

나 그래서 나는 이런 생각이 들었다.

이런 일은 사람의 경우에도 마찬가지가 아닐까. 잘못을 알
고서도 즉시 고치지 않는다면, 오래 비를 맞은 목재가 썩어
못 쓰게 되듯이 자기 몸을 망치게 될 것이다. 반면에 잘못한
일을 거리낌 없이 고친다면, 비 맞은 목재를 다시 쓸 수 있었
던 것처럼 그 잘못한 일은 다시 착한 사람이 되는 데 아무 방
해도 되지 않을 것이다.

다 또한 여기에만 그칠 일이 아니다. 나라의 정치도 이와 같
다. 모든 일에서 백성에게 큰 피해가 되는 것들을 이리저리
둘러맞추기만 하고 개혁하지 않다가, 백성이 못살게 되고 나
라가 위태해지고 나서야 갑자기 바꾸려 한다면 나라를 부지
하기 어려운 법이다. 그러니 신중하게 생각하지 않을 수 있
_{상당히 어렵게 보존하거나 유지하여 나가기.}
겠는가.

빈출 유형 글의 내용 파악
04 다음 질문에 대한 답으로 알맞은 것은?

> 글쓴이는 어떤 경험을 바탕으로
> 이 글을 썼을까?

① 행랑채를 손수 지었다.
② 나라의 정치에 관여하다가 쫓겨났다.
③ 잘못을 바로 고치지 않는 사람을 꾸짖었다.
④ 비가 새는 행랑채를 내버려 두었다가 수리비가
많이 들었다.
⑤ 잘못한 일을 거리낌 없이 고쳐 백성들이 살기 좋
은 세상을 만들었다.

도움말
• **관여** 어떤 일에 관계하여 참여함.

05 이 글을 읽은 후의 반응으로 적절한 것은?
① 수리 비용을 가장 먼저 생각해야겠군.
② 좋은 재목을 써야 오래 사용할 수 있군.
③ 집수리를 할 때에는 돈을 많이 들여야겠군.
④ 잘못한 일을 거리낌 없이 고쳐 나가야겠군.
⑤ 한 번이라도 나쁜 일을 한다면 다시 착한 사람이
될 수 없군.

빈출 유형 유추의 논증 방법 이해
06 이 글의 전개 과정을 다음과 같이 정리할 때, 이 글에 사
용된 논증 방법을 쓰시오.

행랑채 수리 = 사람의 잘못 = 나라의 정치

(2) 설득 전략 분석하며 듣기

생각 열기 설득하는 말은 어떤 태도로 듣는 게 좋을까?

그래, 거기에서 호랑이가 찾아와서 엄마라고 주장하잖아. 호랑이가 방문 밖에서 문을 열어 달라고 하는데 오누이가 어떻게 했지?

엄마가 맞는지 보려고 목소리랑 손을 확인했어.

어흥!

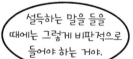

설득하는 말을 들을 때에는 그렇게 비판적으로 들어야 하는 거야.

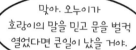

맞아. 오누이가 호랑이의 말을 믿고 문을 벌컥 열었다면 큰일이 났을 거야.

너라면 문을 활짝 열어 줬을 것 같은데?

호랑이 무서워.

으악, 생각만 해도 끔찍하다!

5일 교과서 **핵심 정리**

📖 교과서 196~197쪽

핵심 1 | 설득의 목적과 설득 전략의 유형

- **설득의 목적**: 말하는 이가 듣는 이의 신념, 태도, 행동을 **❶**☐☐ 시키려는 것
- **설득 전략의 유형**

이성적 설득	논리적이고 이성적인 방법으로 말하는 이의 **❷**☐☐ 을 뒷받침하는 설득 전략
감성적 설득	듣는 이의 욕망과 분노, 자긍심, 동정심 등과 같은 감정에 호소하여 듣는 이의 마음을 움직이는 설득 전략
인성적 설득	말하는 이의 사람 됨됨이를 바탕으로 하여 내용을 **❸**☐☐ 하게 하는 설득 전략

❶ 변화

❷ 주장

❸ 신뢰

핵심 2 | 설득 전략을 파악하며 듣는 태도의 필요성

내용을 **❹**☐☐ 적으로 수용하며 평가함.　➡　의사소통에 능동적으로 참여할 수 있음.

⬇

비판적으로 분석하며 듣기

설득 전략의 **❺**☐☐☐ 을 판단하며 비판적으로 들을 수 있음.

❹ 비판

❺ 타당성

핵심 3 | 헌혈 공익 광고에 사용된 설득 전략

의도	다른 사람에게 희망을 주는 헌혈에 동참할 것을 설득함.

⬇

이성적 설득	필요한 혈액량과 헌혈로 구할 수 있는 생명의 수를 구체적인 **❻**☐☐ 로 제시함.
감성적 설득	우리가 하는 헌혈이 누군가의 삶에 **❼**☐☐ 을 줄 수 있다는 내용으로 감정에 호소함.
인성적 설득	헌혈을 생활 속에서 실천하고 있는 사람을 내세워 헌혈을 권유함.

❻ 수치

❼ 희망

⬇

'헌혈에 **❽**☐☐ 하자.'라는 주장을 효과적으로 전달함.

❽ 동참

기초 확인 문제

정답과 해설 **36쪽**

01 다음 빈칸에 들어갈 알맞은 말을 쓰시오.

(1) 설득 전략에는 (　　　　　), 감성적 설득, 인성적 설득이 있다.

(2) 설득하는 말을 들을 때에는 설득 전략의 (　　　)을 판단하며 비판적으로 듣는 태도가 필요하다.

02 다음 상황에서 오누이가 호랑이의 말을 듣는 태도를 〈보기〉와 같이 정리할 때, 빈칸에 들어갈 알맞은 말을 쓰시오.

┤ 보기 ├
　　오누이는 호랑이의 말을 믿지 않고 의심하며 (　　　　　)으로 듣고 있다.

03 헌혈 공익 광고의 목적으로 적절한 것은?

① 설명　　　② 설득　　　③ 비판
④ 정서 표현　　⑤ 정보 전달

04 다음 설득 전략에 대한 설명을 바르게 연결하시오.

(1) 이성적 설득　·

(2) 감성적 설득　·

(3) 인성적 설득　·

· ㉠ 논리적이고 이성적인 방법으로 말하는 이의 주장을 뒷받침하는 설득 전략

· ㉡ 말하는 이의 사람 됨됨이를 바탕으로 하여 내용에 신뢰를 갖게 하는 설득 전략

· ㉢ 듣는 이의 욕망과 분노, 자긍심, 동정심 등과 같은 감정에 호소하여 듣는 이의 마음을 움직이는 설득 전략

05 〈보기〉의 ㉠~㉣ 중, 다음 광고에 사용된 설득 전략을 고르시오.

┤ 보기 ├
㉠ 이성적 설득　　　㉡ 감성적 설득
㉢ 인성적 설득　　　㉣ 지성적 설득

핵심 4 아람이의 연설에 사용된 설득 전략

의도	학생회장 ❶[ ]에서 자신을 뽑아 줄 것을 호소함.

⬇

이성적 설득	우리 학교 학생들을 대상으로 한 ❷[ ] 결과를 활용함.
감성적 설득	친구들을 위해 봉사하겠다는 내용의 ❸[ ]를 불러 감정에 호소함.
인성적 설득	교통안전 도우미 활동을 꾸준히 하면서 배려심과 봉사하는 마음을 갖추었음을 강조함.

⬇

'학생회장 후보로 자신을 선택해 달라.'라는 주장을 효과적으로 전달함.

❶ 선거

❷ 설문 조사

❸ 노래

핵심 5 김연아 선수의 연설에 사용된 설득 전략

의도	평창 동계 올림픽을 ❹[ ]하고자 함.

⬇

이성적 설득	• '드라이브 더 드림' 프로젝트와 같은 우리 정부의 노력을 ❺[ ]로 제시함. • 밴쿠버 동계 올림픽에서 대한민국이 거둔 성적을 구체적인 수치로 제시함.
감성적 설득	• 평창 동계 올림픽 유치가 성공과 성취라는 가치를 깨닫게 하는 의미가 있음을 이야기함. • 자신의 꿈을 이루고 다른 사람들에게 희망을 줄 수 있는 기회를 준 것에 감사를 표현함.
인성적 설득	연설자가 성실하게 노력하여 훌륭한 ❻[ ]를 거둔 운동선수임을 내세워 연설 내용의 신뢰도를 높임.

⬇

평창 동계 올림픽을 유치하기 위해 다양한 설득 전략을 사용하여 청중을 효과적으로 설득함.

❹ 유치

❺ 근거

❻ 성과

선택 학습

핵심 6 광고에 사용된 설득 전략 평가하기

감성적 설득	많은 사람이 잘 알고 있는 〈알리바바와 사십 인의 도적〉 이야기를 활용하여 사람들이 광고 내용에 관심을 갖게 함.
이성적 설득	개인 정보를 ❼[ ]할 수 있는 구체적인 방법들을 제시함.

⬇

개인 정보 보호의 ❽[   ]을 일깨우려는 광고의 의도를 효과적으로 전달함.

❼ 보호

❽ 필요성

기초 확인 문제

06 아람이가 연설을 하는 목적으로 알맞은 것은?

① 봉사 활동의 중요성을 알리려고 한다.

② 배려심을 갖추는 방법을 알려 주려고 한다.

③ 설문 조사에 참여해 줄 것을 부탁하려고 한다.

④ 교통안전 도우미를 뽑고 있음을 알리려고 한다.

⑤ 학생회장으로 자신을 뽑아 달라고 설득하려고 한다.

07 〈보기〉에서 아람이가 노래를 부르면서 사용한 설득 전략을 쓰시오.

┌ 보기 ┐

이 노랫말처럼 저는 여러분에게 우산 같은 학생회장, 난로 같은 학생회장이 되고 싶습니다. 여러분을 위해서라면 언제든 빛이 되고 바람이 되겠습니다.

08 다음 연설에 사용된 설득 전략을 쓰시오.

우리 정부의 '드라이브 더 드림(Drive the Dream) 프로젝트'는 동계 스포츠 시설 및 선수 훈련을 지원하는 프로그램입니다. 이 프로그램 덕분에 대한민국은 밴쿠버에서 제 메달을 포함해 메달 14개를 땄고, 82개국 중에서 7위를 했습니다.

09 김연아 선수의 연설을 다음과 같이 평가할 때, 빈칸에 들어갈 알맞은 말을 쓰시오.

우리나라의 동계 스포츠 환경을 직접 경험하고, 성실하게 노력하여 훌륭한 성과를 거둔 김연아 선수가 연설자라는 점이 연설 내용의 (   )를 높였다. 세계적으로 유명한 동계 스포츠 선수를 연설자로 선정한 것은 매우 효과적인 인성적 설득이다.

10 다음 광고에 사용된 설득 전략을 〈보기〉와 같이 평가할 때, 빈칸에 들어갈 알맞은 말을 쓰시오.

┌ 보기 ┐

많은 사람이 잘 알고 있는 이야기를 활용하여 사람들이 광고 내용에 관심을 갖게 함으로써 (   ) 보호의 필요성을 일깨우려는 광고의 의도를 효과적으로 전달하고 있다.

01~02 다음을 보고 물음에 답하시오.

가

"헌혈은 제 삶의 기쁨입니다."
헌혈 명예 대장 한영재(헌혈 횟수 300회)

나

우리나라에 필요한 혈액은
하루 12,377팩,
일 년 6,600,000팩.

50명의 헌혈이
10명의 심장 수술 환자,
6명의 내출혈 환자,
1명의 교통사고 환자를 살립니다.

다

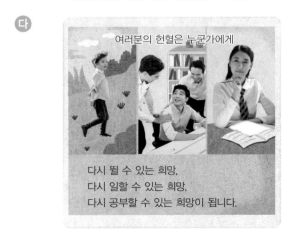

여러분의 헌혈은 누군가에게

다시 뛸 수 있는 희망,
다시 일할 수 있는 희망,
다시 공부할 수 있는 희망이 됩니다.

01 (가)~(다)에 대한 설명으로 적절하지 <u>않은</u> 것은?

① 헌혈에 동참할 것을 설득하고 있다.

② 헌혈과 관련된 구체적인 수치를 제시하고 있다.

③ 유명인을 등장시켜 보는 이의 관심을 끌고 있다.

④ 헌혈을 생활 속에서 실천하고 있는 사람을 내세워 설득력을 높이고 있다.

⑤ 우리가 하는 헌혈이 누군가에게 희망을 줄 수 있다는 내용으로 감정에 호소하고 있다.

빈출 유형 광고에 사용된 설득 전략 파악

02 (가)~(다) 중, 〈보기〉와 같은 설득 전략이 사용된 것을 고르고, 어떤 설득 전략인지 쓰시오.

┤ 보기 ├

첫째, 소통이 활발한 학교를 만들겠습니다. 평소 학교에 바라는 것이 많지만 어떻게 건의해야 할지 몰라서 고민하는 친구들의 모습을 자주 보았습니다. 저는 설문 조사에서 67퍼센트나 되는 학생들이 자신의 의견을 학교에 전달하고 싶어 한다는 것을 알게 되었습니다.

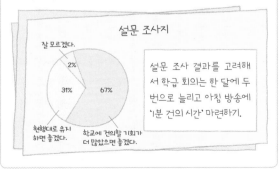

설문 조사지

잘 모르겠다.
2%

31%   67%

현행대로 유지
하면 좋겠다.

학교에 건의할 기회가
더 많았으면 좋겠다.

설문 조사 결과를 고려해서 학급 회의는 한 달에 두 번으로 늘리고 아침 방송에 '1분 건의 시간' 마련하기.

03~04 다음 글을 읽고 물음에 답하시오.

가 여러분, 안녕하십니까? 학생회장 후보 기호 1번 정아람입니다. 오늘 저는 행복이 넘치는 학교를 만들고 싶어 여러분 앞에 섰습니다.

나 저는 중학생이 되어 학교생활을 하면서, 진정한 지도력은 배려하는 마음에서 시작한다는 것을 알게 되었습니다. 특히 등굣길을 안전하게 지켜 주는 학교 앞 교통안전 도우미 활동을 꾸준히 하면서 배려하고 봉사하는 즐거움을 배웠습니다. 다른 사람을 배려하고, 다른 사람을 도우려고 봉사하는 마음이야말로 학생회장이 갖추어야 할 중요한 마음가짐이라고 생각합니다.

다 여러분! 행복이 넘치는 학교는 어떤 곳일까요? 지금부터 행복이 넘치는 학교를 만들 저의 세 가지 약속을 말씀드리겠습니다.

첫째, 소통이 활발한 학교를 만들겠습니다. 평소 학교에 바라는 것이 많지만 어떻게 건의해야 할지 몰라서 고민하는 친구들의 모습을 자주 보았습니다. 저는 설문 조사에서 67퍼센트나 되는 학생들이 자신의 의견을 학교에 전달하고 싶어 한다는 것을 알게 되었습니다. 이러한 의견을 반영하여 한 달에 한 번이던 학급 회의를 두 번으로 늘리고, 신청한 사람이면 누구나 아침 방송 '1분 건의 시간'에 학교에 제안할 점을 말할 수 있도록 하겠습니다. 또한 학급 회의에서 낸 의견이 실제로 학교 운영에 반영되는지 궁금해하는 73퍼센트의 의견을 고려해, 대의원회 회의의 결과를 학교 게시판에 공개하겠습니다.

빈출 유형 설득 전략의 특징 파악

03 (나)에서 아람이가 사용한 설득 전략에 대한 설명으로 적절한 것은?

① 널리 알려진 명언을 인용하여 연설 내용의 설득력을 높였다.
② 듣는 이의 감정에 호소하여 듣는 이의 마음을 움직이고자 했다.
③ 구체적인 통계 자료의 수치를 제시하여 내용의 타당성을 높였다.
④ 논리적이고 이성적인 방법으로 말하는 이의 주장을 뒷받침했다.
⑤ 말하는 이의 사람 됨됨이를 바탕으로 하여 말하는 내용에 신뢰를 갖게 했다.

04 이 연설을 들은 학생의 반응으로 적절하지 않은 것은?

① 아람이가 제시한 공약의 실현 가능성을 따져 보고 결정했어.
② 아람이가 학생회장이 된다면 소통이 활발한 학교가 될 것 같아.
③ 아람이가 공약의 구체적인 실현 방법을 제시하지 않아서 아쉬웠어.
④ 설문 조사 결과를 활용하니까 아람이의 주장이 더 설득력이 있는 것 같아.
⑤ 아람이가 학생회장이 될 만한 자질을 갖추었기 때문에 아람이를 학생회장으로 뽑을 거야.

05~07 다음 글을 읽고 물음에 답하시오.

가 로게 위원장님, 국제올림픽위원회 위원님들, 안녕하세요. 로잔에서 뵌 지 7주밖에 지나지 않았다는 것이 믿기지 않습니다. 오늘을 위해 저는 대회를 준비할 때보다도 더 열심히 준비했습니다. 그렇지만 여전히 로잔에서처럼 조금 떨립니다.

사실 저는 이번 올림픽 유치 과정에 참여하는 일이 조심스럽기만 합니다. 여러분이 오늘 역사적인 결정을 하시는 데 제가 작은 역할이나마 맡고 있기 때문입니다. 밴쿠버 동계 올림픽에 출전했을 때에도 같은 기분이었습니다.

나 10년 전, 평창 동계 올림픽 유치라는 꿈이 처음 시작되었을 때, 저는 서울의 한 빙상 경기장에서 올림픽을 꿈꾸던 어린 여자아이였습니다. 당시 저는 다행히 코치님들과 좋은 연습 시설에서 훈련할 수 있었지만, 아시다시피 대한민국의 다른 동계 스포츠 종목 선수들은 올림픽의 꿈을 이루려고 세계 여러 곳으로 훈련을 받으러 가는 경우가 많았습니다. 이제 저는 제가 누렸던 기회를 새로운 지역의 다른 선수들과 나누기를 꿈꿉니다. 2018 평창 동계 올림픽은 제 꿈을 이루는 데 도움이 될 것입니다.

다 우리 정부의 '드라이브 더 드림(Drive the Dream) 프로젝트'는 동계 스포츠 시설 및 선수 훈련을 지원하는 프로그램입니다. 이 프로그램 덕분에 대한민국은 밴쿠버에서 제 메달을 포함해 메달 14개를 땄고, 82개국 중에서 7위를 했습니다.

라 대한민국이 앞으로 더 좋은 성적을 내고, 2018 평창 동계 올림픽을 개최하려면 새로운 경기장을 더 지어야 할 것입니다. 하지만 우리의 새로운 도전은 경기장보다 더 큰 유산을 우리에게 남길 것입니다. 그것은 물질적 유산이 아닌 인적 유산을 말하며, ㉠제가 바로 대한민국 동계 스포츠의 수준을 높이려고 기울인 노력을 증명하는 살아 있는 유산입니다.

05 이 연설을 들으면서 메모한 내용으로 적절하지 않은 것은?

- 연설자: 김연아
- 청중: 국제올림픽위원회 위원들 ⋯⋯⋯⋯ ①
- 연설 목적: 평창 동계 올림픽을 유치하고자 함.
  ⋯⋯⋯⋯⋯⋯⋯⋯⋯⋯⋯⋯⋯⋯⋯⋯ ②
- 연설 내용
  - 나는 평창 동계 올림픽 유치라는 꿈이 시작되었을 때 올림픽을 꿈꾸던 어린 여자아이였음. ⋯⋯⋯⋯⋯⋯⋯⋯⋯⋯⋯⋯⋯⋯⋯⋯ ③
  - 내가 누린 기회를 새로운 지역의 다른 선수들과 나누는 것이 꿈임. ⋯⋯⋯⋯⋯⋯ ④
  - 평창 동계 올림픽은 경기장이라는 유산을 남길 것임. ⋯⋯⋯⋯⋯⋯⋯⋯⋯⋯⋯⋯ ⑤

빈출 유형 연설에 사용된 설득 전략 파악

06 (다)에 대한 설명으로 적절한 것은?
① 전문가의 말을 인용하여 말하는 이의 주장을 뒷받침했다.
② 청중의 감정에 호소하여 청중의 마음을 움직이고자 했다.
③ 말하는 이의 주장을 뒷받침하기 위해 객관적 수치를 제시했다.
④ 설문 조사 결과를 근거로 제시하여 주장이 타당함을 증명했다.
⑤ 듣는 이에게 신뢰를 주기 위해 연설자의 사람 됨됨이를 강조했다.

07 ㉠에 사용된 설득 전략을 쓰시오.

08~09 다음을 보고 물음에 답하시오.

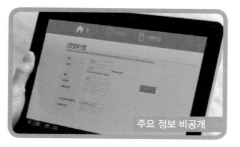

빈출 유형 광고의 의도 파악

08 이 광고의 의도를 고려하여 빈칸에 들어갈 알맞은 말을 차례대로 쓰시오.

이 광고에서는 개인 정보 보호의 _____ 과 그 _____ 을 알려 주고 있어.

빈출 유형 광고에 사용된 설득 전략 파악

09 이 광고에 사용된 설득 전략을 모두 쓰시오.

6일 누구나 **100점** 테스트 1회

01~02 다음 글을 읽고 물음에 답하시오.

가 우리 학교 학생들이 음료수를 마시는 실태(총 100명)

• 일주일에 음료수를 마시는 횟수

　1~2회: 20명 / 3~4회: 42명

　5~6회: 28명 / 7회 이상: 10명

• 즐겨 마시는 음료수 종류

　1위: 탄산음료(40명)

　2위: 초코우유(24명)

　　　　　⋮

• 영양 성분표 확인 여부

　확인한다: 8명

　확인하지 않는다: 92명

나 학생들이 즐겨 마시는 음료수에 들어 있는 당류의 양(250밀리리터 기준)

• 탄산음료: 26그램

• 초코우유: 32그램

• 에너지 음료: 27그램

• 과일주스: 20그램

다 하루 동안 가공식품으로 섭취하는 당류의 적정량

　하루에 섭취하는 열량의 10퍼센트(약 50그램) 이내

라 당류를 지나치게 섭취하면 생기는 문제와 당류 섭취를 줄이는 방법

• 당류를 지나치게 섭취하면 생기는 문제

　비만 위험 증가, 기억력 감퇴, 피부 노화 촉진, 당뇨병과 간 질환 등의 발생 위험 증가.

• 당류 섭취를 줄이는 방법

　물을 자주 마셔서 음료수를 마시는 횟수 줄이기.

　　　　　⋮

01 (가)~(라) 중, 다음 설문지로 조사한 결과를 담고 있는 것을 쓰시오.

> 저희는 희망중학교 3학년 1반 무지개 모둠 학생들입니다. 저희 모둠에서는 우리 학교 학생들이 음료수를 마시는 실태를 조사하려고 합니다. 아래의 질문에 답해 주시기 바랍니다. 감사합니다.
>
> 1. 물을 제외한 음료수를 일주일에 몇 번이나 마십니까?
>
> ① 1~2회 ② 3~4회 ③ 5~6회 ④ 7회 이상
>
> 2. 평소 즐겨 마시는 음료수는 무엇입니까?
>
> ① 과일주스　　② 에너지 음료　　③ 초코우유
>
> ④ 탄산음료　　⑤ 기타(　　　　)

02 다음은 조사 결과를 분석하면서 나눈 대화이다. 쓰기 윤리를 고려할 때 빈칸에 들어갈 대답으로 적절한 것은?

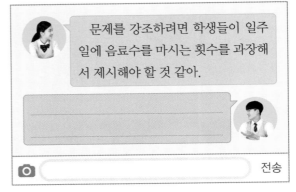

> 문제를 강조하려면 학생들이 일주일에 음료수를 마시는 횟수를 과장해서 제시해야 할 것 같아.

❏　　　　　　　　　　　　　전송

① 조사 결과를 조금 바꾸는 것은 괜찮아.

② 쓰기 윤리에 어긋나니까 조사 결과를 과장해서는 안 돼.

③ 당류가 많이 들어 있는 음료수만 골라서 제시해도 되겠어.

④ 우리 학교 학생들의 건강을 위해서 필요한 일이라고 생각해.

⑤ 조사 목적에 맞게 학생들이 음료수를 마시는 횟수를 다시 조사해 보자.

03~04 다음 글을 읽고 물음에 답하시오.

3. 조사 결과

(1) 우리 학교 학생들이 음료수를 마시는 실태

[A] 설문 조사 결과 우리 학교 학생들이 일주일에 음료수를 마시는 횟수는 3~4회가 42퍼센트로 가장 많고, 5~6회가 28퍼센트, 1~2회가 20퍼센트, 7회 이상이 10퍼센트로, 조사 대상의 80퍼센트 이상이 일주일에 3회 이상 음료수를 마시는 것으로 나타남.

즐겨 마시는 음료수의 종류는 탄산음료, 초코우유, 에너지 음료, 과일주스의 순으로 나타나며, 음료수를 마실 때 영양 성분표를 확인하지 않는 학생(92퍼센트)이 확인하는 학생(8퍼센트)보다 훨씬 많음.

▲ 즐겨 마시는 음료수 종류　　▲ 영양 성분표 확인 여부

(2) 학생들이 즐겨 마시는 음료수에 들어 있는 당류의 양

250밀리리터 기준으로, 당류가 탄산음료에는 26그램, 초코우유에는 32그램, 에너지 음료에는 27그램, 과일주스에는 20그램이 들어 있음.

(3) 하루 동안 가공식품으로 섭취하는 당류의 적정량

하루 동안 가공식품으로 섭취하는 당류의 적정량은 하루 섭취 열량의 10퍼센트(약 50그램) 이내임.

(4) 당류를 지나치게 섭취하면 생기는 문제와 당류 섭취를 줄이는 방법

① 당류를 지나치게 섭취하면 생기는 문제: 비만 위험 증가, 기억력 감퇴, 피부 노화 촉진, 당뇨병과 간 질환 등의 발생 위험 증가. [중략]

4. 결론

우리 학교 학생들은 음료수를 많이 마시고 있으며 학생들이 즐겨 마시는 음료수에는 당류가 하루 동안 가공식품으로 섭취하는 적정량의 반 이상 들어 있다. 그럼에도 학생 대부분이 영양 성분표를 확인하지 않을 정도로 음료수로 당류를 지나치게 섭취한다는 점을 모르고 있다. 당류를 지나치게 섭취하면 건강에 나쁜 영향을 줄 수 있으므로 당류 섭취를 줄이려는 다양한 노력을 해야 한다.

03 이 글에 대한 설명으로 적절하지 <u>않은</u> 것은?

① 간결하고 이해하기 쉽게 써야 한다.

② 객관적이고 정확한 정보를 담고 있다.

③ 조사 결과를 분석하여 결론을 작성했다.

④ 문제 상황에 대한 개인적인 의견이 드러난다.

⑤ 매체 자료를 활용하여 조사 결과를 효과적으로 전달하고 있다.

04 [A]를 〈보기〉와 같이 나타낼 때 얻을 수 있는 효과로 적절한 것은?

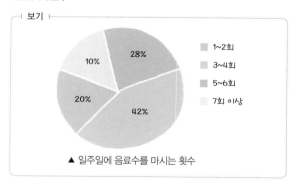

▲ 일주일에 음료수를 마시는 횟수

① 조사 결과를 구체적으로 보여 준다.

② 조사 결과를 설득력 있게 전달한다.

③ 조사 결과를 한눈에 파악하기 쉽다.

④ 조사의 절차와 결과가 잘 드러난다.

⑤ 응답한 학생들의 의견을 정확하게 나타낸다.

05 다음과 같은 보고서를 쓸 때 유의할 점으로 적절하지 <u>않</u>은 것은?

> 건조한 겨울에 대비해 다양한 가습 방법의 효과를 비교하여 보고서를 써 보자.

① 실험 과정을 구체적으로 밝혀야 한다.
② 명확하고 구체적인 표현을 사용해야 한다.
③ 습도를 측정한 수치를 정확하게 기록해야 한다.
④ 실험 목적을 달성하기 위해 실험 결과를 조정해야 한다.
⑤ 실험 결과를 한눈에 알아보기 쉽도록 적절한 매체 자료를 활용해야 한다.

06 다음 문장이 어색한 이유로 적절한 것은?

> 많은 사람이 춤과 노래를 부르며 축제를 즐기고 있다.

① 주어 '사람이'와 서술어의 호응이 적절하지 않다.
② 목적어 '춤(을)'과 서술어의 호응이 적절하지 않다.
③ 목적어 '노래를'과 서술어의 호응이 적절하지 않다.
④ 목적어 '축제를'과 서술어의 호응이 적절하지 않다.
⑤ 한 문장이 두 가지 이상의 의미로 해석되는 중의적 표현이다.

07 〈보기〉의 밑줄 친 부분의 공통점으로 적절하지 <u>않</u>은 것은?

> 보기
> • 반주자가 <u>피아노를</u> 친다.
> • 합창단이 <u>노래를</u> 부른다.
> • 지휘자가 <u>합창단을</u> 지휘한다.

① 목적어이다.
② 주성분에 속한다.
③ '무엇을'에 해당하는 말이다.
④ 생략하면 온전한 문장을 이루지 못한다.
⑤ 문장에서 다른 성분과 관계없이 독립적으로 쓰인다.

08 ㉠～㉣을 제시한 기준에 따라 나누시오.

> ㉠ 작은 고추가 더 맵다.
> ㉡ 선무당이 사람 잡는다.
> ㉢ 까마귀 날자 배 떨어진다.
> ㉣ 사공이 많으면 배가 산으로 간다.

(1) 주어와 서술어의 관계가 한 번만 나타나는 문장	(2) 주어와 서술어의 관계가 두 번 이상 나타나는 문장

09 다음 중 〈보기〉와 문장의 확대 방식이 같은 것은?

┌ 보기 ┐

비가 오고 바람이 불었다.

① 하늘이 파랗다.
② 와, 무지개가 떴다.
③ 준수가 노래하고 세인이가 춤춘다.
④ 나는 삼촌이 여행을 떠났다는 사실을 알았다.
⑤ 아이들이 운동장에서 종이비행기를 날리는구나.

10 다음은 제시된 광고 문구를 〈보기〉와 같이 바꾸면서 나눈 대화이다. 빈칸에 들어갈 알맞은 말을 쓰시오.

스마트폰을 손에서 놓고 주변을 돌아보세요.
친구들과 대화를 나누고 가족들과 눈을 맞춰 보세요.
스마트폰 속 세상에서 벗어나면
진짜 세상을 만날 수 있습니다.

┌ 보기 ┐

스마트폰을 손에서 놓으세요.
주변을 돌아보세요.
친구들과 대화를 나누세요.
가족들과 눈을 맞춰 보세요.
스마트폰 속 세상에서 벗어나세요.
진짜 세상을 만날 수 있습니다.

원래의 광고 문구는 겹문장으로 이루어져 있어 내용 사이의 연결 관계가 잘 드러나.

홑문장으로 바꾼 〈보기〉는 문장이 짧고 단순하여 내용이 (　　　) 하고 명쾌하게 전달돼.

01~03 다음 글을 읽고 물음에 답하시오.

㉮ 우리는 원하든 원하지 않든 과도한 인공 빛 속에서 살아간다. 그러다 보니 그 속에서 살아가고 있는 수많은 사람은 의식도 하지 못한 채 빛 때문에 생체 리듬이 깨지고, 그것에서 비롯한 각종 증상에 시달리고 있다. 이와 관련한 연구 결과가 흥미롭다. 밤에 인공 빛에 과도하게 노출되면 유방암 발병률이 높아진다는 내용이다. 이는 과도한 빛이 멜라토닌의 합성을 억제하기 때문으로 분석되고 있다.

㉯ 빛 공해는 사람은 물론 동물에도 영향을 준다. 호숫가에
도시의 조명이 필요 이상으로 밝고 많아서 사람과 자연환경에 주는 피해.
밤새도록 인공조명을 켜 놓으면 물고기의 먹이가 되는 동물성 플랑크톤이 잘 성장하지 못하고, 녹조류가 증가하여 수질이 악화된다. 이는 물고기의 생태에 악영향을 주어 물고기를 죽음에 이르게 한다. 많은 곤충학자는 밤의 인공 빛이 별의 비행 능력을 방해한다고 주장하고, 조류학자들은 철새들이 인공 빛을 별빛으로 착각해서 고유한 이동 경로를 이탈해 고층 건물에 부딪혀 죽기도 한다고 말한다.

㉰ 식물이 24시간 빛을 쬐는 일이 지속되면 씨를 맺지 못하는 현상이 발생하기도 한다. 특히 빛에 민감한 들깨는 밤까지 오랜 시간 인공 빛에 노출되면 꽃망울과 씨를 맺지 못하고 키만 쑥쑥 자란다. 농촌진흥청 국립식량과학원 연구 결과 6~10럭스(lx) 밝기의 빛에 장기간 노출될 경우 수확량이 벼
빛의 양을 나타내는 단위.
는 16퍼센트, 보리는 20퍼센트, 들깨는 94퍼센트가 감소하는 것으로 나타나기도 했다.

㉱ 지구상에서 살아가는 모든 생명체는 자연의 시계대로

살 때, 즉 과도한 인공 빛에서 벗어날 때 건강하게 살 수 있다. 인간은 다른 동물이나 식물과 마찬가지로 지구상에 살아가는 생명체이다. 따라서 우리 인간 역시 인공 빛을 줄여야 건강한 삶을 누릴 수 있을 것이다.

세상이 바뀌기를 기다리기 전에 나부터 바꿔야 하지 않을까? 자연의 시계대로 살아가려면 지금이라도 당장 불필요한 불을 끄자.

01 이 글의 글쓴이가 궁극적으로 주장하려는 내용으로 적절한 것은?

① 과도한 인공 빛은 동물에 영향을 미친다.
② 과도한 인공 빛은 식물에 영향을 미친다.
③ 과도한 빛이 멜라토닌의 합성을 억제한다.
④ 과도한 인공 빛은 사람에게 영향을 미친다.
⑤ 과도한 인공 빛을 줄이려는 노력이 필요하다.

02 (가)~(다)를 통해 이끌어 낼 수 있는 결론을 다음과 같이 정리할 때, 빈칸에 들어갈 알맞은 말을 쓰시오.

빛 공해는 인간의 건강에 악영향을 미친다.	빛 공해는 동물의 생태와 행동에 악영향을 미친다.	빛 공해는 식물의 생식에 악영향을 미친다.

↓

빛 공해는 인간과 동식물에 (   )을 미친다.

03 (라)에 사용된 논증 방법을 다음과 같이 정리하여 쓰시오.

> (라)에는 일반 법칙에서 개별적이고 구체적인 사실을 이끌어 내는 (   )이 사용되었다.

04~05 다음 글을 읽고 물음에 답하시오.

가 우리 집에는 퇴락(頹落)한 행랑채가 있다. 그런데 그중 세 칸이 곧 쓰러질 것만 같아, 어쩔 수 없이 전부 수리하게 되었다.

이 일이 있기 전, 그 세 칸 가운데 두 칸은 오래전부터 비가 샜었는데 나는 그것을 알고도 그냥 내버려 두다가 미처 수리를 하지 못했고, 나머지 한 칸은 한 번밖에 비가 새지 않았을 때 급히 기와를 교체하게 했다.

그런데 이번에 수리를 하고 보니 비가 오래 샌 곳은 서까래와 추녀며 기둥과 들보가 모두 썩어서 못 쓰게 되었으므로 경비가 많이 들었고, 한 번밖에 비가 새지 않은 곳은 재목이 모두 온전하여 다시 쓸 수 있었기 때문에 비용을 줄일 수 있었다.

나 그래서 나는 이런 생각이 들었다.

이런 일은 사람의 경우에도 마찬가지가 아닐까. 잘못을 알고서도 즉시 고치지 않는다면, 오래 비를 맞은 목재가 썩어 못 쓰게 되듯이 자기 몸을 망치게 될 것이다. 반면에 잘못한 일을 거리낌 없이 고친다면, 비 맞은 목재를 다시 쓸 수 있었던 것처럼 그 잘못한 일은 다시 착한 사람이 되는 데 아무 방해도 되지 않을 것이다.

다 또한 여기에만 그칠 일이 아니다. 나라의 정치도 이와 같다. 모든 일에서 백성에게 큰 피해가 되는 것들을 이리저리 둘러맞추기만 하고 개혁하지 않다가, 백성이 못살게 되고 나라가 위태해지고 나서야 갑자기 바꾸려 한다면 나라를 부지하기 어려운 법이다. 그러니 신중하게 생각하지 않을 수 있겠는가.

04 이 글의 글쓴이와 가상 인터뷰한 내용을 바탕으로 이 글에 사용된 논증 방법을 쓰시오.

> 기자: 어떤 일을 계기로 이 글을 쓰게 되었나요?
>
> 글쓴이: 행랑채를 수리한 경험을 바탕으로 썼습니다.
>
> 기자: 글에서는 행랑채 수리와 관련된 내용뿐만 아니라 사람의 일과 나라의 정치까지 다루고 있는데, 그것도 경험하신 건가요?
>
> 글쓴이: 그렇지 않습니다. 다만 행랑채 수리가 사람의 일이나 나라의 정치와 비슷하다는 생각이 들었답니다.

05 (가)~(다)에 나타난 다음 현상을 통해 글쓴이가 전하려는 깨달음으로 적절한 것은?

> • 행랑채 수리　　• 사람의 잘못　　• 나라의 정치

① 급진적인 정치 개혁을 이루어 내야 한다.
② 세상일이란 언제나 크고 작은 사고가 발생하기 마련이다.
③ 사람의 잘못을 고치는 것은 행랑채를 수리하는 것보다 힘들다.
④ 문제가 발생했을 때 곧바로 바로잡지 않으면 더 큰 위기가 찾아온다.
⑤ 좋은 의도를 지니고 있다면 잘못을 저질렀다 하더라도 용서받을 수 있다.

06~07 다음을 읽고 물음에 답하시오.

가

"헌혈은 제 삶의 기쁨입니다."
헌혈 명예 대장 한영재(헌혈 횟수 300회)

나

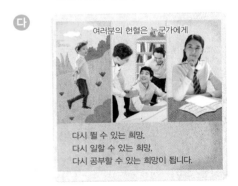

우리나라에 필요한 혈액은
하루 12,377팩,
일 년 6,600,000팩.

50명의 헌혈이
10명의 심장 수술 환자,
6명의 내출혈 환자,
1명의 교통사고 환자를 살립니다.

다

여러분의 헌혈은 누군가에게

다시 뛸 수 있는 희망,
다시 일할 수 있는 희망,
다시 공부할 수 있는 희망이 됩니다.

라 10년 전 평창 동계 올림픽 유치라는 꿈이 처음 시작되었을 때, 저는 서울의 한 빙상 경기장에서 올림픽을 꿈꾸던 어린 여자아이였습니다. 당시 저는 다행히 코치님들과 좋은 연습 시설에서 훈련할 수 있었지만, 아시다시피 대한민국의 다른 동계 스포츠 종목 선수들은 올림픽의 꿈을 이루려고 세계 여러 곳으로 훈련을 받으러 가는 경우가 많았습니다. 이제 저는 제가 누렸던 기회를 새로운 지역의 다른 선수들과 나누

기를 꿈꿉니다. 2018 평창 동계 올림픽은 제 꿈을 이루는 데 도움이 될 것입니다.

마 우리 정부의 '드라이브 더 드림(Drive the Dream) 프로젝트'는 동계 스포츠 시설 및 선수 훈련을 지원하는 프로그램입니다. 이 프로그램 덕분에 대한민국은 밴쿠버에서 제 메달을 포함해 메달 14개를 땄고, 82개국 중에서 7위를 했습니다.

---

06 (가)~(다)를 보고 단 댓글로 적절하지 <u>않은</u> 것은?

> 댓글
>
> ↳ 수민 이 광고는 헌혈에 동참할 것을 설득하고 있어. ────────── ①
> ↳ 준희 이성적 설득, 감성적 설득, 인성적 설득이 모두 사용되었어. ────────── ②
> ↳ 성호 헌혈에 참여하는 구체적인 방법을 알려 줘서 실제로 도움이 되었어. ────────── ③
> ↳ 민주 헌혈을 실천하고 있는 사람의 말을 들으니까 더 설득력 있게 느껴졌어. ────────── ④
> ↳ 영숙 우리가 하는 헌혈이 누군가의 삶에 희망을 줄 수 있다는 내용이 감동적이야. ────── ⑤

07 (가)~(마) 중, 다음 학생이 설명하는 설득 전략이 사용된 문단을 모두 쓰시오.

> 말하는 이의 사람 됨됨이를 바탕으로 하여 내용에 신뢰를 갖게 하는 설득 전략이야.

08~10 다음 글을 읽고 물음에 답하시오.

가 여러분, 안녕하십니까? 학생회장 후보 기호 1번 정아람입니다. 오늘 저는 행복이 넘치는 학교를 만들고 싶어 여러분 앞에 섰습니다.

나 저는 중학생이 되어 학교생활을 하면서, 진정한 지도력은 배려하는 마음에서 시작한다는 것을 알게 되었습니다. 특히 등굣길을 안전하게 지켜 주는 학교 앞 교통안전 도우미 활동을 꾸준히 하면서 배려하고 봉사하는 즐거움을 배웠습니다. 다른 사람을 배려하고, 다른 사람을 도우려고 봉사하는 마음이야말로 학생회장이 갖추어야 할 중요한 마음가짐이라고 생각합니다.

다 첫째, 소통이 활발한 학교를 만들겠습니다. 평소 학교에 바라는 것이 많지만 어떻게 건의해야 할지 몰라서 고민하는 친구들의 모습을 자주 보았습니다. 저는 설문 조사에서 67퍼센트나 되는 학생들이 자신의 의견을 학교에 전달하고 싶어 한다는 것을 알게 되었습니다. 이러한 의견을 반영하여 한 달에 한 번이던 학급 회의를 두 번으로 늘리고, 신청한 사람이면 누구나 아침 방송 '1분 건의 시간'에 학교에 제안할 점을 말할 수 있도록 하겠습니다.

라 "비 오는 날에는 우산이 되어 주고, 어둠이 오면 빛이 되어 줄게. 추운 겨울이면 난로가 되어 주고, 더운 날에는 바람이 될게."

– 마크툽 작사·작곡, 〈매리 미(Marry me)〉

이 노랫말처럼 저는 여러분에게 우산 같은 학생회장, 난로 같은 학생회장이 되고 싶습니다. 여러분을 위해서라면 언제든 빛이 되고 바람이 되겠습니다.

08 이 연설의 목적으로 적절한 것은?

① 홍보 ② 설득 ③ 친교
④ 정보 전달 ⑤ 정서 표현

09 (가)~(라) 중, 〈보기〉에서 설명하는 설득 전략이 사용된 문단을 쓰시오.

┌─ 보기
논리적이고 이성적인 방법으로 말하는 이의 주장을 뒷받침하는 설득 전략

10 이 연설을 들은 학생의 반응이 다음과 같을 때, (라)에서 아람이가 노래를 불러서 얻은 효과로 적절한 것은?

> 아람이의 노래를 들으니 비가 올 때 우산이 나에게 도움을 주는 것처럼 아람이도 학생회장으로서 우리를 잘 도와줄 것 같은 믿음이 생겼어.

① 청중에게 새로운 정보를 제공했다.
② 공약의 실현 가능성이 높음을 증명했다.
③ 청중의 감정에 호소하여 마음을 움직였다.
④ 신뢰성 있는 근거를 제시하여 청중에게 믿음을 주었다.
⑤ 연설자 자신이 학생회장이 될 만한 자질을 갖추었음을 강조했다.

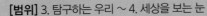
01~02 다음을 읽고 물음에 답하시오.

가 1. 조사 목적 및 주제: 우리 학교 학생들의 건강을 위해 음료수로 당류를 지나치게 섭취하는 문제를 조사함.

2. 조사 계획

(1) 조사 기간: 10월 5일부터 10일까지

(2) 조사 대상: 책과 인터넷 등 각종 자료, 다양한 음료수, 우리 학교 학생 및 관련 분야 전문가

(3) 조사 내용

① 우리 학교 학생들이 음료수를 마시는 실태

② 학생들이 즐겨 마시는 음료수에 들어 있는 당류의 양

③ 하루 동안 가공식품으로 섭취하는 당류의 적정량

④ ㉠당류를 지나치게 섭취하면 생기는 문제와 당류 섭취를 줄이는 방법

나

문제를 강조하려면 학생들이 일주일에 음료수를 마시는 횟수를 과장해서 제시해야 할 것 같아.

당류가 많이 들어 있는 음료수만 골라서 제시해도 되지 않을까?

다

책에서는 물에 숯을 넣으면 넣기 전보다 가습 효과가 두 배 정도 좋아진다고 했는데, 우리 실험 결과는 큰 차이가 없네. 결과를 고쳐야 하나?

창의 융합

01 (가)를 작성하면서 나눈 다음 대화를 바탕으로 ㉠을 조사하는 적절한 방법을 두 가지 쓰시오.

당류를 지나치게 섭취하면 생기는 문제와 당류 섭취를 줄이는 방법은 어떻게 알아보는 것이 좋을까?

청소년 건강과 관련된 문제이니 보건 선생님께 여쭤보는 것이 어때?

좋아. 그리고 관련된 전문 서적을 찾아보거나 인터넷 등에서 관련 내용을 검색해 보자.

📷 [   ] 전송

창의

02 (나)와 (다)의 학생들에게 필요한 조언을 〈조건〉에 맞게 쓰시오.

조사나 실험 결과를 과장, 변형, 왜곡하는 것은 _____ 에 어긋나.

맞아. _____ 를 지키지 않으면 글의 신뢰성이 떨어질 수 있고, 잘못된 내용을 담은 글로 독자에게 피해를 줄 수 있어.

┌ 조건 ┐
빈칸에 공통적으로 들어갈 말을 2어절로 쓸 것

03 〈보기〉에서 다른 성분을 꾸며 주는 문장 성분을 모두 쓰시오.

┌ 보기 ┐
까만 모자가 정말 멋있다.

04 다음 문장이 의미가 명확하게 전달되도록 〈조건〉에 맞게 고쳐 쓰시오.

윤경이는 혜성이와 영주를 불렀다.

┌ 조건 ┐
(가), (나)에 제시된 그림의 의미를 고려하여 고쳐 쓸 것

(가)
→

(나)
→

05 (가)~(다)를 〈보기〉의 기준에 따라 분류할 때, [A]~[C]에 들어갈 문장의 기호를 쓰시오.

(가) 비가 오고 바람이 불었다.

(나) 내년에 내 동생은 중학생이 된다.

(다) 민호는 그녀가 만든 꽃다발을 들었다.

┌ 보기 ┐

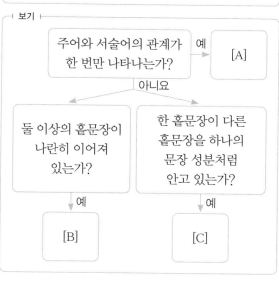

주어와 서술어의 관계가 한 번만 나타나는가? → 예 → [A]

아니요

둘 이상의 홑문장이 나란히 이어져 있는가? → 예 → [B]

한 홑문장이 다른 홑문장을 하나의 문장 성분처럼 안고 있는가? → 예 → [C]

• [A]:　　　• [B]:　　　• [C]:

06~07 다음 글을 읽고 물음에 답하시오.

현대 문명이 빚어낸 많은 상처가 우리에게 다가오고 있다. 건강하게 살고 싶은 우리는 어떤 선택을 해야 할까?

지구상에서 살아가는 모든 생명체는 자연의 시계대로 살 때, 즉 과도한 인공 빛에서 벗어날 때 건강하게 살 수 있다. 인간은 다른 동물이나 식물과 마찬가지로 지구상에 살아가는 생명체이다. 따라서 우리 인간 역시 인공 빛을 줄여야 건강한 삶을 누릴 수 있을 것이다.

세상이 바뀌기를 기다리기 전에 나부터 바꿔야 하지 않을까? 자연의 시계대로 살아가려면 지금이라도 당장 불필요한 불을 끄자.

창의

06 이 글에 사용된 논증 방법을 다음과 같이 평가할 때, 빈칸에 들어갈 알맞은 말을 〈조건〉에 맞게 쓰시오.

┌ 조건 ┐
귀납, 연역, 유추 중에서 하나를 골라 쓸 것

자연의 시계대로 살 때 건강하게 살 수 있다는 보편적인 생각에서 구체적인 결론을 이끌어 낸 (　　　)적 사고가 논리적이라고 생각했어.

코딩

07 이 글에 사용된 논증 방법을 적용하여 〈보기〉의 빈칸에 들어갈 적절한 문장을 쓰시오.

┌ 보기 ┐

| 대전제 | 물고기는 아가미로 숨을 쉰다. |
| 소전제 | 금붕어는 물고기이다. |

↓

| 결론 | 그러므로 _____ |

08~09 다음을 읽고 물음에 답하시오.

가

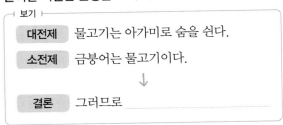

우리나라에 필요한 혈액은 하루 12,377팩, 일 년 6,600,000팩.

50명의 헌혈이 10명의 심장 수술 환자, 6명의 내출혈 환자, 1명의 교통사고 환자를 살립니다.

나 여러분, 안녕하십니까? 학생회장 후보 기호 1번 정아람입니다. 오늘 저는 행복이 넘치는 학교를 만들고 싶어 여러분 앞에 섰습니다.

저는 중학생이 되어 학교생활을 하면서, 진정한 지도력은 배려하는 마음에서 시작한다는 것을 알게 되었습니다. 특히 등굣길을 안전하게 지켜 주는 학교 앞 교통안전 도우미 활동을 꾸준히 하면서 배려하고 봉사하는 즐거움을 배웠습니다. 다른 사람을 배려하고, 다른 사람을 도우려고 봉사하는 마음이야말로 학생회장이 갖추어야 할 중요한 마음가짐이라고 생각합니다.

창의

08 ⓐ, ⓑ 중, (가)를 본 뒤의 반응으로 적절한 것을 고르고, (가)에 사용된 설득 전략을 쓰시오.

> ⓐ 헌혈을 생활 속에서 실천하고 있는 사람의 말을 들으니까 더 설득력 있게 느껴졌어.
> ⓑ 헌혈을 하면 많은 생명을 구할 수 있다는 것을 정확한 수치로 확인하니까 헌혈의 중요성이 더 크게 와닿았어.

창의

09 (나)와 〈보기〉에 공통적으로 사용된 설득 전략을 〈조건〉에 맞게 쓰시오.

┤ 보기 ├

10년 전, 평창 동계 올림픽 유치라는 꿈이 처음 시작되었을 때, 저는 서울의 한 빙상 경기장에서 올림픽을 꿈꾸던 어린 여자아이였습니다. 당시 저는 다행히 코치님들과 좋은 연습 시설에서 훈련할 수 있었지만, 아시다시피 대한민국의 다른 동계 스포츠 종목 선수들은 올림픽의 꿈을 이루려고 세계 여러 곳으로 훈련을 받으러 가는 경우가 많았습니다.

┤ 조건 ├

이성적, 감성적, 인성적 중에서 하나를 골라 쓸 것

> 말하는 이의 사람 됨됨이를 바탕으로 하여 내용에 신뢰를 갖게 하는 (   ) 설득이 사용되었어.

코딩

10 〈보기〉에 사용된 논증 방법을 다음과 같이 정리할 때, ⓐ, ⓑ에 들어갈 알맞은 말을 쓰시오.

┤ 보기 ├

이번에 수리를 하고 보니 비가 오래 샌 곳은 서까래와 추녀며 기둥과 들보가 모두 썩어서 못 쓰게 되었으므로 경비가 많이 들었고, 한 번밖에 비가 새지 않은 곳은 재목이 모두 온전하여 다시 쓸 수 있었기 때문에 비용을 줄일 수 있었다.

그래서 나는 이런 생각이 들었다.

이런 일은 사람의 경우에도 마찬가지가 아닐까. 잘못을 알고서도 즉시 고치지 않는다면, 오래 비를 맞은 목재가 썩어 못 쓰게 되듯이 자기 몸을 망치게 될 것이다. 반면에 잘못한 일을 거리낌 없이 고친다면, 비 맞은 목재를 다시 쓸 수 있었던 것처럼 그 잘못한 일은 다시 착한 사람이 되는 데 아무 방해도 되지 않을 것이다.

또한 여기에만 그칠 일이 아니다. 나라의 정치도 이와 같다. 모든 일에서 백성에게 큰 피해가 되는 것들을 이리저리 둘러맞추기만 하고 개혁하지 않다가, 백성이 못살게 되고 나라가 위태해지고 나서야 갑자기 바꾸려 한다면 나라를 부지하기 어려운 법이다. 그러니 신중하게 생각하지 않을 수 있겠는가.

행랑채 수리	=	사람의 잘못	=	나라의 (ⓐ)

집을 수리하는 경험에서 얻은 깨달음을 사람의 잘못을 고치는 일과 나라를 다스리는 일에 적용하여 해석하는 (ⓑ)를 사용하여 내용을 전개했다.

01~02 다음을 읽고 물음에 답하시오.

우리 학교 학생들이 음료수로 당류를 얼마나 섭취하는지 조사해 보자.

구체적인 조사 내용과 방법을 정하고, 역할을 분담해 보자.

조사 계획서

20○○. 10. 2.

1. ([A]   ): 우리 학교 학생들의 건강을 위해 음료수로 당류를 지나치게 섭취하는 문제를 조사함.

2. 조사 계획
(1) 조사 기간: 10월 5일부터 10일까지
(2) 조사 대상: 책과 인터넷 등 각종 자료, 다양한 음료수, 우리 학교 학생 및 관련 분야 전문가
(3) 조사 내용
  ① 우리 학교 학생들이 음료수를 마시는 실태
  ② 학생들이 즐겨 마시는 음료수에 들어 있는 당류의 양
  ③ 하루 동안 가공식품으로 섭취하는 당류의 적정량
  ④ 당류를 지나치게 섭취하면 생기는 문제와 당류 섭취를 줄이는 방법

서술형

01 보고서의 구성 요소를 고려하여, [A]에 들어갈 알맞은 내용을 쓰시오.

02 조사를 계획하면서 모둠원들이 나눈 대화 내용으로 적절하지 않은 것은?

① 우리 학교 학생들의 건강을 위해 음료수로 당류를 지나치게 섭취하는 문제를 조사해 보자.

② 우리 학교 학생들이 음료수를 마시는 실태는 설문 조사를 실시하는 것이 좋겠지?

③ 설문 조사를 하면 시간이 많이 걸리니까 그냥 자료 조사를 하는 것이 어때?

④ 모둠원들의 역할 분담을 구체적으로 정하고 힘든 일은 서로 도와 가며 하자.

⑤ 조사 절차와 방법을 잘 기록해 놓았다가 나중에 보고서를 쓸 때 참고하는 것이 좋겠어.

 전송

03~04 다음 글을 읽고 물음에 답하시오.

1. 조사 목적 및 주제

  우리 학교 학생들의 건강을 위해 음료수로 당류를 지나치게 섭취하는 문제를 조사함.

2. 조사 기간, 대상 및 방법

(1) 조사 기간: 10월 5일부터 10일까지
(2) 조사 대상: 책과 인터넷 등 각종 자료, 다양한 음료수, 우리 학교 학생 및 보건 선생님

(3) 조사 방법

① 설문 조사: 설문지를 활용하여 우리 학교 학생 100명을 대상으로 음료수를 마시는 실태를 조사함.

② 현장 조사: 학교 앞 상점을 방문하여 학생들이 즐겨 마시는 음료수의 대표적인 제품을 종류별로 하나씩 골라 해당 제품의 영양 성분표를 확인함.

③ 자료 조사: 식품의약품안전처 누리집에서 하루 동안 가공식품으로 섭취하는 당류의 적정량을 확인함.

④ 면담 조사: 보건 선생님과 면담하여 당류를 지나치게 섭취하면 생기는 문제와 당류 섭취를 줄이는 방법을 알아봄.

3. 조사 결과

(1) 우리 학교 학생들이 음료수를 마시는 실태

설문 조사 결과 우리 학교 학생들이 일주일에 음료수를 마시는 횟수는 3~4회가 42퍼센트로 가장 많고, 5~6회가 28퍼센트, 1~2회가 20퍼센트, 7회 이상이 10퍼센트로, 조사 대상의 80퍼센트 이상이 일주일에 3회 이상 음료수를 마시는 것으로 나타남. [중략]

4. 결론

우리 학교 학생들은 음료수를 많이 마시고 있으며 학생들이 즐겨 마시는 음료수에는 당류가 하루 동안 가공식품으로 섭취하는 적정량의 반 이상 들어 있다. 그럼에도 학생 대부분이 영양 성분표를 확인하지 않을 정도로 음료수로 당류를 지나치게 섭취한다는 점을 모르고 있다. 당류를 지나치게 섭취하면 건강에 나쁜 영향을 줄 수 있으므로 당류 섭취를 줄이려는 다양한 노력을 해야 한다.

이번 조사가 학생들이 음료수로 당류를 지나치게 섭취하는 문제를 인식하여 건강하게 생활하는 데 도움이 되기를 기대한다.

03 이와 같은 글을 평가하는 기준으로 적절하지 **않은** 것은?

① 매체 자료를 효과적으로 활용했는가?

② 조사의 절차와 결과가 잘 드러나는가?

③ 조사 결과를 변형하거나 왜곡하지 않았는가?

④ 조사에 참여한 사람들이 역할을 공평하게 분담했는가?

⑤ 다른 사람이 작성한 자료나 글을 올바르게 인용했는가?

04 다음 질문에 대한 대답으로 적절한 것은?

질문이 있어요!

보고서를 작성하면서 쓰기 윤리를 지켜야 하는 이유는 무엇일까요?

↳ 준호 쓰기 윤리를 지켜야 보고서를 빨리 쓸 수 있으니까요. .... ①

↳ 윤주 쓰기 윤리를 지켜야 감동을 주는 보고서를 쓸 수 있으니까요. .... ②

↳ 희원 쓰기 윤리를 지키지 않으면 보고서의 신뢰성이 떨어지니까요. .... ③

↳ 예빈 쓰기 윤리를 지키지 않으면 매체 자료를 활용할 수 없으니까요. .... ④

↳ 진솔 쓰기 윤리를 지키지 않으면 내용을 명확하고 간결하게 제시할 수 없으니까요. .... ⑤

서술형

05 다음 문장을 이루고 있는 문장 성분을 차례대로 쓰시오.

> 와, 무지개가 떴다.

06 다음 안내문에 달린 댓글 중에서 적절하지 <u>않은</u> 것은?

알립니다!

　우리 '낱말 사랑 누리집'에서는 10월 21일 0시부터 7시까지 보안 개선 작업을 실시할 예정이며, 작업 시간에는 누리집 이용이 중단되오니 ㉠사용자들에게 작업 시간을 확인하여 이용 중단에 대비하시기를 바라며, 이번 작업은 안전한 누리집 이용을 위해 진행하는 것이므로 협조를 부탁드립니다.

댓글

↳ 이현 문장의 짜임이 복잡해서 호응이 어색한 부분이 있어. ····································· ①
↳ 인혜 ㉠은 '사용자들께서는'으로 고쳐 써야 자연스러운 문장이 돼. ····················· ②
↳ 나정 문장이 너무 길어서 의미를 파악하기가 어려워. ····································· ③
↳ 정기 맞아. 하나로 이어진 문장을 여러 문장으로 나누어 쓰면 의미가 더 잘 전달될 것 같아. ····· ④
↳ 민정 둘 이상의 의미로 해석되는 중의적 표현이 있어서 의미가 명확히 전달되지 않고 있어. ····· ⑤

07 (가)~(다)에 대한 설명으로 적절하지 <u>않은</u> 것은?

(가) 화단에 국화가 활짝 피었다.

(나) 비가 와서 우리는 소풍을 연기했다.

(다) 동생은 김밥을 먹었지만, 언니는 김밥을 먹지 않았다.

① (가)는 홑문장이다.
② (나)와 (다)는 겹문장이다.
③ (나)는 앞뒤 문장이 원인과 결과의 의미 관계로 이어졌다.
④ (다)는 앞뒤 문장이 나열의 의미 관계로 이어졌다.
⑤ (나)는 종속적으로 이어진 문장이고, (다)는 대등하게 이어진 문장이다.

08 〈보기〉의 문장에 대한 설명으로 적절하지 <u>않은</u> 것은?

> ─┤ 보기 ├─
>
> 누군가 소리도 없이 그녀에게 다가왔다.

① '소리도 없이'는 안긴문장이다.

② '소리도 없이'가 문장 안에서 서술어의 역할을 한다.

③ 주어와 서술어의 관계가 두 번 이상 나타나는 겹문장이다.

④ 한 홑문장이 다른 홑문장을 하나의 문장 성분처럼 안고 있는 문장이다.

⑤ '누군가 그녀에게 다가왔다.'라는 홑문장과 '소리도 없다.'라는 홑문장이 결합된 문장이다.

09 다음 현지의 질문에 대한 성재의 대답으로 적절한 것은?

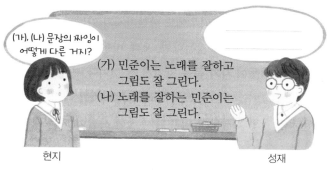

(가), (나) 문장의 짜임이 어떻게 다른 거지?

(가) 민준이는 노래를 잘하고 그림도 잘 그린다.
(나) 노래를 잘하는 민준이는 그림도 잘 그린다.

현지   성재

① (가)는 홑문장이고, (나)는 겹문장이야.

② (가)는 이어진문장이고, (나)는 안은문장이야.

③ (가)는 안은문장이고, (나)는 이어진문장이야.

④ (가)는 대등하게 이어진 문장이고, (나)는 종속적으로 이어진 문장이야.

⑤ (가)는 종속적으로 이어진 문장이고, (나)는 대등하게 이어진 문장이야.

10 (가)~(나)에 대한 설명으로 적절하지 <u>않은</u> 것은?

> (가) 복도로 나선다. 복도에도 인기척은 없다. 선장실로 올라간다. 선장은 없다. 벽장문을 연다. 총이 제자리에 세워져 있다. 벽장문을 닫는다.
>
> (나) 복도로 나서는데 복도에도 인기척은 없고, 선장실로 올라가도 선장은 없다. 벽장문을 여니 총이 제자리에 세워져 있어서 벽장문을 닫는다.

① (가)는 홑문장으로만 이루어져 있다.

② (나)는 겹문장으로만 이루어져 있다.

③ (가)에서는 속도감과 긴장감을 느낄 수 있다.

④ (나)에서는 글의 흐름이나 사건의 연결 관계를 파악하기 쉽다.

⑤ (가)와 (나)처럼 서로 다른 짜임의 문장을 활용해도 표현 효과에 차이는 없다.

서술형

11 다음 대화의 빈칸에 들어갈 알맞은 말을 쓰시오.

'그 일을 결코 오늘까지 하겠다.'라는 문장이 어색한데 왜 그럴까?

부사어 '결코'와 서술어 '하겠다'의 호응이 이루어지지 않기 때문이야.

그럼 '그 일은 (   ) 오늘까지 해야 한다.'라고 고쳐 쓰면 되겠구나!

전송

17~19 다음 글을 읽고 물음에 답하시오.

가 여러분, 안녕하십니까? 학생회장 후보 기호 1번 정아람입니다. 오늘 저는 행복이 넘치는 학교를 만들고 싶어 여러분 앞에 섰습니다.

저는 중학생이 되어 학교생활을 하면서, 진정한 지도력은 배려하는 마음에서 시작한다는 것을 알게 되었습니다. 특히 등굣길을 안전하게 지켜 주는 학교 앞 교통안전 도우미 활동을 꾸준히 하면서 배려하고 봉사하는 즐거움을 배웠습니다. 다른 사람을 배려하고, 다른 사람을 도우려고 봉사하는 마음이야말로 학생회장이 갖추어야 할 중요한 마음가짐이라고 생각합니다.

여러분! 행복이 넘치는 학교는 어떤 곳일까요? 지금부터 행복이 넘치는 학교를 만들 저의 세 가지 약속을 말씀드리겠습니다.

나 첫째, 소통이 활발한 학교를 만들겠습니다. 평소 학교에 바라는 것이 많지만 어떻게 건의해야 할지 몰라서 고민하는 친구들의 모습을 자주 보았습니다. 저는 설문 조사에서 67퍼센트나 되는 학생들이 자신의 의견을 학교에 전달하고 싶어 한다는 것을 알게 되었습니다. 이러한 의견을 반영하여 한 달에 한 번이던 학급 회의를 두 번으로 늘리고, 신청한 사람이면 누구나 아침 방송 '1분 건의 시간'에 학교에 제안할 점을 말할 수 있도록 하겠습니다. 또한 학급 회의에서 낸 의견이 실제로 학교 운영에 반영되는지 궁금해하는 73퍼센트의 의견을 고려해, 대의원회 회의 결과를 학교 게시판에 공개하겠습니다.

다 둘째, 활력이 가득한 학교를 만들겠습니다. 학생들의 관심이 가장 큰 가을 축제를 우리 스스로 만들어 나갈 수 있도록 하겠습니다. 축제를 기획하는 단계에서부터 학생을 중심으로 운영 모임을 만들고 여러분의 의견을 적극적으로 수용하겠습니다. 다양한 생각을 모아 모두가 즐겁게 참여할 수 있는 체험 활동, 꿈과 끼를 펼칠 수 있는 공연을 우리 손으로 직접 준비한다면 활력이 넘치고 모두가 성장하는 축제를 만들 수 있을 것입니다.

라 셋째, 불편함이 없는 학교를 만들겠습니다. 하굣길에 갑자기 비가 오면 우산이 없어서 곤란을 겪는 친구가 많습니다. 그래서 학생회에서 여러분께 우산을 빌려드리고자 합니다. 집에 남아 있는 우산을 기증받고 학생회 예산으로 우산을 구입하여, 우산이 필요한 학생들이 언제든지 우산을 빌릴 수 있도록 하겠습니다. 이제 비 오는 날이 더 이상 짜증 나고 당황스러운 날이 되지 않도록 도와드리겠습니다.

"비 오는 날에는 우산이 되어 주고, 어둠
이 오면 빛이 되어 줄게.
추운 겨울이면 난로가 되어 주고, 더운
날에는 바람이 될게."
– 마크툽 작사·작곡, 〈매리 미(Marry me)〉

마 이 노랫말처럼 저는 여러분에게 우산 같은 학생회장, 난로 같은 학생회장이 되고 싶습니다. 여러분을 위해서라면 언제든 빛이 되고 바람이 되겠습니다.

행복이 넘치는 학교를 만들 기호 1번 정아람! 여러분의 선택이 후회로 남지 않도록 최선을 다하겠습니다. 감사합니다.

17 〈보기〉의 ㉠~㉤ 중, 아람이가 내세운 공약으로 알맞은 것을 모두 고르시오.

> ┤ 보기 ├
> ㉠ 소통이 활발한 학교를 만들겠다.
> ㉡ 활력이 가득한 학교를 만들겠다.
> ㉢ 교통안전 도우미 활동을 하겠다.
> ㉣ 불편함이 없는 학교를 만들겠다.
> ㉤ 학생들의 의견을 묻는 설문 조사를 실시하겠다.

18 (나)에서 아람이가 사용한 설득 전략에 대한 설명으로 적절한 것은?

① 귀납의 논증 방법을 사용하여 논리적으로 설득했다.

② 연역의 논증 방법을 사용하여 논리적으로 설득했다.

③ 이성적인 방법으로 말하는 이의 주장을 뒷받침했다.

④ 듣는 이의 감정에 호소하여 듣는 이의 마음을 움직였다.

⑤ 말하는 이의 사람 됨됨이를 바탕으로 하여 내용에 신뢰를 갖게 했다.

19 (가)~(마) 중, 다음 설명과 관련 있는 문단을 쓰시오.

> 아람이의 노래를 들으니 비가 올 때 우산이 나에게 도움을 주는 것처럼 아람이도 학생회장으로서 우리를 잘 도와줄 것 같은 믿음이 생겼어.

20 다음 광고에 대한 설명으로 적절하지 <u>않은</u> 것은?

① 개인 정보 보호의 중요성을 강조하는 공익 광고이다.

② 개인 정보의 소중함을 인식하지 못하는 문제를 다루고 있다.

③ 등장인물의 사람 됨됨이를 드러내어 보는 이에게 신뢰를 주고 있다.

④ 많은 사람이 알고 있는 친근한 이야기를 활용하여 감성적으로 설득하고 있다.

⑤ 개인 정보를 보호할 수 있는 구체적인 방법을 제시하여 이성적으로 설득하고 있다.

memo

핵심 정리 01 보고하는 글을 쓸 때 유의할 점

● 보고하는 글의 구성 요소

> 관찰·조사·실험의 목적, 주제, 기간, 대상, 방법, 결과 등

● 보고하는 글을 쓸 때 유의할 점

- 관찰·조사·실험한 절차와 ❶ ㄱㄱ 가 잘 드러나게 함.
- ❷ ㄱㄱ 하고 명확한 표현을 사용해야 함.
- 쓰기 윤리를 준수해야 함.
- 그림, 사진, 도표 등의 매체 자료를 적절히 활용해야 함.

답 ❶ 결과 ❷ 간결

핵심 정리 02 보고하는 글을 쓰는 과정

● 보고하는 글을 쓰는 과정

계획하기	• 보고서의 ❶ ㅁㅈ 및 주제 정하기 • 기간과 대상 및 방법 정하기
관찰, 조사, 실험하기	• 탐구 계획에 따라 관찰, 조사, 실험하기 • 탐구 과정에서 얻어지는 결과와 자료의 ❷ ㅊㅊ 를 구체적으로 기록하기
내용 분석하기	• 관찰, 조사, 실험한 내용 정리하고 분석하기 • 내용 전달에 효과적인 매체 자료 활용하기
보고서 쓰기	• 보고서의 구성 요소를 모두 포함하여 작성하기 • 조사 절차와 결과가 잘 드러나도록 작성하기
평가하기	• 내용과 표현, 쓰기 윤리를 고려하여 평가하고 수정하기

우리 학교 학생들이 음료수로 당류를 얼마나 섭취하는지 조사해 보자.

구체적인 조사 내용과 방법을 정하고, 역할을 분담해 보자.

답 ❶ 목적 ❷ 출처

핵심 정리 03 글을 쓸 때 지켜야 할 쓰기 윤리

● 글을 쓸 때 지켜야 할 쓰기 윤리

- 다른 사람이 생산한 생각이나 자료, 글은 사용 허락을 받고 출처를 분명히 밝혀 사용해야 함.
- 조사나 연구의 결과를 과장, 축소, 변형, ❶ ㅇㄱ 하지 않고 제시해야 함.

● 쓰기 윤리를 지키지 않을 때 발생하는 문제점

- 글의 신뢰성이 떨어짐.
- 다른 사람의 저작권을 침해함.
- 잘못된 ❷ ㅈㅂ 를 전달하여 독자와 사회에 부정적인 영향을 미칠 수 있음.

자료를 바르게 인용했는지, 조사 결과를 사실대로 제시했는지 확인해 볼까?

글의 끝부분에 참고 자료의 출처를 좀 더 구체적으로 밝혀서 다시 정리하면 좋을 것 같아.

답 ❶ 왜곡 ❷ 정보

핵심 정리 04 실험 보고서를 쓸 때 유의할 점

● 실험 보고서를 쓸 때 유의할 점

- 실험을 하기 전에 예상되는 결과에 대한 가설을 세운다.
- 실험의 결과가 가설과 일치하지 않더라도 실험 조건과 과정이 잘 드러나도록 사실 그대로 쓴다.
- 실험의 조건과 과정을 정확하게 빠짐없이 ❶ ㄱㄹ 하여 밝힌다.
- 실험 결과에 따른 사실을 설명하는 데서 나아가 목적을 고려하여 실험 결과에 대한 의견을 제시한다.
- 사실과 의견을 분명히 ❷ ㄱㅂ 하여 쓴다.

실험 내용을 함부로 고쳐서는 안 돼. 결과를 사실대로 쓰지 않고 마음대로 고쳐 쓰는 것은 쓰기 윤리를 어기는 행동이야.

답 ❶ 기록 ❷ 구별

02 이것만은 꼭! 수현이네 모둠이 활용한 조사 방법

설문 조사	설문지를 활용하여 학생들이 음료수를 마시는 실태를 조사함.
현장 조사	학교 앞 상점을 방문하여 학생들이 즐겨 마시는 음료수에 들어 있는 ❶ ⬚⬚(ㄷㄹ) 의 양을 조사함.
자료 조사	식품의약품안전처 누리집에서 하루 동안 가공식품으로 섭취하는 당류의 적정량을 확인함.
면담 조사	보건 선생님과 ❷ ⬚⬚(ㅁㄷ) 하여 당류를 지나치게 섭취하면 생기는 문제와 당류 섭취를 줄이는 방법을 알아봄.

답 ❶ 당류 ❷ 면담

01 이것만은 꼭! 수현이네 모둠의 보고서 쓰기

계획하기	• 목적: 우리 학교 학생들의 건강을 위해 • 주제: 음료수로 당류를 지나치게 섭취하는 문제
조사하기	• 설문 조사, 현장 조사, 자료 조사, 면담 조사를 실시함.
내용 분석하기	• 조사의 ❶ ⬚⬚(ㅈㅊ) 와 결과를 구체적으로 밝혀 적고자 함. • 매체 자료를 적절하게 활용하여 조사 결과를 제시함.
보고서 쓰기 및 평가하기	• ❷ ⬚⬚⬚(ㅂㄱㅅ) 의 구성 요소를 갖추어 조사 절차와 결과가 잘 드러나도록 작성함. • 조사 결과를 변형하거나 왜곡하지 않았음. • 글의 끝부분에 참고 자료의 출처를 구체적으로 밝히기로 함.

답 ❶ 절차 ❷ 보고서

04 이것만은 꼭! 실험 내용을 함부로 고치면 안 되는 이유

책에서는 물에 숯을 넣으면 넣기 전보다 가습 효과가 두 배 정도 좋아진다고 했는데, 우리 실험 결과는 큰 차이가 없네. 결과를 고쳐야 하나?

→

• 결과를 ❶ ⬚⬚(ㅅㅅ) 대로 쓰지 않고 마음대로 고쳐 쓰는 것은 쓰기 윤리를 어기는 행동임.
• 보고서를 보는 사람들에게 ❷ ⬚⬚(ㅈㅁ) 된 정보를 전달하게 됨.

물을 담은 그릇 숯 젖은 수건
습도계 아크릴 상자

답 ❶ 사실 ❷ 잘못

03 이것만은 꼭! 수현이네 모둠의 조사 결과 분석 과정의 문제점

문제점		쓰기 윤리
조사 내용만 정리해서 어디에서 어떻게 조사했는지 알 수 없음.	→	조사의 절차와 결과를 ❶ ⬚⬚(ㄱㅊ) 적으로 밝혀야 함.
• 조사 결과(학생들이 일주일에 음료수를 마시는 횟수)를 ❷ ⬚⬚(ㄱㅈ) 하려 함. • 의도에 맞는 결과(당류가 많이 들어 있는 음료수)만 골라서 제시하려 함.	→	조사 결과를 변형·왜곡하지 않고 제시해야 함.

문제를 강조하려면 학생들이 일주일에 음료수를 마시는 횟수를 과장해서 제시해야 할 것 같아.

당류가 많이 들어 있는 음료수만 골라서 제시해도 되지 않을까?

그렇게 하면 우리가 조사한 내용과 달라져서 안 돼.

답 ❶ 구체 ❷ 과장

● 문장 성분

주성분	문장을 이루는 데 꼭 필요한 성분 예 주어, ❶ ㅅㅅㅇ, 목적어, 보어
부속 성분	다른 성분을 꾸며 주는 성분 예 관형어, 부사어
독립 성분	어느 문장 성분과도 직접적인 관련이 없는 성분 예 ❷ ㄷㄹㅇ

문장을 이루는 각 요소를 문장 성분이라고 해.

문장의 성분을 생략하면 문장이 온전하지 않아서 의미가 분명하지 않아.

답 ❶ 서술어 ❷ 독립어

● 문장의 짜임과 표현 효과

홑문장	• 주어와 서술어의 관계가 한 번만 나타나는 문장 • 겹문장보다 의미를 ❶ ㄱㄱ 하고 명확하게 전달할 수 있고, 짧은 호흡으로 속도감을 줌. • 반복되면 글이 단순한 느낌을 줄 수 있음.
겹문장	• 주어와 서술어의 관계가 두 번 이상 나타나는 문장(이어진문장과 안은문장) • ❷ ㅂㅈ 한 의미를 잘 전달할 수 있으며, 사건들의 연결 관계가 잘 드러남. • 지나치게 활용하면 글이 복잡해질 수 있고 어색한 문장이 만들어질 수 있음.

↓

표현 의도에 따라 다양한 짜임의 문장을
효과적으로 활용해야 함.

답 ❶ 간결 ❷ 복잡

● 이어진문장

대등하게 이어진 문장	• 이어지는 홑문장의 의미 관계가 ❶ ㄷㄷ 한 문장 예 성희는 사과를 좋아하고, 영서는 배를 좋아한다. • 앞뒤 문장의 순서를 바꾸어도 의미가 크게 달라지지 않음.
종속적으로 이어진 문장	• 이어지는 홑문장의 의미 관계가 ❷ ㅈㅅ 적인 문장 예 날씨가 따뜻해서 얼음이 다 녹았다. • 앞뒤 문장의 순서를 바꾸면 의미가 달라짐.

이어진문장을 구성하는 두 홑문장의 의미 관계가 동등한지, 한 홑문장이 다른 홑문장의 영향을 받는지 구별하면서 이어진문장의 종류를 이해해 봐.

답 ❶ 대등 ❷ 종속

● 안은문장

• 한 홑문장이 다른 홑문장을 하나의 ❶ ㅁㅈㅅㅂ 처럼 안고 있는 문장
• 안은문장 속에 들어가 하나의 문장 성분처럼 쓰이는 홑문장을 ❷ ㅇㄱㅁㅈ 이라고 함.
 예 우리는 민서가 돌아오기를 바란다.
    안긴문장
• 안은문장에서 안긴문장은 주어, 목적어, 관형어, 부사어, 서술어 등의 역할을 함.

가, 나 문장의 짜임이 어떻게 다른 거지?

가 민준이는 노래를 잘하고 그림도 잘 그린다.

나 노래를 잘하는 민준이는 그림도 잘 그린다.

가는 대등하게 이어진 문장이고 나는 관형어 역할을 하는 안긴문장을 포함하고 있는 안은문장이야.

답 ❶ 문장 성분 ❷ 안긴문장

06 이것만은 꼭! ❶ 홑문장 교과서 예시

- 화단에 국화가 활짝 피었다.
  주어   서술어
- 내년에 내 동생은 중학생이 된다.
  주어   서술어
- 아이들이 운동장에서 종이비행기를 날리는구나.
  ❶ ㅈㅇ   서술어

06 이것만은 꼭! ❷ 겹문장 교과서 예시

- 화단에 국화가 활짝 피어서, 벌이 많이 날아왔다.
  주어   서술어   주어   서술어
- 내년에 나는 고등학생이 되고, 내
  주어   ❷ ㅅㅅㅇ
  동생은 중학생이 된다.
  주어   서술어
- 바람이 많이 불지만, 날씨는 아직 따뜻하다.
  주어   서술어   주어   서술어

답 ❶ 주어 ❷ 서술어

---

05 이것만은 꼭! 문장 성분 교과서 예시

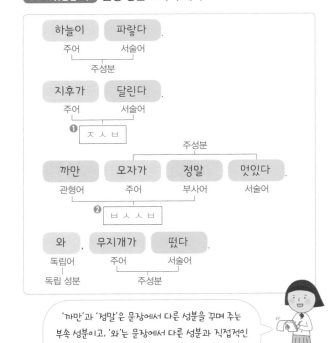

| 하늘이 | 파랗다 |
| 주어 | 서술어 |

주성분

| 지후가 | 달린다 |
| 주어 | 서술어 |

❶ ㅈㅅㅂ

주성분

| 까만 | 모자가 | 정말 | 멋있다. |
| 관형어 | 주어 | 부사어 | 서술어 |

❷ ㅂㅅㅅㅂ

와	, 무지개가	떴다.
독립어	주어	서술어
독립 성분	주성분	

'까만'과 '정말'은 문장에서 다른 성분을 꾸며 주는 부속 성분이고, '와'는 문장에서 다른 성분과 직접적인 관계를 맺지 않고 독립적으로 쓰이는 독립 성분이야.

답 ❶ 주성분 ❷ 부속 성분

---

08 이것만은 꼭! 안은문장 교과서 예시

㉮ 마지막 회에서 무엇이 밝혀지겠지? + 주인공이 범인이다.

→ 마지막 회에서 주인공이 범인임이 밝혀지겠지?
            주어 역할을 하는 안긴문장

㉯ 나는 무엇을 기다렸다. + 드라마가 시작한다.

→ 나는 드라마가 시작하기를 기다렸다.
    ❶ ㅁㅈㅇ 역할을 하는 안긴문장

㉰ 민호는 어떤 꽃다발을 들었다. + 그녀가
꽃다발을 만들었다.

→ 민호는 그녀가 만든 꽃다발을 들었다.
         관형어 역할을 하는 안긴문장

㉱ 누군가 어떻게 그녀에게 다가왔다. + 소리도 없다.

→ 누군가 소리도 없이 그녀에게 다가왔다.
    ❷ ㅂㅅㅇ 역할을 하는 안긴문장

㉲ 민호는 어떠하다 + 키가 크다.

→ 민호는 키가 크다.
    서술어 역할을 하는 안긴문장

답 ❶ 목적어 ❷ 부사어

---

07 이것만은 꼭! ❶ 대등하게 이어진 문장 교과서 예시

나열 ㉮ 비가 왔다. + 바람이 불었다.

→ 비가 ❶ ㅇㄱ 바람이 불었다.

대조 ㉯ 동생은 김밥을 먹었다. + 언니는 김밥을 먹지 않았다.

→ 동생은 김밥을 먹었지만, 언니는 김밥을 먹지 않았다.

07 이것만은 꼭! ❷ 종속적으로 이어진 문장 교과서 예시

원인과 결과 ㉮ 비가 왔다. + 우리는 소풍을 연기했다.

→ 비가 와서 우리는 소풍을 연기했다.

조건 ㉯ 비가 그치다. + 지수는 외출할 것이다.

→ 비가 ❷ ㄱㅊㅁ 지수는 외출할 것이다.

답 ❶ 오고 ❷ 그치면

● 글의 개관

갈래	칼럼(논설문)

주제	• 건강을 위해 ❶ ㅈㅇ 의 시계대로 살아가자. • 건강한 삶을 위해 불필요한 불을 끄자.

특징	① 현대 사회에서 발생하는 문제점을 지적함. ② 구체적인 ❷ ㅅㄹ 들을 근거로 들어 주장을 뒷받침함. ③ 귀납과 연역의 논증 방법을 사용하여 논지를 전개함.

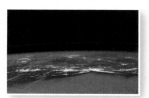 

답 ❶ 자연 ❷ 사례

● 글의 구성

처음	인공조명의 발달로 ❶ ㄷㄴ 처럼 환한 밤
중간 1	빛 공해가 사람에게 미치는 악영향
중간 2	빛 공해가 ❷ ㄷㅅㅁ 에 미치는 악영향
끝	빛 공해를 줄이려는 노력의 필요성

답 ❶ 대낮 ❷ 동식물

● 논증 방법의 종류

귀납	• 구체적이고 ❶ ㄱㅂ 적인 사실에서 일반 법칙을 이끌어 내는 논증 방법 • 개별적인 것이나 특수한 것을 일반적인 것으로 만드는 일반화, 둘 이상의 대상이나 현상이 여러 면에서 비슷하다는 점을 근거로 다른 속성도 유사할 것이라고 추론하는 유추가 여기에 속함.
연역	• ❷ ㅇㅂ 법칙에서 개별적이고 구체적인 사실을 이끌어 내는 논증 방법 • 참인 대전제를 사용하는 삼단 논법이 대표적임.

> 어떤 문제와 관련하여
> 근거를 들어 결론을 이끌어 내는
> 논리적 전개 과정을 논증이라고 해.

답 ❶ 개별 ❷ 일반

● 〈집을 수리하고 나서〉의 구성과 주제

경험	비가 새는 곳을 바로 수리하지 않으면 더 많은 수리비가 듦.

⬇

깨달음	• ❶ ㅅㄹ 도 자신의 잘못을 알고도 바로 고치지 않으면 자신이 해를 입음. • 나라의 ❷ ㅈㅊ 도 백성이 못살게 되고 나라가 위태해지고 나서야 갑자기 바꾸려 한다면 나라를 부지하기 어려움.

⬇

주제	잘못을 알고 바로 고쳐 나가는 자세가 중요함.

답 ❶ 사람 ❷ 정치

10 이것만은 꼭! 〈밤도 대낮처럼 환하게, 인공 빛의 두 얼굴〉에 사용된 논증 방법 ① - 귀납

| 구체적 사실 | 중간 1: 빛 ❶ ㄱㅎ 가 인간에게 미치는 영향
• 근거 1: 빛 공해는 인간의 건강을 위협한다. |
| | 중간 2: 빛 공해가 동식물에 미치는 영향
• 근거 2: 빛 공해는 동물의 생태와 행동에 악영향을 미친다.
• 근거 3: 빛 공해는 식물이 씨를 맺지 못하게 한다. |

⬇

| 일반 법칙 | 결론: 빛 공해는 인간과 동식물에 ❷ ㅇㅇㅎ 을 미친다. |

결론을 이끌어 내기 위해 근거로 든 구체적인 사례들을 글의 흐름에 따라 정리하면서 어떤 논증 방법이 사용되었는지 살펴봐.

답 ❶공해 ❷악영향

---

09 이것만은 꼭! 〈밤도 대낮처럼 환하게, 인공 빛의 두 얼굴〉에 나타난 문제 상황

• ❶ ㅇㄱㅈㅁ 의 발달로 밤과 낮의 구분이 없어짐.
• 도심의 밤이 항상 밝은 빛으로 가득함.
• 지나친 인공 빛이 인간과 동식물에 악영향을 미침.

⬇

과도한 인공 빛으로 발생한 ❷ ㅁㅈ 상황을 제시함.

답 ❶인공조명 ❷문제

---

12 이것만은 꼭! 〈집을 수리하고 나서〉에 사용된 논증 방법 - 유추

| 행랑채 수리 | 비가 새는 부분을 바로 수리하지 않으면 재목을 못 쓰게 되어 수리비가 많이 듦. |

⬇

| 사람의 잘못 | ❶ ㅈㅁ 을 알고서도 고치지 않으면 자기 몸을 망치게 됨. |

⬇

| 나라의 정치 | 백성에게 큰 피해가 되는 것들을 바로 개혁하지 않으면 ❷ ㄴㄹ 가 위태로워짐. |

⬇

경험에서 얻은 깨달음을 다른 대상이나 현상에 적용하여 해석하는 유추를 사용함.

답 ❶잘못 ❷나라

---

11 이것만은 꼭! 〈밤도 대낮처럼 환하게, 인공 빛의 두 얼굴〉에 사용된 논증 방법 ② - 연역

| 일반 법칙 | • 대전제: 지구상의 모든 생명체는 과도한 인공 빛에서 벗어나야 건강하게 살 수 있다.
• 소전제: 인간은 지구상에서 살아가는 ❶ ㅅㅁㅊ 이다. |

⬇

| 구체적 사실 | 결론: 인간은 인공 빛을 줄여야 ❷ ㄱㄱ 하게 살 수 있다. |

답 ❶생명체 ❷건강

● 설득 전략의 유형

이성적 설득	논리적이고 이성적인 방법으로 말하는 이의 주장을 뒷받침하는 설득 전략
감성적 설득	듣는 이의 욕망과 분노, 자긍심, 동정심 등과 같은 ❶ ㄱㅈ 에 호소하여 듣는 이의 마음을 움직이는 설득 전략
인성적 설득	말하는 이의 사람 됨됨이를 바탕으로 하여 내용에 ❷ ㅅㄹ 를 갖게 하는 설득 전략

설득하는 말을 들을 때에는
타당성을 판단하며 비판적으로
듣는 태도가 필요해.

답 ❶ 감정 ❷ 신뢰

● 헌혈 공익 광고의 의도

- 헌혈을 생활 속에서 실천하고 있는 사람을 말하는 이로 등장시킴.
- 우리나라에 필요한 혈액량과 헌혈로 살릴 수 있는 사람의 수를 구체적인 ❶ ㅅㅊ 로 제시함.
- 우리가 하는 헌혈이 누군가에게 희망을 줄 수 있다는 내용으로 감정에 호소함.

↓

의도	• 헌혈에 동참할 것을 ❷ ㅅㄷ 하려고 함. • 헌혈이 다른 사람에게 희망을 줄 수 있음을 알려 헌혈에 참여하도록 설득하려고 함.

답 ❶ 수치 ❷ 설득

● 아람이의 연설 내용

자기소개

↓

공약 제시
1. ❶ ㅅㅌ 이 활발한 학교 만들기
2. ❷ ㅎㄹ 이 가득한 학교 만들기
3. 불편함이 없는 학교 만들기

↓

마무리 및 인사

행복이 넘치는
학교를 만들 저의
세 가지 약속!

답 ❶ 소통 ❷ 활력

● 김연아 선수 연설의 주요 내용

연설자	김연아	
청중	국제올림픽위원회 위원들	
목적	평창 동계 올림픽 ❶ ㅇㅊ	
구성	처음	• 인사 • 연설에 임하는 심정
	중간	• 평창 동계 올림픽과 자신의 성장 • 동계 스포츠 발전에 기울인 대한민국의 노력 • 평창 동계 올림픽 유치가 지니는 ❷ ㄱㅊ
	끝	당부와 감사 인사

답 ❶ 유치 ❷ 가치

14 이것만은 꼭! 헌혈 공익 광고에 사용된 설득 전략

인성적 설득	헌혈을 일상 속에서 ❶ ㅅㅊ 하고 있는 사람의 말을 활용함.
이성적 설득	헌혈을 하면 많은 생명을 구할 수 있다는 것을 정확한 수치로 제시함.
감성적 설득	헌혈을 통해 누군가의 삶에 희망을 줄 수 있다는 ❷ ㄱㄷ 을 전함.

필요한 혈액량을 수치로 제시한 부분이 인상적이야. 하루에 혈액이 얼마나 많이 필요한지 알게 되어 헌혈의 중요성을 느낄 수 있었어.

답 ❶ 실천 ❷ 감동

---

13 이것만은 꼭! ❶ 설득 전략을 분석하며 듣는 태도의 필요성

내용을 ❶ ㅂㅍ 적으로 수용하며 평가함.

↓

의사소통에 능동적으로 참여할 수 있음.

13 이것만은 꼭! ❷ 내용의 타당성을 판단하는 기준

- 근거와 주장 간에 연관성이 있는가?
- 근거에서 주장을 이끌어 내는 과정에 ❷ ㅇㄹ 는 없는가?
- 근거에서 주장을 이끌어 내는 과정에 영향을 미치는 다른 정보는 없는가?

설득하는 말을 들을 때에는 무조건적으로 수용하지 않고 비판적으로 듣는 태도가 필요해.

답 ❶ 비판 ❷ 오류

---

16 이것만은 꼭! 김연아 선수의 연설에 사용된 설득 전략

인성적 설득	연설자가 성실하게 노력하여 훌륭한 성과를 거둔 ❶ ㅇㄷㅅㅅ 임.
이성적 설득	• 우리나라가 평창 동계 올림픽 유치를 위해 진행한 실제 ❷ ㄴㄹ 을 근거로 제시함. • 우리나라가 밴쿠버 동계 올림픽에서 우수한 성과를 거두었음을 구체적인 수치로 제시함.
감성적 설득	• 평창 동계 올림픽 유치의 가치를 강조함. • 청중에게 진심으로 감사의 인사를 전함.

세계적으로 유명한 동계 스포츠 선수를 연설자로 선정한 것은 매우 효과적인 인성적 설득이야.

답 ❶ 운동선수 ❷ 노력

---

15 이것만은 꼭! 아람이가 연설에서 사용한 설득 전략

인성적 설득	교통안전 도우미 활동을 꾸준히 했다는 사실을 제시하여 학생회장 후보로서의 ❶ ㄷㄷㅇ 를 갖추고 있음을 드러냄.
이성적 설득	학생들을 대상으로 한 설문 조사 결과를 바탕으로 ❷ ㄱㅇ 을 제시함.
감성적 설득	자신의 마음이 담긴 노래를 부르며 다짐을 강조함.

교통안전 도우미 활동

배려심, 봉사 정신

답 ❶ 됨됨이 ❷ 공약

다 품었다! 다 풀었다!

교과서 다ː품

[고등 국어(공통)]

탄탄한 기초 완성

고등 국어 내신의 성공적인 시작!
11종 교과서의 필수 개념만 모아
기초를 탄탄하게 다져 주는 입문서

예습·복습에 최적

영역별 필수 내용을 개념으로 묶어
빠르게 끝낼 수 있는 분량 덕에
효율적인 예습·복습이 가능한 교재

단계별 구성

개념 학습 및 기초 문제부터
실제 출제 문제 유형까지
단계별 학습으로 자신감 상승

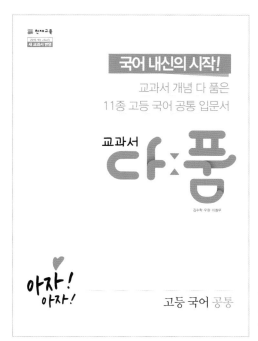

국어가 쉬워진다,
시험에 강해진다!
중3(예비고)~고1

book.chunjae.co.kr

교재 내용 문의 ··················	교재 홈페이지 ▶ 중등 ▶ 교재상담
교재 내용 외 문의 ·················	교재 홈페이지 ▶ 고객센터 ▶ 1:1문의
발간 후 발견되는 오류 ·············	교재 홈페이지 ▶ 중등 ▶ 학습지원 ▶ 학습자료실

7일 끝

중간고사 기말고사

노미숙 교과서

7일 끝으로 끝내자!

중학 국어 3-2

BOOK 3
정답과 해설

천재교육

노미숙 교과서

7일 끝으로 끝내자!

중학 국어 3-2

BOOK 3
정답과 해설

차례

중간고사 대비

정답과 해설

기초 확인 문제 | 9, 11쪽

01 해석 **02** ⑤ **03** 예림 **04** ⑤ **05** ① **06** ③
07 서연 **08** ② **09** 지훈 **10** ⑤

---

01 제시된 상황에서 함께 영화를 본 두 친구는 영화를 서로 다르게 평가하고 있다. 같은 영화에 대해 한 사람은 긍정적인 평가를 내리고 다른 사람은 부정적인 평가를 내리는 것은 각자의 경험이나 관심사 등에 따라 해석이나 평가가 다를 수 있기 때문이다.

02 문학 작품을 감상할 때에는 작가가 작품을 쓴 의도를 파악하는 것에서 더 나아가 타당한 근거를 들어 자신의 주체적인 관점에서 작품을 해석해야 작품의 의미를 좀 더 깊이 있게 이해할 수 있다.

03 문학 작품을 감상할 때 작품의 소재, 구조, 표현 등을 중심으로 해석하는 것은 내재적 관점에 해당하고, 작가의 삶, 사회·문화적 배경, 작품이 독자에게 주는 의미 등을 중심으로 해석하는 것은 외재적 관점에 해당한다. 표현 방법을 중심으로 감상하려는 예림이는 내재적 관점에서, 시인의 삶을 중심으로 감상하려는 정현이는 외재적 관점에서 〈청포도〉를 감상하려고 한다.

> 📺 **자료실** 내적 요소를 근거로 해석하기
> 내재적 관점 혹은 절대주의적 관점이라고 한다. 문학 작품을 외부 요소로부터 완전히 단절된 하나의 유기체로 보고 어조, 운율과 심상, 표현 기법, 시상 전개 등 시의 내적 요소를 중심으로 감상하는 방법을 말한다.

04 〈청포도〉의 말하는 이는 정성스러운 태도로 손님맞이를 준비하며 손님과 함께 청포도를 먹게 되기를 소망하고 있다.

05 〈청포도〉는 풍요롭고 평화로운 세계가 오기를 바라는 말하는 이의 소망을 상징적이고 감각적으로 표현한 시이다.

06 '은쟁반'과 '하이얀 모시 수건'은 흰색 이미지로 깨끗하고 순수한 느낌을 준다.

07 제시된 내용은 〈청포도〉를 쓴 시인이 독립운동가라는 점에 주목하여 〈청포도〉가 광복을 염원하는 마음을 담고 있다고 해석하고 있다.

08 '청포도', '하늘', '푸른 바다'와 손님이 입은 '청포'는 모두 푸른색의 이미지를 드러낸다. '전설'은 색채 이미지를 드러내는 시어가 아니다.

09 윤아는 독자에게 주는 깨달음을 중심으로, 지훈이는 반복하여 사용된 표현을 중심으로 〈비가 오면〉을 해석하고 있다.

10 〈비가 오면〉에서 '나무'는 비가 올 때마다 저마다 다른 반응을 보이며 상황에 적극적으로 맞서지만, '사람'은 나무와 달리 상황을 회피하는 모습을 보인다.

교과서 기출 베스트 | 12~13쪽

01 ③ **02** ⑤ **03** 조국 광복(조국 독립) **04** ④ **05** ⑤
06 ⑤

---

01 (가)의 말하는 이는 경건하고 정성스러운 마음으로 손님을 기다리고 있으며, 손님을 원망하는 태도는 드러나지 않는다.

02 '청포도, 하늘, 푸른 바다, 청포'는 푸른색의 색채감이 드러나는 시어로 평화롭고 풍요로운 삶에 대한 소망, 미래에 대한 꿈과 이상 등을 나타낸다. '은쟁반'은 흰색의 색채감이 드러나는 시어로 손님에 대한 말하는 이의 정성스러운 태도를 드러낸다.

03 시인이 독립운동가로 활동했다는 점에 주목하면 (가)는 광복을 기다리는 시인의 간절한 염원과 의지를 드

러낸 시라고 해석할 수 있다. 따라서 말하는 이가 간절히 기다리는 대상인 '손님'은 조국 광복 또는 조국 독립을 의미한다.

04 (나)는 작품 내적 요소를 근거로 (가)를 해석한 비평문이다. (나)에 드러난 '청포도'의 의미와 말하는 이의 소망을 고려하면 풍요롭고 평화로운 세상을 회복하기를 바라는 간절한 소망을 담은 시로 해석할 수 있다.

05 이 시는 비를 맞는 나무들의 모습을 구체적으로 보여 준 뒤 마지막 연에서 비를 우산으로 가리고 마는 인간의 모습을 대조적으로 제시하여 현실에 당당히 맞서지 않는 인간의 비겁한 태도를 반성하게 하고 있다.

오답 풀이
① 이 시에서는 주로 시각적 심상과 청각적 심상을 활용하여 비를 맞고 있는 나무의 모습을 표현하고 있다.
② 나무에 대한 예찬은 드러나 있지 않다.
④ 나무와 대조적으로 상황을 회피하는 사람의 모습을 비판하고 있다.

06 제시된 해석은 이 시를 독자에게 주는 교훈을 중심으로 해석한 것이다.

2일 1. 문학의 샘
(2) 문학, 시대의 거울_가난한 사랑 노래, 기억 속의 들꽃

기초 확인 문제 | 17, 19쪽

01 ㉡ 02 배경 03 ⑤ 04 ④ 05 ⑤ 06 ㉠, ㉢
07 금반지 08 ⑤ 09 ③ 10 하은

01 등장인물의 말과 행동, 인물들 간의 관계, 주요 사건 등을 통해 문학 작품의 사회·문화적 배경을 파악할 수 있다. 등장인물의 나이나 외모를 통해 문학 작품의 사회·문화적 배경을 파악하기는 어렵다.

02 문학 작품은 그것이 창작된 시대의 사회·문화적 배경을 반영한다는 점에서 시대를 비추는 거울이라고 할 수 있다.

03 〈가난한 사랑 노래〉에는 말하는 이가 느끼는 감정인 '외로움, 두려움, 그리움, 서러움' 등이 직접적으로 나타나 있다. 말하는 이는 인간으로서 누려야 할 자연스러운 감정들마저도 포기해야 하는 서글픈 상황에 처해 있으므로 즐거움을 느낀다고 할 수 없다.

04 〈가난한 사랑 노래〉에는 1970~1980년대 산업화 시기에 고향을 떠나 도시 노동자로 힘겹게 살아가는 젊은이들의 모습이 나타나 있다.

05 〈가난한 사랑 노래〉는 산업화 시기에 고향을 떠나 도시에서 노동자로 힘겹고 고달프게 살아가는 안타까운 젊은이들을 위로하려는 의도에서 창작되었다.

06 명선이는 남자아이의 모습으로 살아가는 것이 험난한 피란 생활에 유리하기 때문에 남자아이인 척했다(㉡). 전쟁이 마을 가까이 다가오자 '나'는 누나, 할머니와 피란을 떠나고, 아버지와 어머니는 마을에 남아 집을 지켰다(㉣).

07 명선이는 피란민인 자신을 못마땅해하는 '나'의 어머니에게 금반지를 내밀어 환심을 사고 '나'의 집에 살게 된다.

08 〈기억 속의 들꽃〉에서는 삶을 힘겹고 황폐하게 만드는

전쟁과 그 때문에 이기적으로 변한 사람들의 모습을 비판하고, 전쟁 때문에 나타나는 인간성 상실의 비극성을 강조하고 있다.

09 '나'에게 말을 거는 '녀석'의 태도나 말투, '나'보다 앞장서는 행동에서 '녀석'이 매우 당돌하고 적극적인 성격임을 알 수 있다.

10 '나'의 부모님은 식량과 물자가 부족한 전쟁 상황에서 명선이가 가지고 있는 금반지를 차지하기 위해 이해타산적이고 탐욕적인 모습을 보인다.

교과서 기출 베스트 | 20~23쪽

01 ⑤ 02 노동자 03 ① 04 ⑤ 05 ④ 06 ③
07 금반지(금가락지) 08 ① 09 ①

01 이 시에서 젊은이는 방범대원의 호각 소리를 들으며 고달픈 현실 생활에 대한 두려움을 느끼고 있다.
오답 풀이
① 말하는 이는 고향을 떠나 있으며 고향의 어머니를 그리워하고 있다.
②, ③ 말하는 이는 사랑하는 사람과 이별하고 눈 쌓인 골목길을 쓸쓸히 걸어가고 있다.
④ 말하는 이는 새벽에 깨어 육중한 기계 굴러가는 소리에 귀를 기울이고 있다.

02 제시된 신문 기사를 참고할 때 이 시의 부제에 나타난 '이웃의 한 젊은이'는 산업화 시대에 고향을 떠나 도시 노동자로 힘겹게 살아가는 가난한 젊은이를 의미한다.

03 이 시는 산업화 시기에 고향을 떠나 도시 노동자로 힘겹고 고달픈 삶을 살면서도 가난 때문에 많은 것을 포기해야 했던 젊은이들을 위로하고자 창작되었다.

04 오늘날 이 시의 '젊은이'와 비슷한 사람은 경제적인 어려움을 겪으며 열심히 살아가는 사람으로 볼 수 있으므로 ⑤가 가장 적절하다.

05 (다)~(라)에서 '녀석'이 먼저 '나'에게 적극적으로 말을 건 뒤 배가 고프니 엄마한테 가서 밥을 달라고 하며 앞장섰다.

06 이 글에는 6·25 전쟁 때문에 피란 가는 사람이 많아지고 식량이 부족해져서 마을 사람들이 피란민을 야박하게 대하는 모습이 나타나며, 공동체 의식이 강화된 부분은 드러나지 않는다.

07 '녀석'은 '나'의 어머니가 자신을 매몰차게 대하자 가지고 있던 금반지를 내밀어서 어머니의 환심을 사고 있다.

08 명선이가 사람 밑에 깔리면 무서운 힘으로 떨치고 일어나는 이유는 공습으로 죽은 어머니의 시신에 깔렸던 공포스러운 기억이 떠오르기 때문이다.

09 '나'의 부모님은 전쟁이라는 극한 상황에서 명선이에게 받은 금반지만큼은 베풀었다는 계산적인 태도와 명선이의 금반지를 빼앗으려는 탐욕스러운 모습을 보이고 있다.

기초 확인 문제 | 27, 29쪽

01 (1) 수궁 (2) 육지 (3) 똥 **02** (1) ㉤ (2) ㉠ (3) ㉢ **03** 주현 **04** ⑤ **05** 지배층 **06** ⑤ **07** ① **08** ⑤ **09** ①
10 준영

01 (1) 토끼는 별주부에게 속아 수궁에 가지만 지혜를 발휘하여 목숨을 잃을 위기에서 벗어난다.
(2) 용왕은 간을 두고 왔다는 토끼의 거짓말에 속아 토끼를 다시 육지로 돌려보낸다.
(3) 별주부는 토끼를 놓친 뒤 토끼가 준 똥을 갖고 수궁으로 돌아간다.

02 (1) 토끼는 벼슬을 얻고 싶은 욕심 때문에 별주부를 따라갔다가 위기에 처하지만, 침착한 태도와 지혜로 위기에서 벗어난다.
(2) 용왕은 자신을 위해 토끼를 희생시키려는 권위적이고 이기적인 태도를 보이며, 토끼의 거짓말에 속는 어리석은 인물이다.
(3) 별주부는 용왕에 대한 우직한 충성심이 있으나 융통성이 없는 인물이다.

03 〈토끼전〉은 동물을 의인화하여 인간 사회를 풍자하는 우화적 수법을 사용하고, 창작 당시의 사회적 배경을 바탕으로 민중의 비판 의식을 반영하고 있는 작품이다.

04 토끼는 육지에 도착하자 자신을 속인 별주부를 혼낸 뒤 자신의 똥을 주어 돌려보낸다. 별주부는 토끼의 똥을 들고 수궁으로 돌아가고, 토끼의 똥을 먹은 용왕은 병이 낫는다.

05 〈토끼전〉에서 용왕은 자신의 병을 고치기 위해 힘없는 토끼를 희생시키려고 하므로 자신의 욕심을 채우기 위해 힘없는 백성을 희생시키는 지배층을 상징한다고 볼 수 있다.

06 〈내 마음의 풍금〉은 영화를 만들기 위해 쓴 각본으로, 인물의 행동과 대사로 인물의 특성을 보여 주고 사건을 전개한다.

🖥 자료실 시나리오의 개념과 특징

- 개념: 영화를 만들기 위해 쓴 각본으로, 영화 상영을 전제로 작가가 지어낸 이야기
- 특징
  ① 영화 촬영을 고려하여 특수한 시나리오 용어가 사용된다.
  ② 대사와 행동으로 인물의 특성과 사건의 진행을 보여 준다.
  ③ 시간적·공간적 배경이나 등장인물의 수가 희곡에 비해 상대적으로 제약이 적으며, 장면의 변화가 자유롭다.

07 우연히 만나 길을 물어보는 수하에게 설렘을 느끼고 소풍날에 당시 귀한 손님에게만 대접하던 닭을 잡아서 수하의 점심으로 싸 가려는 것으로 보아 홍연이 수하를 좋아하고 있음을 알 수 있다.

08 〈내 마음의 풍금〉은 시골 국민학교에 부임한 총각 선생님에 대한 늦깎이 여학생의 순수한 사랑을 그려 내고 있다.

09 제시된 장면에서 홍연은 집에 아기를 봐 줄 사람이 없어서 학교에 동생을 데려왔다.

10 〈내 마음의 풍금〉의 배경은 1960년대 강원도 산골 마을로, 이야기에 순박하고 순수한 느낌을 더해 주어 홍연의 사랑이 더욱 풋풋하게 느껴지도록 해 준다.

교과서 기출 베스트 | 30~33쪽

01 ④ **02** ⑤ **03** ⑤ **04** 비판 **05** ⑤ **06** ⑤ **07** ②
08 닭 **09** ④ **10** ⑤

01 토끼는 높은 벼슬을 주겠다는 별주부의 꼬임에 넘어가 목숨을 잃을 위기에 처하지만, 간을 육지에 두고 왔다고 거짓말을 하여 위기를 모면했다.

오답 풀이
① 별주부는 토끼에게 수궁에 가면 높은 벼슬을 주겠다는 거짓말을 했다.

② 토끼는 수궁에 가자마자 극진한 대접을 받은 것이 아니라, 간이 없다는 토끼의 거짓말에 넘어간 용왕이 토끼를 육지로 내보내기 전에 성대한 잔치를 열어 준 것이다.

③ 토끼는 높은 벼슬을 주겠다는 별주부에 말에 속아 수궁에 갔다.

⑤ 용왕은 자신을 위해 죽어야 하는 토끼에게 미안함을 느끼지 않으며, 토끼가 죽으면 아무 의미 없는 일로 토끼를 설득하여 간을 얻으려고 한다.

02 (마)에서 용왕은 간을 두고 왔다는 토끼의 거짓말에 넘어가 신하들의 반대에도 불구하고 토끼를 다시 육지로 보내 주고 있으므로 토끼의 꾀에 속는 어리석은 인물임을 알 수 있다.

03 별주부의 꼬임에 속아 수궁에 온 토끼에게 용왕은 다짜고짜 간을 내어 달라고 한다. 이어지는 내용에서 토끼는 용왕에게 간을 주지 않으려고 용왕을 속이고 있으므로 ⑤는 적절하지 않다.

04 용왕은 자신의 병을 고치기 위해 아무 죄 없는 토끼의 간을 빼앗으려고 한다. 이러한 용왕의 모습에서 자신의 욕심을 채우려고 힘없는 백성을 희생시키는 지배층에 대한 비판을 담고 있는 작품이라고 해석할 수 있다.

05 이 글에서 별주부의 충성심을 긍정적으로 평가할 수 있지만, 용왕을 위해 토끼를 속이고 해치려고 했다는 점에서 부정적으로 평가할 수 있다. 별주부가 토끼의 목숨을 지켜 주려고 했다는 것은 이 글의 내용과 일치하지 않는다.

06 이 글은 특별한 사건이나 인물 사이에 두드러지는 갈등 없이 잔잔한 감동을 주는 내용으로 전개된다.

07 홍연은 수하를 훔쳐본 사실을 숨기려고 교실에 도시락을 찾으러 왔다고 둘러댔는데, 책보 속에 있던 빈 도시락에서 수저 달그락거리는 소리가 나서 거짓말이 들통난다.

오답 풀이

① 수하는 홍연의 이름을 홍단이라고 잘못 기억하고 있었다.

③ 수하는 홍연이 자신을 좋아해서 복도에서 몰래 훔쳐봤다는 사실을 모르고 있다.

④ 홍연 엄마는 홍연이 소풍날 닭을 잡아 선생님의 도시락을 싸 가고 싶어 하는 이유가 수하를 좋아하기 때문이라는 사실을 모른다.

⑤ 강주는 자신을 위해 도시락을 들고 학교로 찾아온 할아버지를 부끄러워한다.

08 소풍날에 선생님께 드릴 김밥을 준비하면서 당시 귀한 손님에게만 대접하던 닭을 잡아서 수하의 점심으로 싸 가려는 것으로 보아, 홍연이 수하를 좋아하고 있음을 알 수 있다.

09 (다)에서 홍연이 김밥 도시락과 다양한 간식을 챙겨 소풍 갈 준비를 하는 모습이 나타나 있을 뿐, 이 글에서 학생들이 간식을 마련하지 못해 소풍을 못 가는 모습은 드러나지 않는다.

10 홍연이 수하에게 줄 소풍 도시락을 준비하기 위해 닭을 잡자고 말한 장면 뒤에 홍연 엄마가 고개를 갸웃거리며 닭의 수를 세는 것으로 보아, 홍연이 엄마 몰래 닭을 가져갔음을 짐작할 수 있다.

4일 (1) 비교하며 읽기

기초 확인 문제 | 37, 39쪽

01 (1) 화제 (2) 관점, 형식 (3) 비교 02 관점 03 정연
04 ③ 05 젓가락질 06 (1) ⓒ (2) ㉠ 07 ⓐ 08 카드
뉴스 09 지혜 10 ②, ④

---

01 (1) 글쓴이의 가치관, 지식, 경험에 따라 화제에 대한 관점이 달라질 수 있다.
  (2) 동일한 화제를 다룬 여러 글을 읽을 때에는 관점과 형식의 차이를 파악해야 한다.
  (3) 동일한 화제를 다룬 여러 글을 비교하며 읽으면 화제와 관련된 자신의 관점을 정리하는 데 도움이 된다.

02 제시된 그림은 새와 나무의 모습에 초점을 맞추면 나무 속 둥지에 있는 새끼에게 먹이를 가져다주는 새들의 모습으로 보인다. 그러나 다른 관점에서 보면 날아오는 새의 형상이 사람의 눈과 입으로 보이고 나무의 옆선이 사람의 얼굴로 보인다. 즉, 동일한 그림이라도 관점에 따라 다른 형상으로 해석될 수 있다.

03 동일한 화제를 다룬 여러 글을 비교하며 읽으면 대상을 다양한 시각으로 바라보게 되어 글을 폭넓고 깊이 있게 이해할 수 있으며, 자신의 생각을 정리하는 데 도움이 된다.

04 〈젓가락으로 시작하는 밥상머리 교육〉과 〈젓가락질 잘해야만 밥 잘 먹나요〉는 모두 젓가락질이라는 화제에 대해 설득을 목적으로 하는 칼럼이다.

05 〈젓가락으로 시작하는 밥상머리 교육〉과 〈젓가락질 잘해야만 밥 잘 먹나요〉는 '올바른 젓가락질'이라는 공통 화제에 대해 관점의 차이를 보여 주는 글이다.

06 〈젓가락으로 시작하는 밥상머리 교육〉에는 올바른 젓가락질을 가르쳐야 한다는 관점이, 〈젓가락질 잘해야만 밥 잘 먹나요〉에는 젓가락질을 잘 못해도 괜찮다는 관점이 드러나 있다.

07 젓가락질은 뇌를 자극하는 동작이라는 내용(ⓐ)은 젓

가락질의 긍정적인 기능에 해당하므로 올바른 젓가락질을 가르쳐야 한다는 관점을 뒷받침하기에 적절한 근거이다. ⓑ, ⓒ는 젓가락질을 잘 못해도 괜찮다는 관점을 뒷받침하는 근거이다.

08 카드 뉴스는 모바일 기기에서 정보를 제공할 때 가독성과 이미지 비율을 높인 뉴스 형식 중의 하나로, 사진이나 그림 등의 시각 자료에 짧은 글이 더해진 형식이다. 따라서 주로 휴대 전화 화면이나 컴퓨터 화면 등에서 장면을 한 장씩 넘기거나 내리면서 읽기에 편리하다는 특징이 있다.

09 〈보기〉에는 우리 민족의 전통적인 식습관은 숟가락 위주였으므로 올바른 젓가락질을 강조할 필요가 없다는 관점이 드러나 있다. 준수는 올바른 젓가락질을 해야 한다는 관점을, 지혜는 젓가락질을 잘 못해도 괜찮다는 관점을 드러내고 있다.

10 카드 뉴스는 다양한 시각 자료를 활용해 독자의 흥미를 끌고 핵심 정보가 간결하게 요약되어 있어 주제를 한눈에 파악하기 쉽지만, 장면 사이에 생략된 내용이 많아 전체적인 흐름을 한번에 이해하기 어렵다는 특징이 있다.

💻 자료실 카드 뉴스

• 특징
  – 짧은 글이 있는 여러 장면의 이미지로 이루어져 있으며 각 이미지마다 문구가 삽입되어 있음.
  – 작은 스마트폰 화면의 단점을 보완하여 정보를 효율적으로 제공할 수 있음.
• 장점
  – 핵심 정보가 간결하게 요약되어 있어 주제를 한눈에 파악하기 쉬움.
  – 정보를 요약하고 단축한 형태로 제시하여 빠른 정보 전달이 가능하고 접근성이 높음.
  – 시각 자료를 활용하여 독자의 관심을 끌 수 있음.
• 단점
  – 장면 사이에 생략된 내용이 많아 전체적인 흐름을 이해하기 어려움.
  – 정보가 요약된 채 제시되어 독자가 정보에 대한 충분한 배경지식을 습득하기 어려움.

교과서 기출 베스트 | 40~41쪽

01 ⓐ (가), (다) ⓑ (나) **02** 올바른 젓가락질 **03** ④
04 기술 도핑 **05** ③

01 (가)와 (다)에는 올바른 젓가락질을 밥상머리 교육으로 보아 젓가락질을 정확하게 해야 한다는 관점이, (나)에는 젓가락을 쥐는 데 완벽한 표준은 없다는 것을 근거로 젓가락질을 잘 못해도 괜찮다는 관점이 드러나 있다.

02 (가)~(다)는 모두 올바른 젓가락질을 화제로 다루고 있다.

03 ㉣에서 따져 볼 만하다는 것은 올바른 젓가락질을 따지는 풍속의 기원을 비판적으로 바라보아야 한다는 의미이다. 이어지는 내용에서도 젓가락질을 잘하는지 따지는 것은 일본에서 들어온 풍속이라고 했으므로 ㉣에서는 올바른 젓가락질을 강조할 필요가 없다는 관점이 드러난다.

04 (가)와 (나)는 모두 첨단 과학 기술이 스포츠 경기에 도입되어 선수들의 기록 향상에 영향을 미치는 '기술 도핑'을 화제로 다루고 있다.

> **🖥 자료실** 기술 도핑
> 스포츠에서 선수가 사용하는 장비나 도구 때문에 기록이 향상되는 현상을 '기술 도핑'이라고 한다. 스포츠는 신체의 기량이나 기술을 겨루는 경기이기 때문에 장비에 인간의 한계를 뛰어넘는 기술을 도입하면 기술 도핑으로 간주하고 있으나, 기술 도핑을 판단하는 기준이 명확하지 않다.

05 (가)는 카드 뉴스, (나)는 글이다. 카드 뉴스는 글과 시각 자료를 활용하여 장면을 분할해서 정보를 나누어서 전달한다.

✦5일 2. 너의 생각, 나의 생각
(2) 청중을 고려하여 말하기

기초 확인 문제 | 45, 47쪽

01 ③ **02** 지훈 **03** ④ **04** ㉣ **05** 말하기 불안 **06** ⓐ 비용 ⓑ 환경 **07** ㉢ **08** 도표(그래프) **09** ④ **10** 민아

01 청중 분석에서 고려해야 할 청중의 특성은 나이, 성별, 직업, 주거 지역, 지식수준, 말하기 주제 및 내용과 관련하여 알고 있는 정도 등이다.

02 발표를 준비할 때 청중을 분석하면 발표할 내용의 수준이나 방향을 정하고 청중의 공감을 끌어내는 데 도움이 된다. 발표 내용의 공정성이나 타당성과는 관련이 없다.

03 〈보기〉에서 소진이가 말하기 불안을 느끼는 원인은 말하기 과제와 관련하여 과도한 부담을 느끼고 있기 때문이다.

04 소진이네 동아리는 발표를 계획하면서 사진과 영상 자료를 활용하면 좋은 부분이 있는지 살펴보려고 한다. 이는 사진, 영상, 통계 자료 등에 익숙한 청중의 특성을 반영한 것이다.

05 여러 사람 앞에서 말을 하기에 앞서 또는 말을 하는 과정에서 개인이 경험하는 불안 증상을 '말하기 불안'이라고 한다.

06 소진이는 우리 학교 급식에서 나오는 음식물 쓰레기의 양이 계속 늘고 있으며 급식에서 발생하는 음식물 쓰레기의 처리 비용이 많이 들고, 음식물 쓰레기가 환경을 오염시킨다는 문제를 제기하고 있다.

07 〈보기〉는 소진이가 발표에서 활용한 매체 자료 중에서 빈곤 국가 어린이의 후원과 관련된 사진이므로 이와 관련 있는 해결 방안은 ㉢이다.

08 제시된 매체 자료는 도표로, 음식물 쓰레기의 양이 증가하고 있음을 한눈에 보여 주어 청중이 실제 현황을 시각적으로 확인할 수 있도록 하고 있다.

09 말하기 불안은 여러 사람 앞에서 말할 때 부딪힐 수 있

는 어려움으로, 자신 있는 목소리로 발표를 시작하는 것은 말하기 불안의 증상과는 거리가 멀다.

10 말하기 불안은 주로 공식적인 말하기 상황에 익숙하지 않거나 말하기 과제와 관련된 과도한 부담 때문에 발생하므로 실수를 하면 안 된다는 생각은 오히려 말하기 불안을 키울 수 있다.

교과서 **기출 베스트** | 48~49쪽

01 ⑤   02 ⑤   03 저희는 오늘, 제안하려고 합니다.   04 ⑤
05 ④

01 (가)의 청중 분석을 바탕으로 소진이네 동아리는 청중의 관심사를 고려하여 급식과 관련된 질문으로 발표를 시작하려고 하며, 청중의 기대와 요구를 고려하여 학교의 음식물 쓰레기 문제를 해결하는 구체적인 실천 방안을 제안하려고 한다.

02 소진이는 친구들과 함께 준비한 발표를 망치면 안 된다는 생각에 불안해하고 있으므로 연습할 때 찍은 영상을 확인하면서 자신감을 가지라는 조언을 해 줄 수 있다.

03 이 발표는 우리 학교의 음식물 쓰레기 문제를 해결할 방안을 제안하는 것을 목적으로 한다.

04 (나)에서 음식물 쓰레기의 일부는 사료나 퇴비로 재활용되고 재활용되지 않는 음식물 쓰레기는 땅속에 묻거나 불에 태워 처리한다고 했으나 재활용되는 음식물 쓰레기보다 재활용되지 않는 음식물 쓰레기가 훨씬 많다는 것은 이 발표에 제시되지 않은 내용이다.

05 소진이는 갑자기 발표 내용이 생각나지 않는 상황에서 발표 내용을 요약한 카드를 보면서 발표를 이어 갔다고 말하고 있다. 이 발표에서는 ⓓ에서 발표 내용 요약 카드를 활용하고 있다.

6일

누구나 **100점 테스트** 1회 | 50~53쪽

01 ④   02 ①, ③   03 광복   04 ④   05 ②   06 ④
07 ③   08 전쟁   09 별주부   10 ①

01 이 시의 말하는 이는 고달픈 몸으로 찾아올 손님과 함께 청포도를 따 먹기를 바라고 있다.

02 이 시에는 푸른빛과 흰빛의 색채 대비가 나타나는데, 흰빛의 이미지를 드러내는 시어는 '흰 돛단배, 은쟁반, 모시 수건'이다. ㉠ '하늘'은 푸른빛을 드러내는 시어이고, ㉢ '손님'은 말하는 이가 기다리고 있는 대상으로 색채 이미지를 드러내는 시어가 아니다.

03 독립운동가로 활동한 작가의 삶을 중심으로 이 시를 해석하면 이 시는 광복에 대한 염원과 의지가 드러나는 작품이라고 할 수 있다.

04 제시된 신문 기사를 참고할 때 '이웃의 한 젊은이'와 같은 산업화 시대의 도시 노동자들은 열악한 노동 환경과 노동 착취로 고생했음을 알 수 있다. 일자리가 없었는지는 제시된 기사에서 확인할 수 없다.

05 말하는 이는 가난하기 때문에 외로움, 두려움, 그리움, 사랑과 같은 인간적인 감정마저 버려야 하는 자신의 처지에 서러움을 느끼고 있다.

06 쥐바라숭꽃을 발견하고 신기해하는 명선이의 모습에서 순수함과 천진난만한 성격이 드러난다.

07 (나)에서 명선이가 머리에 꽂은 '들꽃(쥐바라숭꽃)'이 바람에 날려 강물로 떨어지는 상황은 (다)에서처럼 명선이가 강물에 떨어져 죽을 것임을 암시하는 복선 역할을 한다.

08 비행기 공습으로 부모님을 잃은 명선이는 비행기 폭음에 놀라 다리에서 떨어져 죽게 되는데, 이는 전쟁 때문에 일어난 일이므로 결국 전쟁이라는 비극적인 상황이 명선이가 죽은 근본적인 원인이라고 할 수 있다.

09 별주부는 용왕에 대한 충성심이 강하지만, 토끼를 놓

치자 육지로 올라가 죽어 버릴까 생각하는 데서 융통성이 없음을 알 수 있다.

10 홍연은 선생님을 좋아하는 마음에 귀한 손님에게만 대접하는 닭을 잡자고 엄마에게 이야기하고 있다.

누구나 100점 테스트 2회 | 54~57쪽

01 화제, 관점 **02** ② **03** ④ **04** ④ **05** 기술 도핑
06 ① **07** ㉣ **08** ② **09** 사진, 영상, 통계 자료 등에 익숙함. **10** ㉠, ㉢, ㉤

---

01 (가)와 (나)에서는 올바른 젓가락질, 올바른 젓가락질의 필요성이라는 공통된 화제에 대해 상반된 관점을 드러내고 있다.

02 (가)의 글쓴이는 정교한 젓가락질 덕분에 우리나라 손 기술이 세계적인 수준으로 인정받고 있음을 근거로 올바른 젓가락질 교육이 필요하며 젓가락질을 정확하게 해야 한다는 관점을 드러내고 있다.

03 (나)의 글쓴이는 원래 한국 문화에서는 숟가락이 더 중요했다는 것을 근거로 젓가락질을 잘 못해도 괜찮다는 관점을 드러내고 있으므로 ④의 내용은 적절하지 않다.

04 (가)와 (나)에는 모두 첨단 과학 기술이 스포츠 경기에 도입되어 선수들의 기록 향상에 많은 도움을 주고 있으나, 인간의 한계에 도전하는 스포츠 정신을 살리려면 과학 기술을 어디까지 허용해야 하는지 논의가 필요하다는 관점이 드러나 있다.

05 첨단 기술의 도움으로 기록이 향상된 사례와 '약물 검사(도핑 테스트)'에서 적발되는 것에 대한 비유라는 것을 고려할 때, ⓐ에는 선수들이 사용하는 장비에 기술이 도입되어 기록 향상에 영향을 미치는 것을 의미하는 '기술 도핑'이 들어가야 한다.

06 소진이가 목소리도 작아지고 발표 내용을 자꾸 잊어버린다고 걱정하자 친구들은 소진이의 불안을 덜어 줄 다양한 방법을 제안하고 있다. 그러나 발표 내용을 완

벽하게 외우라고 조언한 친구는 없다.

07 발표를 앞두고 말하기 불안을 겪는 소진이에게 ㉣과 같이 부담을 주는 말을 하면 말하기 불안이 더 커질 수 있다. 심리적 부담을 줄 수 있는 말보다는 '너보다 이 발표를 잘할 수 있는 사람은 없어.'와 같이 자신감을 북돋울 수 있는 조언을 하는 것이 좋다.

08 발표자는 적절한 질문으로 청중의 참여를 끌어내고 발표 분위기를 편하게 만들었지만, 청중에게 질문을 받아 답변하지는 않았다.

09 발표자는 사진, 영상, 통계 자료 등에 익숙한 청중의 특성을 고려하여 급식에서 나온 음식물 쓰레기의 양을 도표로 제시하고, 영양사 선생님과 학생들의 인터뷰 영상을 보여 주었다.

10 말하기 불안 증상이 나타날 때에는 심호흡하면서 몸과 마음의 긴장을 풀고, 실제 말하기 상황처럼 연습해 보거나 성공적으로 말하기를 끝내는 상상을 하며 자신감을 가져야 한다.

창의·융합·코딩 서술형 테스트 | 58~61쪽

01 • ⓐ: 청포도, 하늘, 푸른 바다, 청포
• ⓑ: 흰 돛단배, 은쟁반, 모시 수건
02 도시 노동자
03 계산적이고 탐욕스러운
04 명선이가 다리에서 떨어졌다.(명선이가 강으로 떨어져 죽었다.)
05 • (가)의 글쓴이: 정확한 젓가락질을 해야 해요
• (나)의 글쓴이: 젓가락질을 잘 못해도 괜찮아요
06 가치관, 지식, 경험
07 (1) ㉠ → (가) (2) ㉡ → (다)
08 ⓐ 심호흡 ⓑ 요약 카드

01 (가)에서는 '청포도, 하늘, 푸른 바다, 청포'의 푸른빛과 '흰 돛단배, 은쟁반, 모시 수건'의 흰빛의 색채 대비를 통해 평화롭고 아름다운 고향의 모습과 이를 기다리는 말하는 이의 기대와 희망을 강조하여 보여 주고 있다.

평가 기준

평가 요소	확인
ⓐ에 들어갈 시어를 바르게 찾아 씀.	
ⓑ에 들어갈 시어를 바르게 찾아 씀.	

02 〈보기〉를 참고할 때 (나)가 창작될 당시의 사회·문화적 배경은 산업화가 진행되던 시기이다. (나)의 말하는 이는 산업화 시기에 일자리를 찾아 도시로 온 젊은이로, 인간적인 감정도 누리지 못하고 힘겹게 살아가는 도시 노동자이다.

평가 기준

평가 요소	확인
〈보기〉에 나타난 사회·문화적 배경을 고려하여 (나)의 말하는 이가 누구인지 서술함.	
20어절로 바르게 씀.	

03 〈보기〉에서 6·25 전쟁으로 인해 많은 사람이 곤궁하고 피폐한 삶을 살았음을 알 수 있다. 이러한 상황에서 '나'의 부모님은 명선이가 내놓은 금반지의 가격만큼은 베풀었다며 계산적인 모습을 보이고 있으며, 다른 금반지까지 차지하려는 탐욕스러운 모습을 보인다.

평가 기준

평가 요소	확인
〈보기〉의 사회·문화적 상황이 '나'의 부모님에게 미친 영향을 적절하게 서술함.	
10자 이내로 씀.	

04 '쥐바라숭꽃'은 명선이를 상징하는 소재이다. ㉠에서 '쥐바라숭꽃'이 강으로 떨어졌다는 것은 명선이가 다리에서 떨어졌음을 의미한다.

평가 기준

평가 요소	확인
'쥐바라숭꽃'의 원관념을 바르게 제시함.	
15자 이내의 한 문장으로 서술함.	

05 (가)와 (나)에는 올바른 젓가락질에 대한 상반된 관점이 드러나 있다. (가)에는 젓가락질은 손가락 관절과 근육을 발달시키는 데 도움이 되므로 정확한 젓가락질을 해야 한다는 관점이, (나)에는 우리 문화에서는 젓가락보다 숟가락이 더 중요했으므로 젓가락질을 잘 못해도 괜찮다는 관점이 드러난다.

평가 기준

평가 요소	확인
(가)의 글쓴이의 관점이 드러나도록 바르게 서술함.	
(나)의 글쓴이의 관점이 드러나도록 바르게 서술함.	

06 동일한 화제를 다루더라도 글의 관점이 다양한 이유는 글쓴이의 경험과 가치관, 배경지식, 살아온 환경 등에 따라 관점이 달라질 수 있기 때문이다.

평가 기준

평가 요소	확인
동일한 화제를 다루더라도 관점이 달라지는 이유를 바르게 서술함.	
관점이 달라지는 데 영향을 주는 요소를 〈보기〉에서 모두 찾아 씀.	

07 ㉠은 급식에서 나온 음식물 쓰레기의 양이 계속 증가하고 있음을 보여 주는 도표이므로 (가)에서, ㉡은 급식 신호등 예시 영상이므로 (다)에서 활용하기에 적절한 매체 자료이다.

평가 기준

평가 요소	확인
㉠을 활용하기에 적절한 문단을 바르게 찾아 씀.	
㉡을 활용하기에 적절한 문단을 바르게 찾아 씀.	

08 발표자는 (가)에서 심호흡을 하고 자신 있는 태도로 발표를 시작했으며, (나)에서는 발표 내용을 요약한 카드를 활용해 내용을 빠르게 확인한 뒤 발표를 자연스럽게 이어 가고 있다.

평가 기준

평가 요소	확인
ⓐ에 들어갈 말을 (가)에서 찾아 바르게 씀.	
ⓑ에 들어갈 말을 (나)에서 찾아 바르게 씀.	

중간고사 기본 테스트 1회 | 62~68쪽

01 ⑤   02 청포도, 손님   03 은쟁반, (하이얀) 모시 수건
04 ②   05 ⑤   06 ③   07 ③   08 ①   09 금반지   10 ②
11 위기를 극복하는 지혜   12 ③   13 •(가): 젓가락질을
정확하게 해야 한다.(올바른 젓가락질을 가르쳐야 한다.)
•(나): 젓가락질을 잘 못해도 괜찮다.(표준 젓가락질은 존재
하지 않는다.)   14 ②   15 카드 뉴스   16 ③   17 ⑤
18 말하기 불안   19 ④   20 ③

01 (가)의 5연에서 손님을 위해 두 손은 함뿍 적셔도 좋다
고 하여, 손님을 위해 기꺼이 나서서 행동하려는 말하
는 이의 헌신적인 태도가 드러난다.

02 풍성하게 열려서 탐스럽게 익어 가는 '청포도'는 넉넉
하고 여유로운 고향의 모습을 떠올리게 하며 말하는
이는 '고달픈 몸'으로 찾아올 '손님'과 함께 청포도를
따 먹으며 고향의 풍요로움을 나누기를 바라고 있다.

03 (가)에서 말하는 이는 아이에게 손님이 올 것을 대비하
여 '은쟁반'과 '하이얀 모시 수건'을 준비하라고 한다.
귀하고 깨끗한 느낌을 주는 '은쟁반'과 '하이얀 모시 수
건'은 손님을 대하는 말하는 이의 정성스러운 마음을
보여 준다.

04 (가)의 시인이 독립운동가라는 점을 고려하면 말하는
이가 오기를 바라는 '손님'은 조국의 광복으로 보는 것
이 적절하다.

05 이 시에서는 '가난하다고 해서 ⋯⋯겠는가'라는 의문문
을 반복하여 가난하지만 외로움, 두려움, 그리움, 사랑
등의 감정을 알고 있다는 의미를 강조하고 있다.

06 '두 점을 치는 소리', '방범대원의 호각 소리', '육중한 기
계 굴러가는 소리' 등을 통해 이 시의 사회·문화적 배경
이 1970~1980년대 산업화 시기임을 알 수 있다.

07 (라)에서 아버지가 명선이에게 어린아이가 금반지 같
은 것을 가지고 있으면 안 좋으니 자신이 맡아 두었다

가 나중에 주겠다고 한 것은 명선이를 걱정해서가 아
니라 금반지를 빼앗기 위해서 한 말이다.

오답 풀이
① 명선이의 부모님은 피란길에서 공습을 만나 비행기
에서 떨어진 폭탄 때문에 돌아가셨다.
② 어머니는 금반지 한 개의 값어치만큼은 명선이에게
베풀었다고 생각하며 계산적으로 명선이를 대한다.
④ 명선이는 다리에서 놀다가 비행기 폭음에 놀라 강
물에 떨어져 죽음을 맞이한다.
⑤ '나'는 명선이가 숨겨 놓은 금반지를 발견했지만 충
격을 받아 강물에 떨어뜨리고 만다.

08 피란길에 공습을 만나 부모님을 잃은 기억 때문에 비
행기를 두려워하던 명선이는 비행기 소리에 놀라 다리
에서 떨어져 죽게 된다. 이를 통해 이 글의 작가는 전쟁
의 비극을 알리고 전쟁의 참혹함과 비극성을 강조하고
있다.

09 명선이는 전쟁 중에 살아남기 위해 '나'의 어머니에게
자신이 가지고 있는 금반지를 내밀었으며, '나'의 부모
님은 명선이의 금반지를 빼앗으려는 탐욕적인 모습을
보이고 있다.

10 명선이는 피란길에서 공습을 만났을 때 어머니의 시신
밑에 깔렸던 기억이 떠올라 사람 밑에 깔리면 무서운
힘으로 떨치고 일어난다.

11 토끼는 목숨을 빼앗기게 된 상황에서 간을 육지에 두
고 왔다는 거짓말로 용왕을 속이는 기지를 발휘하여
위기를 극복하고 있다.

12 (가)와 (나)는 올바른 젓가락질이라는 공통된 화제를
다루고 있는 글이다. (가)에는 '올바른 젓가락질을 가
르쳐야 한다.'라는 관점이, (나)에는 '젓가락질을 잘 못
해도 괜찮다.'라는 관점이 드러난다.

13 (가)에서는 정확하고 정교한 젓가락질의 장점을 바탕
으로 '젓가락질을 정확하게 해야 한다.'라는 관점이,
(나)에서는 젓가락질 잘하는지 따지는 것은 일본에서
들어온 풍속이며 우리 문화에서는 숟가락이 더 중요했
음을 근거로 '젓가락질을 잘 못해도 괜찮다.'라는 관점
이 드러난다.

14 ⊙에는 한국 문화에서는 숟가락이 더 중요했고 올바른 젓가락질을 강조하는 것은 일본에서 들어온 풍속이므로 젓가락질이 서투르다는 이유로 비난받을 이유가 없다는 의미가 담겨 있다.

15 제시된 자료는 사진이나 그림 등의 시각 자료를 중심으로 짧은 문구가 여러 장면에 나뉘어 제시되는 카드 뉴스이다.

16 여러 문단이 이어지면서 정보를 하나의 흐름으로 전달하는 것은 카드 뉴스가 아닌 글의 형식적 특성에 해당한다.

17 소진이네 동아리는 인원, 나이, 성별 등 청중의 일반적인 특성과 청중의 주요 관심사 및 기대와 요구를 분석했으며, 주제와 관련된 청중의 입장을 분석하지는 않았다.

18 소진이처럼 여러 사람 앞에서 말을 하기에 앞서 또는 말을 하는 과정에서 개인이 경험하는 불안 증상을 말하기 불안이라고 한다.

19 발표를 준비할 때에는 청중의 학력이나 경력 등을 고려하여 발표 내용의 수준을 결정해야 한다. 따라서 중학교 1~3학년인 청중의 수준에 적절한 내용을 마련해야 하며 지나치게 전문적인 정보들은 청중이 이해하기 어려울 수 있으므로 주의해야 한다.

20 소진이는 많은 사람 앞에서 말해 본 경험이 별로 없어서 긴장하고 있으며, 친구들과 함께 준비한 발표를 망쳐서는 안 된다는 부담감을 느끼고 있다.

중간고사 기본 테스트 2회 | 69~75쪽

01 ⑤　02 독자가 얻은 깨달음(독자에게 미친 영향)　03 ②
04 ②　05 ④　06 노동자　07 ⑤　08 음식물 쓰레기
09 ③　10 ⑤　11 ③　12 명선이가 어머니에게 금반지를 주었기 때문이다. 13 ②　14 ②　15 젓가락질을 정확하게 해야 한다.(올바른 젓가락질을 가르쳐야 한다.)　16 ④, ⑤
17 논설문, 편지글　18 젓가락, 숟가락　19 ⑤　20 짝사랑

---

01 (가)는 '청포도'라는 자연물을 통해 풍요롭고 평화로운 세상을 회복하기를 바라는 소망을 드러내고 있고, (나)는 '나무'라는 자연물을 통해 현실에 당당히 맞서지 않는 인간의 태도를 비판하고 있다.

02 자신이 얻은 깨달음을 근거로 (가)가 독자에게 기다림의 자세를 일깨워 주는 작품이라고 해석하고 있다.

03 제시된 해석은 비를 맞는 나무와 사람의 모습을 대조적으로 제시하고 있는 시의 표현상 특징을 바탕으로 하고 있다.

04 이 시에서 말하는 이는 가난으로 인해 인간적인 감정마저 누리지 못하는 자신의 처지를 서글퍼하고 있으며, 땀 흘리는 보람을 느끼며 일하는 모습은 드러나지 않는다.

05 이 시에서는 '가난하다고 해서 ……겠는가'라는 표현을 반복하여 시 구절의 의미를 강조하고 말하는 이가 느끼는 감정을 강하게 드러내고 있다. 말하는 이의 의도와 반대로 표현하여 의미를 효과적으로 전달하는 반어는 사용되지 않았다.

06 제시된 기사의 내용을 참고할 때 '이웃의 한 젊은이'는 산업화 시기에 일자리를 찾아 고향을 떠나 도시로 온 사람으로, 인간적인 감정도 누리지 못하고 힘겹게 살아가는 노동자로 볼 수 있다.

07 청중을 분석하면 발표할 내용의 수준이나 방향을 정하고 청중의 공감을 끌어내는 데 도움이 되어 발표 내용을 효과적으로 전달할 수 있다.

08 발표자는 급식에서 남아서 버리는 음식물 쓰레기의 양이 계속 늘고 있으며, 이를 처리하는 데 드는 비용 증가와 음식물 쓰레기를 처리하는 과정에서 발생하는 환경 오염 문제를 지적하고 있다.

09 [A]는 음식물 쓰레기가 증가하는 상황을 한눈에 보여 주는 도표로, 문제 해결 방법과는 직접적인 관련이 없다.

10 6·25 전쟁 때문에 피란 가는 사람이 많아지고, 식량도 부족해져 동냥이나 도둑질을 하는 사람들도 있었다. 피란민을 통해 마을에 새로운 문물이 들어온 것은 아

니다.

11 이 글에서는 명선이와 어른들의 외적 갈등을 중심으로 사건이 전개되고 있다.

12 명선이에게 매몰차게 다른 집에나 가 보라고 하던 어머니는 명선이가 내민 금반지가 진짜임을 확인하고 만족스러운 웃음을 짓고 있다.

13 어머니는 명선이의 금반지에만 관심을 갖고 있으므로 명선이에 대한 소유권을 마을 사람들에게 빼앗기지 않으려고 [A]와 같이 말한 것이다.

14 (가)는 시각 자료에 짧은 글을 담은 카드 뉴스로, (나)와 같은 글에 비해 핵심 정보가 간결하게 요약되어 있어 주제를 한눈에 파악하기 쉽다.

15 (가)와 (다)에는 올바른 젓가락질의 장점을 근거로 하여 젓가락질을 정확하게 해야 한다는 관점이 드러난다.

16 (나)에는 젓가락질을 잘 못해도 괜찮다는 관점이 드러나 있다. 젓가락질 동작의 숨겨진 힘과 정교한 젓가락질의 효과와 관련 있는 ④, ⑤는 젓가락질을 정확하게 해야 한다는 (가), (다)의 관점을 뒷받침하는 근거로 적절하다.

17 (가)는 주장과 그것을 뒷받침하는 근거를 제시하면서 자신의 관점을 명확하게 드러내는 논설문이다. (다)는 자녀에게 보내는 편지글로 구어체의 부드러운 말투를 활용하여 자신의 생각을 솔직하게 전달하고 있다.

18 (나)에서는 젓가락은 잘게 썬 밑반찬을 푸짐하게 차려 먹던 양반님네나 소장하는 희귀품이었으며, 옛 풍속화에서 민초들이 숟가락만 들고 밥 먹는 풍경을 근거로 들어 한국 문화에서는 숟가락이 더 중요했음을 강조하고 있다.

19 한 교실에 있는 아이들의 나이가 들쭉날쭉하다는 것과 발육 상태나 체구가 크게 차이 난다는 점에서 다양한 연령의 아이들이 함께 수업을 받았음을 알 수 있다.

오답 풀이

① (가)에서는 점심을 급식으로 해결했는지 확인할 수 없고, (나)에서 '도시락'으로 해결했음을 알 수 있다.

② 소아마비인 아동 몇몇이 있다고 했을 뿐 아이들이 대체로 건강이 좋지 않았는지는 알 수 없다.

③ 아이들이 선생님을 잔뜩 호기심 어린 눈망울로 주시하고 있었으므로 선생님에게 별로 관심이 없었다는 것은 적절하지 않다.

④ (가)에는 드러나지 않은 내용이다.

20 이 글의 배경인 1960년대 강원도 산골 마을은 순박하고 순수한 분위기를 형성하여 홍연의 짝사랑이 더욱 풋풋하게 느껴지게 한다.

중간고사 대비

필수 어휘
모아 보기

단원별 개념어와 핵심 어휘로
어휘력을 길러 보세요!

문학의 샘

(1) 문학의 다양한 해석

해석

명사 문장이나 사물 따위로 표현된 내용을 이해하고 설명함. 또는 그 내용.

예 같은 작품에 대한 해석도 사람마다 다를 수 있다.

고달프다

형용사 몸이나 처지가 몹시 ❶ ㄱㄷ 하다.

예 세상살이가 고달파도 가족이 있기에 힘을 낼 수 있다.

풍요롭다

형용사 흠뻑 많아서 넉넉함이 있다.

예 그녀는 젊었을 적에 열심히 일한 덕분에 노후를 풍요롭게 보낼 수 있었다.

---

❷ ㅇㅇ 하다

동사 마음에 간절히 생각하고 기원하다.

예 이 시에는 광복을 ❷ ㅇㅇ 하는 마음이 담겨 있다.

수박 겉 핥기

속담 사물의 속 내용은 모르고 ❸ ㄱ 만 건드리는 일을 비유적으로 이르는 말.

예 이 글은 핵심은 건드리지 못하고 수박 겉 핥기 식으로 잡다한 정보만 늘어놓고 있다.

---

❹ ㅂㄴㄱㅁ 으로 하늘 보기

속담 전체를 포괄적으로 보지 못하는 매우 좁은 소견이나 관찰을 비꼬는 말.

예 고작 한 장면만 보고 작품을 해석하는 것은 ❹ ㅂㄴㄱㅁ 으로 하늘 보기와 같다.

귀에 걸면 귀걸이 코에 걸면 코걸이

속담 어떤 원칙이 정해져 있는 것이 아니라 둘러대기에 따라 이렇게도 되고 저렇게도 될 수 있음을 비유적으로 이르는 말.

예 표절 논란이 생기면 귀에 걸면 귀걸이 코에 걸면 코걸이 식의 변명을 하곤 했다.

답 ❶고단 ❷염원 ❸겉
❹바늘구멍

(2) 문학, 시대의 거울

배경

명사 문학 작품에서, 주제를 뒷받침하는 시대적·사회적 환경이나 장소.

예 이 작품은 6·25 전쟁을 배경으로 한다.

⑤ ㅇㅈ 하다

형용사 투박하고 무겁다.

예 나는 ⑤ ㅇㅈ 한 그의 목소리에 압도되어 아무 말도 할 수 없었다.

피란민

명사 ⑥ ㄴㄹ 를 피하여 가는 백성.

예 전쟁이 일어나자 마을에 피란민들이 줄을 잇고 있다.

망측스럽다

형용사 정상적인 상태에서 어그러져 어이가 없거나 차마 보기가 어려운 데가 있다.

예 우리 할머니는 요즘 젊은 사람들의 옷차림이 망측스럽다고 생각하신다.

골머리를 앓다

관용구 어떻게 하여야 할지 몰라서 머리가 아플 정도로 생각에 ⑦ ㅁㄷ 하다.

예 경찰은 갈수록 교묘해지는 사기 범죄로 골머리를 앓고 있다.

성미

명사 성질, 마음씨, 비위, 버릇 따위를 통틀어 이르는 말.

예 그는 성미가 고약해서 주변 사람을 힘들게 한다.

⑧ ㅅㅂ 하다

동사 옳고 그름을 따지는 말다툼을 하다.

예 그 두 사람은 툭하면 서로 ⑧ ㅅㅂ 하려고 한다.

답 ⑤ 육중 ⑥ 난리 ⑦ 몰두 ⑧ 시비

간드러지다

형용사 목소리나 맵시 따위가 마음을 녹일 듯이 예쁘고 애교가 있으며, 멋들어지게 보드랍고 가늘다.

예 그녀의 간드러진 노랫소리에 많은 사람이 감탄했다.

---

⑨ ㅌㅂㅇ

명사 대대로 그 땅에서 나서 오래도록 살아 내려오는 사람.

예 나는 이곳 **⑨** ㅌㅂㅇ 라 근처의 지형을 잘 알고 있다.

의기양양하다

형용사 뜻한 바를 이루어 **⑩** ㅁㅈ 한 마음이 얼굴에 나타난 상태이다.

예 아이는 상으로 받은 스케치북을 들고 의기양양하게 마당을 뛰어다녔다.

---

⑪ ㅊㅅㅁㄱ

명사 천 가지 매운 것과 만 가지 쓴 것이라는 뜻으로, 온갖 어려운 고비를 다 겪으며 심하게 고생함을 이르는 말.

예 나는 **⑪** ㅊㅅㅁㄱ 끝에 마침내 그 일을 해내고 말았다.

배짱

명사 조금도 굽히지 아니하고 버티어 나가는 성품이나 태도.

예 그 사람의 당당한 대답은 그의 배짱을 보여 준다.

● 선택 학습

가련하다

형용사 가엾고 **⑫** ㅂㅆ 하다.

예 정처 없이 떠도는 그의 신세가 참으로 가련하다.

의아하다

형용사 의심스럽고 이상하다.

예 나는 그가 혼자 온 사실이 의아하여 그 이유를 물었다.

답 ⑨ 토박이 ⑩ 만족 ⑪ 천신만고 ⑫ 불쌍

기막히다

형용사 어떠한 일이 놀랍거나 언짢아서 어이없다.

예 너무나 기막혀 입을 다물지 못하겠다.

⑬ ㅅㅎ

명사 이미 해 놓은 일이나 짓.

예 나는 나를 속인 친구의 ⑬ ㅅㅎ 이 무척 괘씸했다.

체면

명사 남을 대하기에 ⑭ ㄸㄸ 한 도리나 얼굴.

예 제 체면을 봐서라도 그 학생을 너그러이 용서해 주십시오.

천방지축

부사·명사 못난 사람이 종작없이 덤벙이는 모양. 또는 그런 일.

예 아이는 하루 종일 뛰어다니며 천방지축 휘젓고 다녔다.

⑮ ㅎㄹ 하다

형용사 좀 헌 듯하다.

예 오래된 동네라 그런지 집들이 ⑮ ㅎㄹ 했다.

엉겁결

명사 미처 생각하지 못하거나 뜻하지 아니한 순간.

예 나는 너무 놀라서 엉겁결에 비명을 질렀다.

자투리

명사 어떤 기준에 미치지 못할 정도로 작거나 적은 ⑯ ㅈㄱ .

예 성공하고 싶다면 자투리 시간을 활용하는 습관을 길러라.

답 ⑬소행 ⑭떳떳 ⑮허름 ⑯조각

01 다음 문장의 괄호 안에서 알맞은 말을 고르시오.

(1) 칠판에 적혀 있는 영어 문장을 읽고 (해명, 해석)을 적어 보렴.

(2) 그 작품은 일제 강점기를 (배경, 배후)(으)로 하여 당시 우리 민족의 삶을 그려 내고 있다.

02 〈보기〉에서 다음 대화의 빈칸에 들어갈 말을 고르시오.

┤ 보기 ├

바늘 구멍으로 하늘 보기   수박 겉 핥기

학생 1: 그 책을 분명히 읽었는데 내용이 하나도 기억이 안 나네.

학생 2: (   ) 식으로 대충 글자만 읽고 내용을 제대로 파악하지 않았구나.

03 다음 빈칸에 공통으로 들어갈 말로 적절한 것은?

• 우승을 차지한 선수들이 (   ) 자세로 기념사진을 찍었다.

• 여러 번의 시도 끝에 잠자리 잡기에 성공한 아이가 (   ) 표정으로 돌아왔다.

① 가련한   ② 고달픈   ③ 육중한

④ 기막힌   ⑤ 의기양양한

04 〈보기〉의 괄호 안에서 알맞은 말을 고르시오.

┤ 보기 ├

전쟁 때 남쪽으로 내려온 (피고인, 피란민)인 할아버지는 고향에 가고 싶은 마음에 항상 통일을 (염려, 염원)하셨다.

05 다음 문장의 괄호 안에서 알맞은 말을 고르시오.

(1) 동네 개구쟁이들이 (천방지축, 천신만고)(으)로 장난을 치고 다녔다.

(2) 사과가 주렁주렁 열린 과수원에서 (풍요로운, 허름한) 가을의 정취를 느낄 수 있었다.

06 다음 단어와 뜻을 바르게 연결하시오.

(1) 토박이 •

(2) 엉겁결 •

(3) 자투리 •

• ㉠ 어떤 기준에 미치지 못할 정도로 작거나 적은 조각.

• ㉡ 대대로 그 땅에서 나서 오래도록 살아 내려오는 사람.

• ㉢ 미처 생각하지 못하거나 뜻하지 아니한 순간.

07 〈보기〉의 빈칸에 공통으로 들어갈 말로 적절한 것은?

┌ 보기 ┐

• 반항하는 동생 때문에 부모님은 (   ).

• 전 재산을 투자한 장사가 잘 안 되자 삼촌은 어찌해야 할지 (   ).

① 시비하였다　　　　② 의아하였다　　　　③ 망측스러웠다

④ 간드러졌다　　　　⑤ 골머리를 앓았다

08 〈보기〉에서 다음 상황에 알맞은 단어를 찾아 쓰시오.

┌ 보기 ┐

성미　　　　소행　　　　배짱　　　　체면

(1) 나는 (   )이/가 급해서 종종 실수를 저지르곤 한다.

(2) 자식인 네가 엉망으로 행동하면 부모님 (   )이/가 뭐가 되겠니?

너의 생각, 나의 생각

(1) 비교하며 읽기

비교

명사 둘 이상의 사물을 견주어 서로 간의 유사점, 차이점, 일반 법칙 따위를 고찰하는 일.

예 그는 다른 선수들과 비교가 되지 않을 정도로 뛰어난 실력을 지니고 있다.

관점

명사 사물이나 현상을 관찰할 때, 그 사람이 보고 생각하는 ❶ ㅌㄷ 나 방향 또는 처지.

예 그들은 동일한 사건을 서로 다른 관점에서 바라보았다.

형식

명사 일을 할 때의 일정한 절차나 양식 또는 한 무리의 사물을 특징짓는 데에 공통적으로 갖춘 모양.

예 수필은 자유로운 형식으로 표현하는 문학 갈래이다.

❷ ○○ 하다

형용사 이롭거나 도움이 될 만한 것이 있다.

예 독서를 통해 얻은 깨달음은 우리 삶에 ❷ ○○ 한 교훈과 지혜를 준다.

동일하다

형용사 각각 다른 것이 아니라 하나이다.

예 그때 내가 본 사람이 범인과 동일한 사람이었다.

정석

명사 사물의 처리에 정하여져 있는 일정한 ❸ ㅂㅅ.

예 업무를 처리할 때 정석을 따르면 큰 실수는 없을 것이다.

❹ ㅈㄱ 하다

형용사 솜씨나 기술 따위가 정밀하고 교묘하다.

예 그 금반지는 ❹ ㅈㄱ 하고 화려하게 세공되었다.

답 ❶ 태도 ❷ 유익 ❸ 방식 ❹ 정교

서투르다

형용사 일 따위에 익숙하지 못하여 다루기에 설다.

예 젓가락질이 서툴러서 할머니께 혼난 적이 있다.

창의적

관형사 · 명사 ⁵ $\boxed{\text{ㅊㅇㅅ}}$ 을 띠거나 가진. 또는 그런 것.

예 그 문제를 해결하기 위한 가장 창의적인 방안을 모색하고 있다.

(2) 청중을 고려하여 말하기

청중

명사 강연이나 설교, 음악 따위를 듣기 위하여 모인 사람들.

예 그가 준비한 연설은 청중을 사로잡기에 충분했다.

관심

명사 어떤 것에 마음이 끌려 ⁶ $\boxed{\text{ㅈㅇ}}$ 를 기울임. 또는 그런 마음이나 주의.

예 자라나는 아이들에게는 세심한 관심이 필요하다.

요구

명사 받아야 할 것을 필요에 의하여 달라고 청함. 또는 그 청.

예 학교 측은 학생들의 요구 사항을 반영하여 새로운 학칙을 제정했다.

⁷ $\boxed{\text{ㄱㄹ}}$ 하다

동사 생각하고 헤아려 보다.

예 손님의 취향을 ⁷ $\boxed{\text{ㄱㄹ}}$ 하여 새로운 메뉴를 마련했다.

⁸ $\boxed{\text{ㅈㅇ}}$ 하다

동사 안이나 의견으로 내놓다.

예 그에게 함께 등산을 가자고 먼저 ⁸ $\boxed{\text{ㅈㅇ}}$ 했다.

답 ❺ 창의성 ❻ 주의 ❼ 고려 ❽ 제안

⁹ ㅊㅈ 하다

동사 일정한 양을 기준으로 하여 같은 종류의 다른 양의 크기를 재다.

예 간호사는 온도계로 체온을 ⁹ ㅊㅈ 했다.

후원하다

동사 뒤에서 도와주다.

예 많은 결연 단체가 복지 시설을 후원하고 있다.

심리적

관형사 · 명사 ⑩ ㅁㅇ 의 작용과 의식 상태에 관한. 또는 그런 것.

예 이 환자는 심리적으로 안정이 필요하다.

⑪ ㅇ 안에서 뱅뱅 돌다

관용구 하고 싶은 말이 있어도 하지 아니하거나 또는 못하게 되다.

예 좋아한다는 말이 ⑪ ㅇ 안에서 뱅뱅 돌기만 했다.

입을 모으다

관용구 여러 사람이 같은 ⑫ ㅇㄱ 을 말하다.

예 그 사람은 성격이 활달하고 사람들과 두루 잘 지내서 다들 입을 모아 칭찬했다.

입만 살다

관용구 말에 따르는 행동은 없으면서 말만 그럴듯하게 잘하다.

예 그 친구는 입만 살았지 막상 일을 하니 형편없지 뭐야.

입만 아프다

관용구 여러 번 말하여도 받아들이지 아니하여 말한 보람이 없다.

예 그를 설득하려고 아무리 말을 해도 듣지를 않으니 내 입만 아플 뿐이다.

답 ⑨ 측정 ⑩ 마음 ⑪ 입 ⑫ 의견

한계

명사 사물이나 능력, 책임 따위가 실제 작용할 수 있는 [13] ㅂㅇ . 또는 그런 범위를 나타내는 선.

예 그는 자신의 능력이 한계에 다다랐음을 인정할 수밖에 없었다.

[14] ㅎㅅ 하다

동사 실력, 수준, 기술 따위가 나아지다. 또는 나아지게 하다.

예 외국어 독해력을 [14] ㅎㅅ 하려면 외국어로 쓰인 글을 많이 읽어야 한다.

[15] ㅊㅇ

명사 의복, 모자, 신발, 액세서리 따위를 입거나, 쓰거나, 신거나 차거나 함.

예 운전할 때 안전띠 [15] ㅊㅇ 은 필수이다.

첨단

명사 시대 사조, 학문, 유행 따위의 맨 앞장.

예 첨단 기술을 적용한 각종 스포츠용품이 개발되고 있다.

선풍적

관형사·명사 돌발적으로 일어나 사회에 큰 영향을 미치거나 관심의 대상이 될 만한. 또는 그런 것.

예 이 자동차는 출시되자마자 선풍적인 인기를 끌고 있다.

신기록

명사 [16] ㄱㅈ 의 기록보다 뛰어난 새로운 기록.

예 이 마라톤 선수는 이번 올림픽에서 신기록을 세웠다.

복용하다

동사 약을 먹다.

예 약을 복용할 때에는 지시된 용량을 지켜야 한다.

답 [13] 범위 [14] 향상 [15] 착용 [16] 기존

01 〈보기〉에서 다음 설명에 해당하는 단어를 고르시오.

> 보기
>
> 정석   관점   형식

> 사물이나 현상을 관찰할 때, 그 사람이 보고 생각하는 태도나 방향 또는 처지.

02 다음 단어와 뜻을 바르게 연결하시오.

(1) 창의적 •   • ㉠ 마음의 작용과 의식 상태에 관한. 또는 그런 것.

(2) 심리적 •   • ㉡ 창의성을 띠거나 가진. 또는 그런 것.

(3) 선풍적 •   • ㉢ 돌발적으로 일어나 사회에 큰 영향을 미치거나 관심의 대상이 될 만한. 또는 그런 것.

03 〈보기〉에서 다음 빈칸에 들어갈 알맞은 말을 찾아 쓰시오.

> 보기
>
> 후원한   동일한   정교한

(1) 이 시는 (   ) 시어를 반복해서 운율을 형성하고 있다.

(2) 내가 용돈을 모아 (   ) 아이가 보낸 편지를 읽고 마음이 뿌듯하였다.

04 다음 문장의 괄호 안에서 알맞은 말을 고르시오.

(1) 언니와 동생을 자꾸 (비교, 비판)해서 말하는 것은 좋지 않아.

(2) 지난주에 음악회에 다녀온 뒤로 악기 연주에 (관심, 관점)이 생겼다.

(3) 과거의 유물을 보고 있으면 현재의 도구나 기술 없이 어떻게 이렇게 (서투르게, 정교하게) 만들 수 있었는지 놀랍기만 하다.

05 〈보기〉의 빈칸에 들어갈 말이 바르게 짝지어진 것은?

> ┤ 보기 ├
>
> 축제와 관련된 학생들의 (   )를 주최 측에 전달하였습니다. 주최 측에서는
> 그 내용을 (   )하여 축제를 기획하겠다고 답변하였습니다.

① 요구, 고려 ② 요구, 측정 ③ 요구, 제안

④ 한계, 측정 ⑤ 한계, 고려

06 다음 단어와 뜻을 바르게 연결하시오.

(1) 착용 • • ㉠ 강연이나 설교, 음악 따위를 듣기 위하여 모인 사람들.

(2) 첨단 • • ㉡ 의복, 모자, 신발, 액세서리 따위를 입거나, 쓰거나, 신거나 차거나 함.

(3) 청중 • • ㉢ 시대 사조, 학문, 유행 따위의 맨 앞장.

07 다음 대화의 빈칸에 들어갈 말로 알맞은 것은?

> 학생 1: 오늘부터 다이어트를 할 거야. 밥은 하루에 한 끼만 먹어야지.
> 학생 2: 그러면 안 돼. 전문가들이 모두 (   ) 무리한 다이어트를 하지 말라는
> 데는 다 이유가 있어.

① 입을 씻고 ② 입을 모아서 ③ 입만 살아서

④ 입만 아프게 ⑤ 입 안에서 뱅뱅 돌아

08 〈보기〉의 괄호 안에서 알맞은 말을 고르시오.

> ┤ 보기 ├
>
> 유산균은 장을 건강하게 하는 등 인체에 (유사한, 유익한) 균이다.

1. 문학의 샘

어휘 확인하기 | 22~23쪽

01 (1) 해석 (2) 배경 02 수박 겉 핥기 03 ⑤ 04 피란민, 염원 05 (1) 천방지축 (2) 풍요로운 06 (1) ⓒ (2) ⓒ (3) ⓐ 07 ⑤ 08 (1) 성미 (2) 체면

01 (1) '문장이나 사물 따위로 표현된 내용을 이해하고 설명함. 또는 그 내용.'을 의미하는 '해석'이 적절하다. '해명'은 '까닭이나 내용을 풀어서 밝힘.'을 의미한다.
(2) '문학 작품에서, 주제를 뒷받침하는 시대적·사회적 환경이나 장소.'를 의미하는 '배경'이 적절하다. '배후'는 '어떤 일의 드러나지 않은 이면.'을 의미한다.

02 책을 대충 읽어 내용을 모르는 상황이므로 '사물의 속 내용은 모르고 겉만 건드리는 일을 비유적으로 이르는 말.'인 '수박 겉 핥기'가 적절하다.

03 제시된 문장은 모두 원하는 것을 이룬 상황이므로 '뜻한 바를 이루어 만족한 마음이 얼굴에 나타난 상태다.'를 의미하는 '의기양양한'이 적절하다.

04 〈보기〉에 제시된 문장의 내용으로 보아 차례대로 '난리를 피하여 가는 백성.'을 의미하는 '피란민', '마음에 간절히 생각하고 기원하다.'를 의미하는 '염원하다'가 적절하다.

05 (1) '못난 사람이 종작없이 덤벙이는 모양. 또는 그런 일.'을 의미하는 '천방지축'이 적절하다.
(2) '흠뻑 많아서 넉넉함이 있다.'를 의미하는 '풍요로운'이 적절하다.

07 두 문장 모두 어찌해야 할지 고민하는 상황이므로 '어떻게 하여야 할지 몰라서 머리가 아플 정도로 생각에 몰두하다.'를 의미하는 '골머리를 앓았다'가 적절하다.

08 (1) '성질, 마음씨, 비위, 버릇 따위를 통틀어 이르는 말.'인 '성미'가 적절하다.
(2) '남을 대하기에 떳떳한 도리나 얼굴.'을 의미하는 '체면'이 적절하다.

2. 너의 생각, 나의 생각

어휘 확인하기 | 28~29쪽

01 관점 02 (1) ⓒ (2) ⓐ (3) ⓑ 03 (1) 동일한 (2) 후원한
04 (1) 비교 (2) 관심 (3) 정교하게 05 ① 06 (1) ⓒ (2) ⓒ (3) ⓐ 07 ② 08 유익한

01 '사물이나 현상을 관찰할 때, 그 사람이 보고 생각하는 태도나 방향 또는 처지.'를 의미하는 단어는 '관점'이다. '정석'은 '사물의 처리에 정하여져 있는 일정한 방식.', '형식'은 '일을 할 때의 일정한 절차나 양식 또는 한 무리의 사물을 특징짓는 데에 공통적으로 갖춘 모양.'을 의미한다.

03 (1) '각각 다른 것이 아니라 하나이다.'를 의미하는 '동일한'이 적절하다.
(2) '뒤에서 도와주다.'를 의미하는 '후원한'이 적절하다.

04 (1) '둘 이상의 사물을 견주어 서로 간의 유사점, 차이점, 일반 법칙 따위를 고찰하는 일.'을 의미하는 '비교'가 적절하다.
(2) '어떤 것에 마음이 끌려 주의를 기울임.'을 의미하는 '관심'이 적절하다.
(3) '솜씨나 기술 따위가 정밀하고 교묘하다.'를 의미하는 '정교하게'가 적절하다.

05 〈보기〉의 내용을 고려할 때 차례대로 '받아야 할 것을 필요에 의하여 달라고 청함.'을 의미하는 '요구'와 '생각하고 헤아려 보다.'를 의미하는 '고려하다'가 들어가는 것이 적절하다.

07 전문가들이 같은 의견을 말하고 있는 상황이므로 '여러 사람이 같은 의견을 말하다.'를 의미하는 '입을 모아서'가 적절하다. ① '입을 씻고'는 '이익 따위를 혼자 차지하거나 가로채고서는 시치미를 떼다.'라는 의미이다.

08 유산균이 인체에 도움이 된다는 의미이므로 '이롭거나 도움이 될 만한 것이 있다.'라는 의미의 '유익한'이 적절하다.

기말고사 대비

정답과 해설

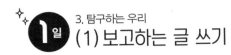

1일 3. 탐구하는 우리
(1) 보고하는 글 쓰기

기초 확인 문제 | 7, 9쪽

01 (1) 보고서 (2) 결과 (3) 인용 02 윤리 03 ⑤ 04 음료수 05 ④ 06 ⓒ 07 ② 08 민서 09 다양한 가습 방법의 효과 비교 10 ②

---

01 (1) 보고서는 어떤 목적을 가지고 실시한 관찰, 조사, 실험의 절차와 결과를 정리해서 쓴 글이다.
(2) 보고서를 쓸 때에는 관찰, 조사, 실험한 절차와 결과가 잘 드러나게 해야 한다.
(3) 다른 사람의 글이나 자료를 인용할 때에는 출처를 밝혀야 한다.

02 제시된 뉴스는 학생들이 저지르기 쉬운 쓰기 윤리의 위반 사례를 보여 주고 있다. 쓰기 윤리는 글을 쓰는 과정에서 준수해야 할 윤리적 규범으로, 다른 사람의 글을 인용할 때에는 반드시 출처를 밝혀야 한다.

03 조사 결과를 조사 목적에 맞게 변형하는 것은 조사 결과를 왜곡하는 것이므로 적절하지 않으며, 쓰기 윤리에도 어긋난다.

04 수현이네 모둠은 우리 학교 학생들의 건강을 위해 음료수로 당류를 지나치게 섭취하는 문제를 조사하려고 계획했다.

05 주제를 잘 알고 있는 전문가를 직접 만나 정보를 수집하는 조사 방법은 면담 조사이다.

06 제시된 대화에서는 조사 내용을 정리할 때 조사의 절차와 결과를 구체적으로 밝혀야 함을 이야기하고 있으며, 이는 보고서 쓰기의 과정 중에서 내용 정리 및 결과 분석하기에 해당한다.

07 나연이는 조사 결과를 과장하려고 하고 희준이는 의도에 맞는 결과만 골라서 제시하려고 한다. 보고서를 작성할 때에는 쓰기 윤리를 지켜 조사 내용을 왜곡하거나 변형하지 않고 사실 그대로 제시해야 하므로 ②는

적절하지 않다.

08 수현이네 모둠은 보고서를 쓰면서 조사 결과를 변형하거나 왜곡하지 않고 사실대로 제시했으며, 글의 끝부분에 참고 자료의 출처를 구체적으로 밝히기로 했다.

09 재희와 가영이는 건조한 겨울에 대비해 다양한 가습 방법의 효과를 비교하여 보고서를 쓰려고 한다.

10 재희는 책의 내용과 실험 결과가 다르다는 이유로 실험 결과를 고치려고 하므로 실험 내용을 함부로 고쳐서는 안 된다는 충고를 해야 한다.

교과서 기출 베스트 | 10~13쪽

01 ⑤ 02 ⓑ, ⓓ 03 ① 04 ③ 05 자료 조사 06 ⑤
07 ② 08 도표(그래프) 09 ⑤ 10 ④ 11 ⑤

---

01 이 조사 계획서에는 조사 목적 및 주제, 조사 기간과 조사 대상, 조사 내용이 구체적으로 나타나 있으나 모둠원의 역할 분담과 관련된 내용은 확인할 수 없다.

02 우리 학교 학생들이 음료수를 마시는 실태를 알아보려면 우리 학교 학생들을 대상으로 설문 조사나 면담 조사를 실시하는 것이 적절하다.

📺 **자료실** 다양한 조사 방법

설문 조사	주제와 관련된 질문을 통해 자료를 수집하는 조사 방법
현장 조사	주제와 관련된 장소를 직접 방문하여 조사하는 방법
자료 조사	책, 신문, 잡지, 인터넷 등과 같은 자료를 활용하는 조사 방법
면담 조사	주제를 잘 알고 있는 전문가를 직접 만나 정보를 수집하는 조사 방법

---

03 보고서를 계획하는 단계에서는 조사, 관찰, 실험의 목적 및 주제를 정하고 조사 기간과 대상, 방법 등의 계획을 수립하여 모둠원끼리 역할을 분담해야 한다.

04 설문지를 만들 때에는 조사 목적을 달성할 수 있는 적정한 양의 질문을 하는 것이 좋으며 너무 많은 질문은 응

답자에게 부담을 줄 수 있다.

05 (나)에서는 인터넷에서 찾은 내용을 자료로 활용하려고 하므로 책, 신문, 잡지, 인터넷 등과 같은 자료를 활용하는 조사 방법인 자료 조사가 적절하다.

06 면담 내용을 녹음할 때에는 사전에 면담 대상자의 동의와 양해를 구해야 한다.

07 (가)에 영양 성분표를 확인하는 학생이 8명, 확인하지 않는 학생이 92명으로 나타나 있으므로 우리 학교 학생 대부분이 영양 성분표를 확인하지 않는다고 할 수 있다.

08 [A]를 〈보기〉와 같은 도표(그래프)를 활용하여 나타내면 독자들이 조사 결과를 한눈에 파악할 수 있다.

09 보고서는 관찰, 조사, 실험의 절차와 결과를 정리하여 쓴 글이므로 조사, 관찰, 실험한 내용을 객관적으로 전달해야 한다. 따라서 개인의 견해를 바탕으로 보고서를 작성해야 한다는 설명은 적절하지 않다.

10 재희와 가영이는 건조한 겨울에 대비해 다양한 가습 방법의 효과를 비교하여 실험 보고서를 작성하려고 한다.

11 실험 결과를 마음대로 변형하거나 왜곡하는 것은 쓰기 윤리에 어긋나므로 실험한 결과를 그대로 쓰도록 충고해야 한다.

2일 3. 탐구하는 우리
(2) 문장의 짜임과 양상 ①

기초 확인 문제 | 17, 19쪽

01 ③ 02 율희 03 (1) 주어 (2) 서술어 04 (1) ⓒ (2) ㉠
(3) ⓒ (4) ㉣ 05 ① 06 ⑤ 07 (1) 국화가, 벌이 (2) 피어서, 날아왔다 08 (1) 홑 (2) 홑 (3) 겹 09 (1) ⓒ (2) ㉠
10 서준

01 주성분에는 '주어, 서술어, 목적어, 보어'가 있다. 부사어는 부속 성분에 속한다.

02 부속 성분은 다른 성분을 꾸며 주는 성분이며, 다른 성분과 직접적인 관계를 맺지 않고 독립적으로 쓰이는 성분은 독립 성분이다.

03 (1) '지후가'는 문장에서 동작이나 작용, 상태나 성질의 주체가 되는 말인 주어이다.
(2) '먹는다'는 문장에서 동작이나 작용, 상태나 성질 등을 풀이하는 말인 서술어이다.

04 (1) 보어는 서술어 '되다 / 아니다' 앞에서 의미를 보충하는 말이다.
(2) 목적어는 서술어가 나타내는 행위의 대상이 되는 말이다.
(3) 관형어는 체언 앞에서 체언(명사, 대명사, 수사)의 뜻을 꾸며 주는 말이다.
(4) 부사어는 주로 용언(동사, 형용사)의 뜻이 분명하게 드러나도록 꾸며 주는 말이다.

05 '새'는 뒤에 오는 체언인 '신발'을 꾸며 주는 관형어로 부속 성분에 속한다.

06 '와'는 감탄의 뜻을 나타내는 독립어로 어느 문장 성분과도 직접적인 관련이 없는 독립 성분이다.

07 제시된 문장에서 동작이나 작용, 상태나 성질의 주체가 되는 말인 주어는 '국화가', '벌이'이고, 동작이나 작용, 상태나 성질 등을 풀이하는 말인 서술어는 '피어서', '날아왔다'이다.

08 (1) 주어('우리는')와 서술어('먹는다')의 관계가 한 번만 나타나는 홑문장이다.
(2) 주어('동생은')와 서술어('된다')의 관계가 한 번만 나타나는 홑문장이다.
(3) 주어('나는', '동생은')와 서술어('되고', '된다')의 관계가 두 번 이상 나타나는 겹문장이다.

09 겹문장은 문장의 확대 방식에 따라 둘 이상의 홑문장이 나란히 이어져서 이루어진 이어진문장과, 한 홑문장이 다른 홑문장을 하나의 문장 성분처럼 안고 있는 안은문장으로 나누어진다.

10 제시된 문장은 '우리는 (무엇을) 바란다.'라는 홑문장 속에 '민서가 돌아오다.'라는 홑문장이 하나의 문장 성분처럼 안겨 있는 안은문장이다.

교과서 **기출 베스트** | 20~21쪽

01 ②　**02** ③　**03** ⑤　**04** (1) 국화가 (2) 피었다　**05** ④
06 ④　**07** (1) (가) (2) (나)　**08** ⑤

01 '하늘이', '지후가'는 '누가 / 무엇이'에 해당하는 말로 문장에서 동작이나 작용, 상태나 성질의 주체가 되는 말인 주어이다.

02 ⓒ에는 '드세요.', '잡수세요.'와 같이 문장에서 동작이나 작용, 상태나 성질 등을 풀이하는 말인 서술어가 들어가야 한다.

03 '까만'은 체언 앞에서 체언(명사, 대명사, 수사)의 뜻을 꾸며 주는 관형어, '정말'은 주로 용언(동사, 형용사)의 뜻이 분명하게 드러나도록 꾸며 주는 부사어로 다른 성분을 꾸며 주는 부속 성분에 속한다. 부속 성분은 생략해도 문장의 의미가 온전하다.

오답 풀이
① 제시된 문장은 관형어('까만'), 주어('모자가'), 부사어('정말'), 서술어('멋있다')의 4개의 문장 성분으로 이루어져 있다.
② '까만'은 관형어로 체언 '모자'를 꾸며 준다.
③ '정말'은 부사어로 용언 '멋있다'를 꾸며 준다.
④ '까만'과 '정말'은 다른 말을 꾸며 주는 부속 성분이다.

04 〈보기〉의 문장에서 동작이나 작용, 상태나 성질의 주체가 되는 말인 주어는 '국화가'이고, 동작이나 작용, 상태나 성질 등을 풀이하는 말인 서술어는 '피었다'이다.

05 '와'는 감탄의 뜻을 나타내는 독립어로 어느 문장 성분과도 직접적인 관련이 없는 독립 성분이다.

06 제시된 문장은 주어('나는', '동생은')와 서술어('되고', '된다')의 관계가 두 번 이상 나타나는 겹문장이다.

07 (가)는 주어('아이들이')와 서술어('날리는구나')의 관계가 한 번만 나타나는 홑문장이고, (나)는 주어('바람이', '날씨는')와 서술어('불지만', '따뜻하다')의 관계가 두 번 이상 나타나는 겹문장이다.

08 한 홑문장이 다른 홑문장을 하나의 문장 성분처럼 안고 있는 문장은 안은문장이다. ⑤는 '나는 (어떤) 사실을 알았다.'라는 홑문장이 '삼촌이 여행을 떠났다.'라는 홑문장을 안고 있는 안은문장이다.

✨ **3**일 3. 탐구하는 우리
(2) 문장의 짜임과 양상 ②

기초 **확인 문제** | 25, 27쪽

01 (1) ⓒ (2) ㄱ　**02** 찬희　**03** 비가 그치면 지수는 외출할 것이다.　**04** 그녀가 만든　**05** ②　**06** 윤아　**07** 중의적 표현　**08** 홑문장　**09** 효과　**10** ⓑ

01 (1) 앞뒤 문장이 원인과 결과의 의미 관계로 종속적으로 이어진 문장이다.
(2) 앞뒤 문장이 대조의 의미 관계로 대등하게 이어진 문장이다.

02 〈보기〉는 '비가 왔다.'와 '바람이 불었다.'라는 두 홑문장이 나란히 이어져서 이루어진 이어진문장이며, 앞뒤 문장이 나열의 의미 관계로 이어져 있다.

03 제시된 그림 속의 상황과 조건의 의미 관계가 나타나도록 두 홑문장을 이으면 '비가 그치면 지수는 외출할 것이다.'라는 종속적으로 이어진 문장을 만들 수 있다.

04 제시된 문장은 '민호는 (어떤) 꽃다발을 들었다.'라는 홑문장에 '그녀가 꽃다발을 만들었다.'라는 홑문장이 안겨 있으므로 안긴문장은 '그녀가 만든'이다.

05 제시된 문장은 '민호는 어떠하다.'와 '키가 크다.'가 결합한 안은문장으로, 안긴문장인 '키가 크다.'가 안은문장에서 서술어의 역할을 한다.

06 제시된 문장은 목적어 '춤(을)'과 호응하는 서술어가 없어서 어색하므로 '많은 사람이 춤을 추고 노래를 부르며 축제를 즐기고 있다.'로 고쳐 써야 한다.

07 한 문장이 둘 이상의 의미로 해석되는 것을 중의적 표현이라고 한다.

08 홑문장을 활용하면 내용을 간결하고 명료하게 전달할 수 있으며, 속도감과 긴장감을 느낄 수 있다.

09 어떤 짜임의 문장을 활용하느냐에 따라 표현 효과가 달라지므로 글을 쓸 때에는 표현 의도를 고려하여 다양한 짜임의 문장을 효과적으로 활용해야 한다.

10 ⓑ는 주어('선무당이')와 서술어('잡는다')의 관계가 한 번만 나타나는 홑문장이다. ⓐ는 안은문장, ⓒ와 ⓓ는 종속적으로 이어진 문장이다.

교과서 기출 베스트 | 28~29쪽

01 ⑤ **02** ② **03** ③ **04** ④ **05** ② **06** 나의 꿈은 올림픽에 나가서 금메달을 따는 것이다.(나는 올림픽에 나가서 금메달을 따기를 바랐다.) **07** 종현이는 고향에서 온 혜리를 어제 만났다. **08** ⑤

01 〈보기〉의 문장은 앞뒤 문장이 원인과 결과의 의미 관계로 이어져 있는 종속적으로 이어진 문장이다.

02 ②는 '비가 그치다.'와 '지수는 외출할 것이다.'라는 두 홑문장이 나란히 이어져서 이루어진 종속적으로 이어진 문장이다. 나머지는 모두 안은문장이다.

오답 풀이
① 서술어 역할을 하는 안긴문장을 포함하고 있는 안은문장이다.
③ 목적어 역할을 하는 안긴문장을 포함하고 있는 안은문장이다.
④ 부사어 역할을 하는 안긴문장을 포함하고 있는 안은문장이다.
⑤ 주어 역할을 하는 안긴문장을 포함하고 있는 안은문장이다.

03 안긴문장 '그녀가 만든'은 뒤에 오는 체언 '꽃다발'을 꾸며 주는 관형어의 역할을 하고 있다.

04 (나)는 '누군가 (어떻게) 그녀에게 다가왔다.'와 '소리도 없다.'가 결합한 안은문장으로, 안긴문장 '소리도 없이'가 문장에서 부사어의 역할을 한다.

05 '(물은) 섭씨 100도 이하에서는 된다.' 부분에 '되다'의 의미를 보충하는 보어가 빠져 있기 때문에 제시된 문장이 어색하게 느껴진다.

06 〈보기〉의 문장은 주어 '나의 꿈은'과 서술어 '바랐다'의 호응이 이루어지지 않아서 어색하므로 '나의 꿈은 올림픽에 나가서 금메달을 따는 것이다.' 또는 '나는 올림픽에 나가서 금메달을 따기를 바랐다.'라고 고쳐야 한다.

07 제시된 문장은 '어제'가 무엇을 꾸며 주는지 명확하지 않아서 두 가지 뜻으로 해석되는 중의적 표현이다. 〈보기〉의 그림에는 종현이와 혜리가 어제 만난 상황이 나타나 있다.

08 (가)는 홑문장, (나)는 겹문장(이어진문장)으로 이루어져 있다. 홑문장은 내용을 간결하고 명료하게 전달하며 속도감과 긴장감을 느끼게 하고, 겹문장은 내용을 논리적이고 집중력 있게 전달하므로 (가)가 (나)에 비해 긴장감과 강렬한 인상을 느끼게 한다고 할 수 있다.

4일 4. 세상을 보는 눈
(1) 논증 방법 파악하며 읽기

기초 확인 문제 | 33, 35쪽

01 논증 **02** (1) ⓒ (2) ⓒ (3) ⓒ **03** 귀납 **04** 금붕어
05 ⓒ **06** 준태 **07** 연역 **08** 악영향 **09** ③ **10** 잘못

01 제시된 대화에서는 '우리 동아리에는 꽃꽂이를 좋아하는 친구들이 모였어.'라는 대전제로부터 '그럼 수민이도 꽃꽂이를 좋아하겠네.'라는 결론을 이끌어 내고 있다. 이처럼 어떤 문제와 관련하여 근거를 들어 결론을 이끌어 내는 논리적 전개 과정을 논증이라고 한다.

02 (1) 귀납은 구체적이고 개별적인 사실에서 일반 법칙을 이끌어 내는 논증 방법이다.
(2) 유추는 두 개의 사물이 여러 면에서 비슷하다는 것을 근거로 다른 속성도 유사할 것이라고 추론하는 논증 방법이다.
(3) 연역은 일반 법칙에서 개별적이고 구체적인 사실을 이끌어 내는 논증 방법이다.

03 〈보기〉에는 구체적이고 개별적인 사실에서 일반 법칙을 이끌어 내는 귀납의 논증 방법이 사용되었다.

04 연역은 일반 법칙에서 개별적이고 구체적인 사실을 이끌어 내는 논증 방법이다. '물고기는 아가미로 숨을 쉰다.'라는 일반 법칙에서 '그러므로 금붕어는 아가미로 숨을 쉰다.'라는 구체적인 사실을 이끌어 내려면 '금붕어는 물고기이다.'라는 내용이 들어가야 한다.

05 ⓒ은 글에 사용된 논증 방법이 아니라 설명 방법을 파악하며 읽을 때의 좋은 점에 해당한다.

06 〈밤도 대낮처럼 환하게, 인공 빛의 두 얼굴〉에서는 귀납과 연역의 논증 방법을 사용하여 건강한 삶을 살기 위해 불필요한 불을 끄자는 글쓴이의 주장의 설득력을 높이고 있으며, 유추의 논증 방법은 사용되지 않았다.

07 대전제와 소전제를 바탕으로 구체적인 결론을 이끌어 내고 있으므로 일반 법칙에서 개별적이고 구체적인 사실을 이끌어 내는 논증 방법인 연역이 사용되었다.

08 근거 1은 빛 공해가 사람에게 미치는 악영향, 근거 2, 3은 빛 공해가 동식물에 미치는 악영향에 해당하므로 '빛 공해는 인간과 동식물에 악영향을 미친다.'라는 결론을 이끌어 낼 수 있다.

09 〈집을 수리하고 나서〉에서는 집을 수리하는 경험에서 얻은 깨달음을 자신의 잘못을 고치는 일과 나라를 다스리는 일에 적용하여 해석하는 유추를 사용하여 내용을 전개했다.

10 〈집을 수리하고 나서〉의 글쓴이는 비가 새는 행랑채를 수리한 경험을 통해 잘못을 알고서도 바로 고치지 않으면 더 큰 문제가 발생한다는 교훈을 전하고 있다.

01 ③ **02** 과도한 인공 빛 **03** 연역 **04** ④ **05** ④ **06** 유추

01 이 글은 건강상의 문제에서는 어둠도 중요한 역할을 하며, 인공조명 때문에 여러 문제가 발생하므로 불필요한 불을 꺼야 한다고 독자를 설득하는 글이다. 따라서 글쓴이의 주관적인 의견을 바탕으로 독자를 설득하기 위한 객관적인 근거들을 제시하고 있다고 할 수 있다.

02 (나)에서 과도한 인공 빛 속에서 살아가고 있는 수많은 사람은 의식도 하지 못한 채 빛 때문에 ㉠과 같은 문제를 겪는다고 했다.

03 (다)에는 일반 법칙에서 개별적이고 구체적인 사실을 이끌어 내는 논증 방법인 연역이 사용되었다.

04 글쓴이는 비가 새는 행랑채를 수리한 경험에서 얻은 깨달음을 바탕으로 이 글을 썼다. 글쓴이가 비가 새는 행랑채를 수리했다고 했을 뿐 손수 지었는지는 확인할 수 없으며, 나라의 정치에 관여했다는 내용도 이 글에 제시되어 있지 않다.

05 이 글에서 글쓴이는 행랑채를 수리한 경험에서 얻은 깨달음을 사람과 나라까지 확대해서 적용하여 잘못을 알면 바로 고쳐야 한다는 주제를 전달하고 있다.

06 이 글에서는 '집수리', '사람의 잘못', '나라의 정치'의 유사성을 바탕으로 의미를 확장해 가는 논증 방법을 사용하고 있다. 이처럼 둘 이상의 대상이나 현상이 여러 면에서 비슷하다는 점을 근거로 다른 속성도 유사할 것이라고 추론하는 논증 방법을 유추라고 한다.

5일 4. 세상을 보는 눈
(2) 설득 전략 분석하며 듣기

01 (1) 이성적 설득 (2) 타당성 **02** 비판적 **03** ② **04** (1) ㉠ (2) ㉢ (3) ㉡ **05** ㉡ **06** ⑤ **07** 감성적 설득 **08** 이성적 설득 **09** 신뢰도 **10** 개인 정보

01 (1) 설득 전략에는 이성적 설득, 감성적 설득, 인성적 설득이 있다.
(2) 설득하는 말을 들을 때에는 설득 전략의 타당성을 판단하며 비판적으로 듣는 태도가 필요하다.

02 엄마가 오기를 기다리던 오누이는 엄마의 모습으로 변장한 호랑이가 문을 열어 달라고 하자 호랑이의 말을 그대로 믿지 않고 의심하며 비판적으로 듣고 있다.

03 헌혈 공익 광고에서는 헌혈의 필요성과 가치를 제시하여 보는 이에게 헌혈에 동참할 것을 설득하고 있다.

04 (1) 이성적 설득은 논리적이고 이성적인 방법으로 말하는 이의 주장을 뒷받침하는 설득 전략이다.
(2) 감성적 설득은 듣는 이의 욕망과 분노, 자긍심, 동정심 등과 같은 감정에 호소하여 듣는 이의 마음을 움직이는 설득 전략이다.
(3) 인성적 설득은 말하는 이의 사람 됨됨이를 바탕으로 하여 내용에 신뢰를 갖게 하는 설득 전략이다.

05 제시된 광고에서는 우리가 하는 헌혈이 누군가에게 희망을 줄 수 있다는 내용을 통해 감정에 호소하는 감성적 설득이 사용되었다.

06 아람이의 연설은 학생회장 후보인 자신을 학생회장으로 뽑아 달라고 친구들을 설득하기 위한 선거 유세이다.

07 아람이는 친구들에게 봉사하겠다는 자신의 진심이 담긴 노래를 불러 청중의 감정에 호소하는 감성적 설득을 사용하고 있다.

08 연설자는 동계 올림픽 유치를 위한 우리 정부의 노력과 그 성과를 구체적으로 제시하여 청중을 이성적으로 설득하고 있다.

09 평창 동계 올림픽을 유치하기 위한 연설에서는 성실하게 노력하여 훌륭한 성과를 거둔 김연아 선수를 연설자로 선정하여 내용의 신뢰도를 높이는 인성적 설득이 사용되었다.

10 이 광고에서는 사람들이 잘 알고 있는 〈알리바바와 사십 인의 도적〉을 패러디하여 흥미를 유발하는 감성적 설득을 사용하여 개인 정보 보호의 필요성을 일깨우고 있다.

교과서 기출 베스트 | 44~47쪽

01 ③ 02 (나), 이성적 설득 03 ⑤ 04 ③ 05 ⑤
06 ③ 07 인성적 설득 08 필요성, 방법 09 이성적 설득, 감성적 설득

01 이 광고에서는 유명인이 아니라 평범한 사람을 등장시켜 헌혈에 동참할 것을 설득하고 있다.

오답 풀이
① (가)~(다)는 헌혈이 다른 사람에게 희망을 줄 수 있음을 알려 헌혈에 참여하도록 설득하는 공익 광고이다.
② (나)에서 우리나라에 필요한 혈액량과 헌혈로 살릴 수 있는 사람의 수를 구체적인 수치로 제시하고 있다.
④ (가)에서 헌혈을 생활 속에서 실천하고 있는 사람을 말하는 이로 등장시켜서 설득력을 높이고 있다.

02 〈보기〉에서는 설문 조사 결과를 활용하여 청중에게 신뢰감을 주고 설득력을 높이고 있다. (나)에서는 헌혈을 하면 많은 생명을 구할 수 있다는 내용을 구체적인 수치로 제시하여 보는 이를 설득하고 있다. 이처럼 논리적이고 이성적인 방법으로 말하는 이의 주장을 뒷받침하는 설득 전략을 이성적 설득이라고 한다.

03 (나)에서 아람이는 자신이 학생회장 후보로서 배려하고 봉사하는 마음가짐을 갖추고 있음을 강조하는 인성적 설득을 사용했다.

04 아람이는 (다)에서 학생들의 관심과 의견을 고려하여 공약을 실현할 구체적인 방법을 제시하고 있다.

05 (라)에서 연설자는 우리의 새로운 도전은 경기장보다 더 큰 유산인 인적 유산을 남길 것이라고 말하고 있다.

06 (다)에서 연설자는 우리나라가 동계 스포츠를 발전시키려고 한 노력과 그 성과를 구체적인 수치로 제시하여 청중을 이성적으로 설득하고 있다.

07 ㉠에는 성실하게 노력하여 훌륭한 성과를 거둔, 세계적으로 유명한 동계 스포츠 선수가 연설자라는 점을 내세운 인성적 설득이 사용되었다.

08 이 광고에서는 〈알리바바와 사십 인의 도적〉 이야기를 활용하여 개인 정보 보호의 필요성을 강조하고, 개인 정보를 관리하는 화면을 제시하여 개인 정보를 보호하는 방법을 구체적으로 알려 주고 있다.

09 이 광고에서는 개인 정보를 보호할 수 있는 구체적인 방법을 제시하는 이성적 설득과 많은 사람이 잘 알고 있는 〈알리바바와 사십 인의 도적〉 이야기를 활용하여 사람들의 관심을 끄는 감성적 설득이 사용되었다.

정답과 해설

6일

누구나 100점 테스트 1회 | 48~51쪽

01 (가) 02 ② 03 ④ 04 ③ 05 ④ 06 ② 07 ⑤
08 (1) ㉤ (2) ㉠, ㉢, ㉣ 09 ③ 10 간결

01 (가)에는 제시된 설문지의 설문 결과가 정리되어 있다.

02 조사 내용을 변형하거나 왜곡하는 것은 쓰기 윤리에 어긋나므로 조사 결과를 과장해서는 안 된다고 대답해야 한다.

03 이 글은 어떤 목적을 가지고 실시한 관찰, 조사, 실험의 절차와 결과를 정리하여 쓴 보고서로, 문제 상황에 대한 개인의 의견은 드러나 있지 않다.

04 [A]를 〈보기〉처럼 도표를 활용하여 나타내면 독자들이 설문 조사 결과를 한눈에 파악할 수 있다.

05 보고서를 작성할 때 실험 결과를 변형하거나 왜곡하는 것은 쓰기 윤리를 어기는 것이므로 사실 그대로 기록해야 한다.

06 '춤'은 부르는 것이 아니라 추는 것이므로, 목적어 '춤(을)'과 서술어 '부르며'의 호응이 이루어지지 않아서 어색한 문장이다.

07 '피아노를', '노래를', '합창단을'은 문장에서 서술어가 나타내는 행위의 대상이 되는 말인 목적어로 주성분에 속한다. ⑤는 독립 성분인 독립어에 대한 설명이다.

08 (1)에는 홑문장이, (2)에는 겹문장이 들어가야 한다. ㉠은 관형어 역할을 하는 안긴문장을 포함하고 있는 안은문장(겹문장), ㉤은 홑문장, ㉢, ㉣은 종속적으로 이어진문장(겹문장)이다.

09 〈보기〉는 앞뒤 문장이 나열의 의미 관계로 대등하게 이어진 문장이다. ③은 '준수가 노래한다.'와 '세인이가 춤춘다.'라는 두 홑문장이 나열의 의미 관계로 대등하게 이어진 문장이다.

오답 풀이

①, ②, ⑤는 주어와 서술어의 관계가 한 번만 나타나는 홑문장, ④는 안은문장이다.

10 제시된 광고 문구는 겹문장으로 이루어져 있어 내용 사이의 연결 관계가 잘 드러나고 '……세요.'의 반복을 피할 수 있어서 내용이 집중력 있게 전달된다. 홑문장으로 바꾼 〈보기〉는 문장이 짧고 단순하여 내용이 간결하고 명쾌하게 전달된다.

누구나 100점 테스트 2회 | 52~55쪽

01 ⑤ 02 악영향 03 연역 04 유추 05 ④ 06 ③
07 (가), (라) 08 ② 09 (다) 10 ③

01 이 글에서는 과도한 인공 빛이 사람과 동식물에 미치는 악영향의 여러 사례를 제시하며 건강한 삶을 위해 불필요한 불을 끄자고 주장하고 있다.

02 (가)~(다)에서는 빛 공해가 사람과 동식물에 미치는 악영향을 구체적인 사례와 함께 제시하고 있다. 이를 근거로 하여 빛 공해가 인간과 동식물에 악영향을 미친다는 결론을 이끌어 낼 수 있다.

03 (라)에는 지구상의 모든 생명체는 자연의 시계대로 살 때 건강하게 살 수 있다는 일반 법칙에서 인간도 인공 빛을 줄여야 건강하게 살 수 있다는 구체적이고 개별적인 사실을 이끌어 내는 연역의 논증 방법이 사용되었다.

04 이 글의 글쓴이는 행랑채를 수리하는 경험에서 얻은 깨달음을 다른 대상이나 현상에 적용하여 해석하는 유추의 논증 방법을 사용하여 내용을 전개하고 있다.

05 글쓴이는 행랑채를 수리한 경험에서 얻은 깨달음을 사람과 나라의 경우로 확대해서 적용하여, 잘못을 알았을 때 즉시 고쳐야 한다는 깨달음을 전하고 있다.

06 (가)~(다)는 다양한 설득 전략을 사용하여 헌혈에 동참할 것을 설득하고 있으나 헌혈에 참여하는 구체적인 방법을 제시하지는 않았다.

07 말하는 이의 사람 됨됨이를 바탕으로 하여 내용에 신뢰를 갖게 하는 설득 전략은 인성적 설득이다. (가)에서는 헌혈 명예 대장을 말하는 이로 내세워 보는 이에게 신뢰감을 주고 있으며, (라)에서는 성실하게 노력하여 훌륭한 성과를 거둔 세계적인 동계 스포츠 선수가 연설자라는 점을 내세워 청중을 설득하고 있다.

08 이 연설은 학생회장 후보인 아람이가 자신을 학생회장으로 뽑아 달라고 학생들을 설득하는 선거 유세이다.

09 논리적이고 이성적인 방법으로 말하는 이의 주장을 뒷받침하는 설득 전략은 이성적 설득이다. 아람이는 (다)에서 우리 학교 학생들을 대상으로 한 설문 조사 결과를 활용하여 청중에게 신뢰감을 주고 설득력을 높이는 이성적 설득을 사용하고 있다.

10 아람이는 (라)에서 청중에게 도움을 주겠다는 내용의 노래를 불러서 청중의 감정에 호소하여 청중의 마음을 움직였다.

창의·융합·코딩 서술형 테스트 | 56~59쪽

01 면담 조사, 자료 조사

02 쓰기 윤리

03 까만, 정말

04 • (가): 윤경이는 혜성이와 둘이서 영주를 불렀다.
　　• (나): 윤경이는 혼자서 혜성이와 영주를 불렀다.

05 • [A]: (나)　• [B]: (가)　• [C]: (다)

06 연역

07 금붕어는 아가미로 숨을 쉰다.

08 ⓑ, 이성적 설득

09 인성적

10 ⓐ 정치 ⓑ 유추

01 ㉠은 청소년의 건강과 관련된 전문적인 내용이므로 주제를 잘 알고 있는 전문가를 직접 만나 정보를 수집하는

면담 조사나 책, 신문, 잡지, 인터넷 등과 같은 자료를 활용하는 자료 조사 방법을 활용하는 것이 적절하다.

평가 요소	확인
㉠을 조사하는 적절한 방법 두 가지를 바르게 서술함.	
제시된 대화를 바탕으로 적절하게 서술함.	

02 (나)에서는 조사 결과를 과장하거나 의도에 맞는 결과만 골라서 제시하려고 하고 있으며, (다)에서는 실험 결과를 고쳐야 할지 고민하고 있다. 보고서를 작성할 때에는 쓰기 윤리를 지켜 다른 사람의 글이나 자료를 인용할 경우 그 출처를 반드시 밝혀야 하고, 조사나 실험 결과를 변형하거나 왜곡하지 않아야 한다.

평가 요소	확인
(나), (다)의 학생들에게 필요한 조언을 바르게 서술함.	
2어절로 바르게 씀.	

03 다른 성분을 꾸며 주는 문장 성분은 부속 성분이다. 부속 성분에는 체언 앞에서 체언의 뜻을 꾸며 주는 관형어와 주로 용언의 뜻이 분명하게 드러나도록 꾸며 주는 부사어가 있다. '까만'은 체언인 '모자'를 꾸며 주는 관형어, '정말'은 용언인 '멋있다'를 꾸며 주는 부사어이다.

평가 요소	확인
'모자'를 꾸며 주는 관형어인 '까만'을 바르게 찾아 씀.	
'멋있다'를 꾸며 주는 부사어인 '정말'을 바르게 찾아 씀.	

04 제시된 문장은 혜성이와 윤경이 두 사람이 함께 영주를 부른 것으로도 해석되고, 윤경이가 혼자서 혜성이와 영주 두 사람을 부른 것으로도 해석되는 중의적 표현이다. (가)는 윤경이와 혜성이가 둘이서 영주를 부르는 상황, (나)는 윤경이 혼자서 혜성이와 영주를 부르는 상황이다.

평가 요소	확인
문장의 의미가 정확하게 전달되도록 바르게 고쳐 씀.	
(가), (나)에 제시된 그림의 의미를 고려하여 적절하게 고쳐 씀.	

05 [A]에는 홑문장, [B]에는 대등하게 이어진 문장, [C]에는 안은문장이 들어가야 한다. (가)는 '비가 왔다.'와 '바람이 불었다.'라는 두 홑문장이 대등하게 이어진 문장이고, (나)는 주어('동생은')와 서술어('된다')의 관계가 한 번만 나타나는 홑문장이다. (다)는 '그녀가 만든'이 뒤에 오는 '꽃다발'을 꾸며 주는 관형어 역할을 하는 안긴문장을 포함하고 있는 안은문장이다.

평가 기준

평가 요소	확인
(가)~(다)를 제시된 기준에 따라 바르게 분류함.	
[A]~[C]에 들어갈 문장의 기호를 바르게 씀.	

06 이 글에서는 일반 법칙에서 개별적이고 구체적인 사실을 이끌어 내는 논증 방법인 연역을 사용하여, 건강을 위해 자연의 시계대로 살아가자고 주장하는 글쓴이의 의도를 효과적으로 전달하고 있다.

평가 기준

평가 요소	확인
글에 사용된 논증 방법을 적절하게 평가함.	
〈조건〉에서 적절한 논증 방법을 골라 바르게 씀.	

07 이 글에는 '지구상의 모든 생명체는 과도한 인공 빛에서 벗어나야 건강하게 살 수 있다.'라는 대전제와 '인간은 지구상에 살아가는 생명체이다.'라는 소전제로부터 '그러므로 인간은 인공 빛을 줄여야 건강하게 살 수 있다.'라는 구체적인 결론을 이끌어 내는 연역의 논증 방법이 사용되었다. 연역의 논증 방법을 〈보기〉에 적용하면 '그러므로 금붕어는 아가미로 숨을 쉰다.'라는 결론을 이끌어 낼 수 있다.

평가 기준

평가 요소	확인
글에 사용된 논증 방법을 바르게 파악함.	
대전제와 소전제를 바탕으로 이끌어 낼 수 있는 결론을 바르게 서술함.	

08 (가)에는 헌혈을 하면 많은 생명을 구할 수 있다는 내용을 구체적인 수치로 제시하여 논리적이고 이성적인 방법으로 말하는 이의 주장을 뒷받침하는 이성적 설득이 사용되었다.

평가 기준

평가 요소	확인
(가)에 대한 알맞은 반응을 바르게 찾아 씀.	
(가)에 사용된 설득 전략을 바르게 씀.	

09 (나)에서는 연설자가 학생회장이 될 만한 자질인 배려하는 마음과 봉사심을 갖추었음을 강조하고 있으며, 〈보기〉에서는 연설자가 성실하게 노력하여 훌륭한 성과를 거둔 운동선수임을 내세우고 있으므로 공통적으로 인성적 설득이 사용되었다.

평가 기준

평가 요소	확인
(나)와 〈보기〉에 사용된 설득 전략을 바르게 씀.	
〈조건〉에서 적절한 설득 전략을 골라 바르게 씀.	

10 〈보기〉에서는 '행랑채 수리', '사람의 잘못', '나라의 정치'의 유사성을 바탕으로 의미를 확장해 가는 유추의 논증 방법을 사용했다.

평가 기준

평가 요소	확인
ⓐ에 들어갈 알맞은 말을 바르게 씀.	
ⓑ에 들어갈 알맞은 논증 방법을 바르게 씀.	

7일

기말고사 **기본 테스트** 1회 | 60~67쪽

01 조사 목적 및 주제 **02** ③ **03** ④ **04** ③ **05** 독립어, 주어, 서술어 **06** ⑤ **07** ④ **08** ② **09** ② **10** ⑤ **11** 반드시 **12** ③ **13** 빛 공해는 인간과 동식물에 악영향을 미친다. **14** ⑤ **15** ④ **16** ④ **17** ⑤ **18** ⑤ **19** ① **20** (다), 감성적 설득

01 보고서를 쓰기 위한 조사 계획서에는 조사 목적 및 주제, 조사 계획 등이 들어가야 한다. 1에는 조사의 목적(우리 학교 학생들의 건강을 위해)과 주제(음료수로 당류를 지나치게 섭취하는 문제)가 나타나 있다.

02 우리 학교 학생들이 음료수를 마시는 실태는 우리 학교 학생들을 대상으로 직접 설문 조사나 면담 조사를 실시하는 것이 적절하다.

03 조사에 참여한 사람들의 역할을 공평하게 분담하는 것은 보고서를 계획하는 단계에서 이루어져야 할 활동이며, 보고서를 보고 확인하기는 어려운 내용이다.

04 보고서를 작성할 때 쓰기 윤리를 지키지 않으면 글의 신뢰성이 떨어질 수 있으며 다른 사람의 저작권을 침해할 수도 있다. 또한 잘못된 정보를 전달하여 독자와 사회에 부정적인 영향을 미칠 수 있다.

05 제시된 문장에서 '와'는 감탄의 의미를 나타내는 독립어, '무지개가'는 문장에서 동작이나 작용, 상태나 성질의 주체가 되는 말인 주어, '떴다'는 문장에서 동작이나 작용, 상태나 성질 등을 풀이하는 말인 서술어이다.

06 제시된 안내문은 지나치게 긴 겹문장으로 쓰여져 의미를 파악하기 어렵고 문장 성분 사이의 호응이 어색하여 의미가 명확하게 전달되지 않는다. 그러나 중의적 표현이 사용되지는 않았다.

07 (다)는 앞뒤 문장이 대조의 의미 관계로 대등하게 이어진 문장이다.

오답 풀이
① (가)는 주어('국화가')와 서술어('피었다')의 관계가 한 번만 나타나는 홑문장이다.
② (나)는 주어('비가', '우리는')와 서술어('와서', '연기했다')의 관계가 두 번 이상 나타나는 겹문장이다. (다)는 주어('동생은', '언니는')와 서술어('먹었지만', '먹지 않았다')의 관계가 두 번 이상 나타나는 겹문장이다.

08 <보기>는 '소리도 없이'가 부사어 역할을 하는 안은문장이다.

09 (가)와 (나)는 모두 '민준이는 노래를 잘한다.'와 '민준이는 그림도 잘 그린다.'라는 두 홑문장이 결합하여 이루어진 겹문장이다. (가)는 두 홑문장이 대등하게 이어진 문장이고, (나)는 '노래를 잘하는'이 관형어 역할을 하는 안은문장이다.

10 (가)와 같이 홑문장을 주로 활용한 글은 간결하고 긴장감을 주고, (나)와 같이 겹문장을 주로 활용한 글은 내용 사이의 연결 관계가 잘 드러나며 좀 더 논리적인 느낌을 준다. 따라서 어떤 짜임의 문장을 활용하느냐에 따라 표현 효과가 달라지므로 표현 의도를 고려하여 적절한 짜임의 문장을 활용해야 한다.

11 부사어 '결코'는 부정의 의미를 나타내는 서술어와 호응하므로 '하겠다'와 호응하지 않는다. 따라서 '그 일은 반드시 오늘까지 해야 한다.'라고 고쳐 써야 정확하고 자연스러운 문장이 된다.

12 (다)에서는 인공조명이 없던 과거로 돌아가자는 것이 아니라, 건강한 삶을 위해 인공 빛을 줄이려는 노력이 필요함을 주장하고 있다.

13 (나)에서는 빛 공해가 인간과 동물, 식물에 미치는 악영향을 구체적인 사례를 들어 제시하고, 이를 바탕으로 빛 공해는 인간과 동식물에 악영향을 미친다는 결론을 이끌어 내고 있다.

14 (라)에는 글쓴이가 경험을 통해 얻은 깨달음을 다른 대상이나 현상에 적용하여 해석하는 유추의 논증 방법이 사용되었다.

15 ㄹ은 한 번 잘못을 저지른 사람이라도 잘못을 알고 그 잘못한 일을 빨리 바로잡으면 착한 사람이 될 수 있음을 뜻한다.

16 보고서를 쓸 때 실험 결과를 조정하는 것은 쓰기 윤리에 어긋나는 행동이므로 실험 결과를 사실대로 기록해야 한다.

17 (가)와 (나)에 연설자가 경험에서 얻은 깨달음을 다른 현상에 적용하여 해석한 내용은 드러나지 않는다.

18 (나)에서 연설자가 운동선수로 활동한 자신의 경험을 바탕으로 청중을 설득한 것은 인성적 설득에 해당한다.

19 이 광고는 헌혈의 필요성과 가치를 제시하여 헌혈에 동참할 것을 설득하고 있다.

20 제시된 글에서는 동정심에 호소하는 감성적 설득을 사용하고 있다. (다)에는 헌혈이 누군가의 삶에 희망을 줄 수 있다는 내용으로 듣는 이의 감정에 호소함으로써 듣는 이의 마음을 움직이려는 감성적 설득이 사용되었다.

01 ⑤ **02** (나): 현장 조사 (다): 자료 조사 (라): 면담 조사
03 ② **04** ③ **05** ② **06** ① **07** ③ **08** 주어
09 [A]: ㉡ [B]: ㉢, ㉣ [C]: ㉠ **10** 대등하게, 종속적으로
11 ⑤ **12** ① **13** ④ **14** ④ **15** ㉡ **16** 유추 **17** ㉠,
㉡, ㉣ **18** ③ **19** (라) **20** ③

01 (가)에는 일주일에 음료수를 마시는 횟수가 나타나 있
으므로 빈칸에는 물을 제외한 음료수를 일주일에 몇
번 마시는지 물어보는 질문이 들어가야 한다.

02 (나)는 직접 방문해서 조사한 내용이므로 현장 조사,
(다)는 인터넷을 활용하여 찾은 내용이므로 자료 조사,
(라)는 보건 선생님께 여쭤본 내용이므로 면담 조사이
다.

03 음료수에 들어 있는 당류의 양은 현장 조사나 자료 조
사를 통해 확인하는 것이 적절하다.

04 보고서를 쓸 때 조사 결과를 축소하는 것은 쓰기 윤리
에 어긋나는 행동이므로 적절하지 않다.

05 다른 성분을 꾸며 주는 부속 성분에는 관형어, 부사어
가 있다. 독립어는 다른 성분과 직접적인 관계를 맺지
않고 독립적으로 쓰이는 독립 성분에 해당한다.

06 ①은 주어('동생은')와 서술어('된다')의 관계가 한 번만
나타나는 홑문장이고, 나머지는 모두 주어와 서술어의
관계가 두 번 이상 나타나는 겹문장이다.

07 ⓐ는 주성분인 주어('하늘이')와 서술어('파랗다')로 이
루어져 있어 어느 하나라도 생략하면 문장의 의미가
온전하지 않다. ⓑ는 독립 성분인 독립어('와')와 주성
분인 주어('무지개가'), 서술어('떴다')로 이루어져 있으
므로 독립 성분인 '와'를 생략해도 의미가 온전하다.

08 제시된 문장은 '주인공이 범인임'이 주어 역할을 하는
안은문장이다.

09 [A]에는 홑문장이, [B]에는 이어진문장이, [C]에는 안
은문장이 들어가야 한다. ㉠은 안은문장, ㉡은 홑문장,
㉢과 ㉣은 이어진문장이다.

10 ㉠은 앞뒤 문장이 나열의 의미 관계로 대등하게 이어

진 문장이고, ㉡은 앞뒤 문장이 원인과 결과의 의미 관
계로 종속적으로 이어진 문장이다.

11 ㉢는 '어제'가 '(고향에서) 온'을 꾸며 주는 것으로도, '만
났다'를 꾸며 주는 것으로도 해석되는 중의적 표현이다.

12 제시된 대화에서는 우리 동아리에는 꽃꽂이를 좋아하는
친구들이 모였다는 대전제로부터 수민이도 꽃꽂이를 좋
아할 것이라는 구체적인 사실을 이끌어 내는 연역적 추
리로 논리를 전개하고 있다.

13 이 글의 글쓴이는 빛 공해가 사람과 동식물에 미치는
악영향을 구체적인 근거로 제시하며 건강한 삶을 위해
빛 공해를 줄이려는 노력이 필요함을 주장하고 있다.

14 (나)~(라)에서는 빛 공해가 인간과 동식물에 미치는
악영향을 근거로 제시하여 〈보기〉의 주장을 이끌어 내
고 있으므로 구체적이고 개별적인 사실에서 일반 법칙
을 이끌어 내는 귀납의 논증 방법이 사용되었다.

15 (바)에는 일반 법칙에서 개별적이고 구체적인 사실을
이끌어 내는 연역의 논증 방법이 사용되었고, ㉡ 역시
물고기가 아가미로 숨을 쉰다는 일반 법칙에서 금붕어
가 아가미로 숨을 쉰다는 구체적인 사실을 이끌어 냈
다. ㉠, ㉢에는 귀납의 논증 방법이 사용되었다.

16 이 글에서는 집을 수리하는 경험에서 얻은 깨달음을
사람의 잘못을 고치는 일과 나라를 다스리는 일에 적
용하여 해석하는 유추를 사용하여 내용을 전개했다.

17 아람이는 행복이 넘치는 학교를 만들기 위한 세 가지
공약을 제시했다. ㉠은 첫 번째 공약, ㉡은 두 번째 공
약, ㉣은 세 번째 공약에 해당한다.

18 아람이는 (나)에서 우리 학교 학생들을 대상으로 한 설
문 조사 결과를 활용하여 청중에게 신뢰감을 주고 설
득력을 높이는 이성적 설득을 사용하고 있다.

19 (라)에서 아람이는 친구들이 곤란할 때 도움을 주겠다
는 자신의 진심이 담긴 노래를 부름으로써 청중의 감
정에 호소하고 있다.

20 이 광고에서 말하는 이의 사람 됨됨이를 바탕으로 하
여 내용에 신뢰를 갖게 하는 인성적 설득은 사용되지
않았다.

기말고사 대비

필수 어휘
모아 보기

단원별 개념어와 핵심 어휘로
어휘력을 길러 보세요!

(1) 보고하는 글 쓰기

섭취하다

(동사) 생물체가 양분 따위를 몸속에 빨아들이다.

(예) 당류를 지나치게 섭취하면 건강에 나쁜 영향을 줄 수 있다.

지나치다

(형용사) 일정한 ❶ [ㅎㄷ] 를 넘어 정도가 심하다.

(예) 그는 돈에 대한 지나친 욕심 때문에 결국 신뢰를 잃고 말았다.

윤리

(명사) 사람으로서 마땅히 행하거나 지켜야 할 도리.

(예) 그는 사회적 윤리 규범을 지키면서 살아왔다.

❷ [ㅂㄷ]

(명사) 나누어서 맡음.

(예) 집안일을 공평하게 ❷ [ㅂㄷ] 해서 모두가 만족했다.

간결하다

(형용사) ❸ [ㄱㄷ] 하면서도 짜임새가 있다.

(예) 그가 쓴 글은 간결하고 명료했다.

베끼다

(동사) 글이나 그림 따위를 원본 그대로 옮겨 쓰거나 그리다.

(예) 글을 쓸 때에는 다른 사람의 저작물을 베끼거나 짜깁기하면 안 된다.

❹ [ㅇㅅ] 하다

(동사) 사물을 분별하고 판단하여 알다.

(예) 그들은 현재의 상황을 안정적이라고 ❹ [ㅇㅅ] 하고 있다.

답 ❶ 한도 ❷ 분담 ❸ 간단 ❹ 인식

변형

명사 모양이나 형태가 달라지거나 달라지게 함. 또는 그 달라진 형태.

예 이 유모차는 자동차 안전 시트로 변형이 가능하다.

❺ ○○ 하다

동사 남의 말이나 글을 자신의 말이나 글 속에 끌어 쓰다.

예 다른 사람의 글이나 자료를 ❺ ○○ 할 때에는 출처를 정확하게 밝혀야 한다.

(2) 문장의 짜임과 양상

짜임

명사 조직이나 ❻ ㄱㅅ .

예 이 글은 짜임이 매우 치밀하여 논리적이다.

온전하다

형용사 잘못된 것이 없이 바르거나 옳다.

예 큰 충격을 받아 온전한 정신으로 버티기 힘들었다.

확대

명사 모양이나 규모 따위를 더 크게 함.

예 생산 설비의 확대가 가장 시급한 과제이다.

대등하다

형용사 서로 견주어 높고 낮음이나 낫고 못함이 없이 ❼ ㅂㅅ 하다.

예 두 팀의 실력이 대등해서 승패를 예측하기가 어렵다.

❽ ㅈㅅ 적

관형사·명사 어떤 것에 딸려 붙어 있는. 또는 그런 것.

예 그 기관은 ❽ ㅈㅅ 적인 위치에서 벗어나 자율성을 보장받게 되었다.

답 ❺ 인용 ❻ 구성 ❼ 비슷 ❽ 종속

호응

명사 앞에 어떤 말이 오면 거기에 응하는 말이 따라옴. 또는 그런 일.

예 이 문장은 목적어와 서술어의 호응이 이루어지지 않았다.

⑨ ㅈㅇ 적

관형사·명사 한 단어나 문장이 두 가지 이상의 뜻으로 해석될 수 있는. 또는 그런 것.

예 설명문을 쓸 때에는 가급적 ⑨ ㅈㅇ 적 표현을 삼가는 것이 좋다.

⑩ ㅇㄱㅊ

명사 사람이 있음을 알 수 있게 하는 소리나 기색.

예 갑작스러운 ⑩ ㅇㄱㅊ 에 놀란 그는 밖으로 나왔으나 밖에는 아무도 없었다.

효과적

관형사·명사 어떤 목적을 지닌 행위에 의하여 보람이나 좋은 결과가 드러나는. 또는 그런 것.

예 친밀한 대화는 부드러운 분위기를 형성하는 데 상당히 효과적인 방법이다.

⑪ ㅊㅊ 하다

동사 미루어 생각하여 헤아리다.

예 그녀는 그 사람의 말투와 행동 등을 관찰하여 그의 직업을 ⑪ ㅊㅊ 해 보았다.

홀몸

명사 딸린 사람이 없는 ⑫ ㅎㅈ 의 몸. 아이를 배지 아니한 몸.

예 남북 분단으로 가족과 헤어져 홀몸이 된 그는 늘 외로워했다.

홑이불

명사 안을 두지 아니한, 홑겹으로 된 이불.

예 날이 더워져 홑이불을 꺼내 덮었다.

답 ⑨ 중의 ⑩ 인기척 ⑪ 추측 ⑫ 혼자

겹경사

명사 둘 이상 겹친 기쁜 일.

예 그는 결혼과 동시에 시험에 합격하는 겹경사를 맛보았다.

● 선택 학습

가습

명사 공기가 건조할 때 [13] ㅅㄱ 를 보충하는 일.

예 이번에 새로 나온 공기 청정기에는 가습 기능이 추가되었다.

유의하다

동사 마음에 새겨 두어 조심하며 [14] ㄱㅅ 을 가지다.

예 독감이 유행하는 철이라 건강에 유의해야 한다.

선무당이 사람 잡는다

속담 능력이 없어서 제구실을 못하면서 함부로 하다가 큰일을 저지르게 됨을 비유적으로 이르는 말.

예 어설픈 재주로 오진을 하다니, 선무당이 사람 잡을 뻔했구나.

[15] ㅁㅎ 하다

형용사 명백하고 확실하다.

예 이제 그 문제에 대해 [15] ㅁㅎ 한 입장을 밝혀야 할 때이다.

중단

명사 중도에서 끊어지거나 끊음.

예 갑작스러운 지하철 운행 중단으로 많은 시민이 불편을 겪었다.

[16] ㅎㅈ

명사 힘을 보태어 도움.

예 교통 문제를 해결하기 위해서는 시민들의 자발적인 [16] ㅎㅈ 가 필요하다.

답 [13] 습기 [14] 관심 [15] 명확 [16] 협조

어휘 확인하기

01 〈보기〉에서 단어의 뜻풀이에 알맞은 말을 찾아 쓰시오.

보기
구성   도리   현상

(1) 윤리: 사람으로서 마땅히 행하거나 지켜야 할 (   ).

(2) 짜임: 조직이나 (   ).

02 다음 단어와 뜻을 바르게 연결하시오.

(1) 중의적 •

(2) 종속적 •

(3) 효과적 •

• ㉠ 어떤 것에 딸려 붙어 있는. 또는 그런 것.

• ㉡ 한 단어나 문장이 두 가지 이상의 뜻으로 해석될 수 있는. 또는 그런 것.

• ㉢ 어떤 목적을 지닌 행위에 의하여 보람이나 좋은 결과가 드러나는. 또는 그런 것.

03 다음 문장의 괄호 안에서 알맞은 말을 고르시오.

(1) 이런 날씨에는 감기에 걸리지 않도록 (온전, 유의)해야 한다.

(2) 많은 사람이 환경 오염을 심각한 문제로 (인식, 인용)하고 있다.

04 다음 빈칸에 공통으로 들어갈 말로 적절한 것은?

• 굽신거리지 말고 그와 (   ) 위치에서 당당하게 이야기해 봐.

• 우리 축구 대표팀이 브라질 팀을 상대로 (   ) 경기를 펼쳐 박수를 받았다.

① 독립된   ② 명확한   ③ 대등한

④ 종속적   ⑤ 대립하는

05 다음 단어와 뜻을 바르게 연결하시오.

(1) 분담 •

(2) 변형 •

(3) 중단 •

• ㉠ 나누어서 맡음.

• ㉡ 중도에서 끊어지거나 끊음.

• ㉢ 모양이나 형태가 달라지거나 달라지게 함. 또는 그 달라진 형태.

06 다음 문장의 괄호 안에서 알맞은 말을 고르시오.

(1) 놀부는 (간결한, 지나친) 욕심 때문에 벌을 받았다.

(2) 인터넷에서 찾은 내용을 그대로 (베껴서, 섭취해서) 사용하면 안 된다.

(3) 전문가들은 그 도자기가 적어도 500년 이상 된 것으로 (측정했다, 추측했다).

07 〈보기〉의 ㉠~㉣ 중, 빈칸에 들어갈 말이 바르게 연결되지 않은 것을 고르시오.

┤ 보기 ├

㉠ (   )이 나자 주변의 새가 모두 날아올랐다. – 인기척

㉡ 그는 사고로 가족을 모두 잃고 (   )이 되었다. – 홀몸

㉢ 그녀는 최근에 두 자녀가 한꺼번에 취직하는 (   )를 맞았다. – 겹경사

㉣ 올여름은 유난히 습해서 사람들은 저마다 (   )에 신경을 썼다. – 가습

08 〈보기〉에서 다음 설명에 해당하는 단어를 고르시오.

┤ 보기 ├

협조   확대   호응

앞에 어떤 말이 오면 거기에 응하는 말이 따라오는 일을 의미하며, '결코'가 오면 서술어에 부정, '아마'가 오면 서술어에 추측의 뜻을 가지는 말이 오는 것 따위를 말한다.

4단원 세상을 보는 눈

(1) 논증 방법
파악하며 읽기

논증

명사 옳고 그름을 이유를 들어 밝힘. 또는 그 근거나 이유.

예 주장하는 글을 읽을 때에는 글에 사용된 논증 방법을 파악하는 것이 좋다.

설득

명사 상대편이 이쪽 편의 이야기를 따르도록 여러 가지로 깨우쳐 말함.

예 어머니의 끈질긴 설득과 호소로 그는 자수를 결심했다.

---

❶ [ㅂㅂ]되다

동사 샘세포의 작용에 의하여 만들어진 액즙이 배출관으로 보내지다.

예 땀은 주로 날씨가 덥거나 운동을 하거나 긴장을 하거나 몸에서 열이 날 때 ❶[ㅂㅂ]된다.

노출되다

동사 ❷[ㄱ]으로 드러나다.

예 무단으로 개인 정보가 노출된 다수의 시민이 여러 가지 피해를 호소하고 있다.

공해

명사 산업이나 교통의 발달에 따라 사람이나 생물이 입게 되는 여러 가지 ❸[ㅍㅎ]

예 각종 공해로 환경 오염이 심각한 상황이다.

면역

명사 몸속에 들어온 병원(病原) 미생물에 대항하는 항체를 생산하여 독소를 중화하거나 병원 미생물을 죽여서 다음에는 그 병에 걸리지 않도록 된 상태. 또는 그런 작용.

예 예방 주사를 맞은 사람은 그 병에 면역이 생겼다.

---

❹ [ㅇㅈ]하다

동사 정도나 한도를 넘어서 나아가려는 것을 억눌러 그치게 하다.

예 암세포의 번식을 ❹[ㅇㅈ]하는 새로운 물질이 발견되었다.

답 ❶분비 ❷겉 ❸피해 ❹억제

이탈하다

동사 어떤 범위나 대열 따위에서 떨어져 나오거나 떨어져 나가다.

예 강연이 길어지면서 자리를 이탈하는 사람이 늘어났다.

⑤ ㅇㅇㅎ

명사 나쁜 영향.

예 공해는 도시 환경에 ⑤ ㅇㅇㅎ 을 미치고 있다.

방지하다

동사 어떤 일이나 현상이 일어나지 못하게 막다.

예 화재를 미연에 방지하려면 안전 예방 수칙을 지켜야 한다.

과도하다

형용사 ⑥ ㅈㄷ 에 지나치다.

예 그들의 과도한 요구를 수용하기는 어렵다.

인공

명사 ⑦ ㅅㄹ 의 힘으로 자연에 대하여 가공하거나 작용을 하는 일.

예 공원 근처에 인공 호수가 있어서 저녁 무렵이면 산책 나온 사람들로 붐볐다.

타당하다

형용사 일의 이치로 보아 옳다.

예 주장하는 글을 쓸 때에는 타당한 근거를 제시해야 한다.

⑧ ㅎㅅㅅㅅ 하다

동사 조리가 없이 말을 이러쿵저러쿵 지껄이다.

예 나는 당황하면 ⑧ ㅎㅅㅅㅅ 하는 버릇이 있다.

답 ⑤ 악영향 ⑥ 정도 ⑦ 사람 ⑧ 횡설수설

4단원

(2) 설득 전략
분석하며 듣기

의도

명사 무엇을 하고자 하는 ^⑨ [ㅅㄱ] 이나 계획. 또는 무엇을 하려고 꾀함.

예 내가 나쁜 의도로 그런 것은 아니지만 그 친구는 기분이 상했을 것이다.

인상적

관형사·명사 인상이 강하게 남는. 또는 그런 것.

예 그 영화배우는 날카로운 눈매가 인상적이었다.

비판적

관형사·명사 현상이나 사물의 옳고 그름을 판단하여 밝히거나 잘못된 점을 지적하는. 또는 그런 것.

예 그 친구는 매사에 너무 비판적이다.

^⑩ [ㄱㅈ]

명사 선물이나 기념으로 남에게 물품을 거저 줌.

예 도서관의 책들 대부분이 어느 기업으로부터 ^⑩ [ㄱㅈ] 을 받은 것이라고 한다.

공약

명사 정부, 정당, 입후보자 등이 어떤 일에 대하여 국민에게 실행할 것을 약속함. 또는 그런 약속.

예 새로 취임한 시장은 선거 때 내걸었던 공약을 이행하려고 노력 중이다.

^⑪ [ㅊㅈ] 하다

동사 시합이나 경기 따위에 나가다.

예 이번 월드컵에 한국 대표로 ^⑪ [ㅊㅈ] 하게 된 그는 연습에 매진했다.

성과

명사 이루어 낸 ^⑫ [ㄱㅅ].

예 우리는 이번 시합에서 기대 이상의 성과를 올렸다.

답 ⑨ 생각 ⑩ 기증 ⑪ 출전 ⑫ 결실

조삼모사

명사 간사한 꾀로 남을 속여 희롱함을 이르는 말.

예 회사 측에서는 근본적인 대책 마련보다는 조삼모사로 우리를 설득하려고 했다.

⑬ ㄱㅇㅇㅅ

명사 귀가 솔깃하도록 남의 비위를 맞추거나 이로운 조건을 내세워 꾀는 말.

예 그는 판매원의 ⑬ ㄱㅇㅇㅅ 에 넘어가 덜컥 그 물건을 사 버렸다.

갑론을박

명사 여러 사람이 서로 자신의 주장을 내세우며 상대편의 주장을 ⑭ ㅂㅂ 함.

예 그 문제에 대해 갑론을박이 벌어졌지만 뾰족한 해결 방안을 찾지는 못했다.

● 선택 학습

수리하다

동사 고장 나거나 허름한 데를 손보아 고치다.

예 부모님이 사시던 낡은 집을 수리했더니 새 집처럼 변했다.

위태하다

형용사 어떤 형세가 마음을 놓을 수 없을 만큼 ⑮ ㅇㅎ 하다.

예 갑작스러운 폭우로 축대가 위태하여 주민들이 대피했다.

활용하다

동사 충분히 잘 이용하다.

예 자투리 시간을 잘 활용하면 자기 계발에 도움이 된다.

⑯ ㅊㅅ 하다

형용사 새롭고 산뜻하다.

예 올해 졸업 작품전에 출품한 그림 중에 ⑯ ㅊㅅ 한 작품이 많이 있었다.

답 ⑬ 감언이설 ⑭ 반박 ⑮ 위험
⑯ 참신

01 다음 단어와 뜻을 바르게 연결하시오.

(1) 논증 •

(2) 설득 •

(3) 의도 •

• ㉠ 옳고 그름을 이유를 들어 밝힘. 또는 그 근거나 이유.

• ㉡ 무엇을 하고자 하는 생각이나 계획. 또는 무엇을 하려고 꾀함.

• ㉢ 상대편이 이쪽 편의 이야기를 따르도록 여러 가지로 깨우쳐 말함.

02 〈보기〉에서 다음 설명에 해당하는 단어를 찾아 쓰시오.

┌ 보기 ┐
| 면역 | 분비되다 | 공해 |

(1) 샘세포의 작용에 의하여 만들어진 액즙이 배출관으로 보내지다. (   )

(2) 몸속에 들어온 병원(病原) 미생물에 대항하는 항체를 생산하여 독소를 중화하거나 병원 미생물을 죽여서 다음에는 그 병에 걸리지 않도록 된 상태. (   )

03 다음 문장의 괄호 안에서 알맞은 말을 고르시오.

(1) 대열에서 (노출되지, 이탈하지) 말고 잘 따라오세요.

(2) 수해를 (방지하기, 억제하기) 위해 장마에 철저히 대비하도록 합시다.

04 〈보기〉의 빈칸에 들어갈 단어로 알맞은 것은?

┌ 보기 ┐
학생 1: 그러니까 어제 내가 그 일을 하기로 했었는데, 오늘 네가 와 있으니까 어떻게 해야 할지 모르겠고, 다른 애들 생각은 어떤지 물어봐서……

학생 2: 도대체 무슨 말을 하는 거니? (   )해서 알아들을 수가 없잖아.

① 감언이설   ② 갑론을박   ③ 조삼모사

④ 좌지우지   ⑤ 횡설수설

05 다음 문장의 괄호 안에서 알맞은 말을 고르시오.

(1) 그 감독은 조명을 (비판적, 인상적)으로 쓰는 것으로 유명하다.

(2) 어머니를 설득하기 위해서는 (과도한, 타당한) 근거를 제시해야 한다.

06 〈보기〉에서 다음 빈칸에 들어갈 말을 찾아 쓰시오.

| 보기 |
| 참신한　　　　출전한　　　　억제한 |

(1) 이 아이가 이번에 학교 대표로 육상 경기에 (　　　　) 친구야.

(2) 너무 익숙한 인물들 말고 (　　　　) 인물을 찾아보는 게 어때?

07 다음 빈칸에 들어갈 말이 바르게 짝지어진 것은?

| 이번 폭우로 낡은 다리가 (　　　　)하니, 하루빨리 (　　　　)해야 한다. |

① 위중, 수리　　　　　② 위중, 활용　　　　　③ 위태, 활용

④ 위태, 수리　　　　　⑤ 위태, 기증

08 다음 단어와 뜻을 바르게 연결하시오.

(1) 공약 •　　　　　　　• ㉠ 이루어 낸 결실.

(2) 인공 •　　　　　　　• ㉡ 사람의 힘으로 자연에 대하여 가공하거나 작용을 하는 일.

(3) 성과 •　　　　　　　• ㉢ 정부, 정당, 입후보자 등이 어떤 일에 대하여 국민에게 실행할 것을 약속함. 또는 그런 약속.

3. 탐구하는 우리

어휘 확인하기 | 48~49쪽

01 (1) 도리 (2) 구성 02 (1) ㉡ (2) ㉠ (3) ㉢ 03 (1) 유의 (2) 인식 04 ③ 05 (1) ㉠ (2) ㉢ (3) ㉡ 06 (1) 지나친 (2) 베껴서 (3) 추측했다 07 ㉣ 08 호응

01 (1) '윤리'는 '사람으로서 마땅히 행하거나 지켜야 할 도리.'를 의미한다.
(2) '짜임'은 '조직이나 구성.'을 의미한다.

03 (1) '마음에 새겨 두어 조심하며 관심을 가지다.'를 의미하는 '유의하다'가 적절하다.
(2) '사물을 분별하고 판단하여 알다.'를 의미하는 '인식하다'가 적절하다.

04 두 대상이 비슷한 상황임을 의미하고 있으므로 '서로 견주어 높고 낮음이나 낫고 못함이 없이 비슷하다.'를 의미하는 '대등한'이 공통으로 들어갈 말로 적절하다. ① '독립된'은 '다른 것에 예속하거나 의존하지 아니하는 상태로 되다.', ⑤ '대립하는'은 '의견이나 처지, 속성 따위가 서로 반대되거나 모순되다.'를 의미한다.

06 (1) '일정한 한도를 넘어 정도가 심하다.'를 의미하는 '지나친'이 적절하다.
(2) '글이나 그림 따위를 원본 그대로 옮겨 쓰거나 그리다.'를 의미하는 '베껴서'가 적절하다.
(3) '미루어 생각하여 헤아리다.'를 의미하는 '추측했다'가 적절하다.

07 '가습'은 '공기가 건조할 때 습기를 보충하는 일.'을 의미하므로 습한 여름에 신경 쓸 문제로 적절하지 않다. ㉠ '인기척'은 '사람이 있음을 알 수 있게 하는 소리나 기색.', ㉡ '홑몸'은 '딸린 사람이 없는 혼자의 몸.', ㉢ '겹경사'는 '둘 이상 겹친 기쁜 일.'을 의미한다.

08 '앞에 어떤 말이 오면 거기에 응하는 말이 따라옴. 또는 그런 일.'을 의미하는 단어는 '호응'이다.

4. 세상을 보는 눈

어휘 확인하기 | 54~55쪽

01 (1) ㉠ (2) ㉢ (3) ㉡ 02 (1) 분비되다 (2) 면역 03 (1) 이탈하지 (2) 방지하기 04 ⑤ 05 (1) 인상적 (2) 타당한 06 (1) 출전한 (2) 참신한 07 ④ 08 (1) ㉢ (2) ㉡ (3) ㉠

02 (1) '샘세포의 작용에 의하여 만들어진 액즙이 배출관으로 보내지다.'를 뜻하는 단어는 '분비되다'이다.
(2) '몸속에 들어온 병원(病原) 미생물에 대항하는 항체를 생산하여 독소를 중화하거나 병원 미생물을 죽여서 다음에는 그 병에 걸리지 않도록 된 상태.'를 뜻하는 말은 '면역'이다.

03 (1) '어떤 범위나 대열 따위에서 떨어져 나오거나 떨어져 나가다.'를 의미하는 '이탈하지'가 적절하다.
(2) '어떤 일이나 현상이 일어나지 못하게 막다.'를 의미하는 '방지하기'가 적절하다.

04 학생 1이 조리 없이 아무 말이나 하고 있는 상황이므로 '조리가 없이 말을 이러쿵저러쿵 지껄이다.'를 의미하는 '횡설수설'이 적절하다. ④ '좌지우지'는 '이리저리 제 마음대로 휘두르거나 다룸.'을 의미한다.

05 (1) '인상에 강하게 남는. 또는 그런 것.'을 의미하는 '인상적'이 적절하다.
(2) '일의 이치로 보아 옳다.'를 의미하는 '타당한'이 적절하다.

06 (1) '시합이나 경기 따위에 나가다.'를 의미하는 '출전한'이 적절하다.
(2) '새롭고 산뜻하다.'를 의미하는 '참신한'이 적절하다.

07 폭우로 다리가 위험하여 빨리 고쳐야 한다는 의미이므로 차례대로 '어떤 형세가 마음을 놓을 수 없을 만큼 위험하다.'를 의미하는 '위태하다'와 '고장 나거나 허름한 데를 손보아 고치다.'를 의미하는 '수리하다'가 적절하다.

내 안의 국어 DNA를 깨우자!

국어 공부력을 기르는
DNA 깨우기

중학에서 다지는 국어 공부력

비문학 독해, 문법, 어휘, 문학 등
어느 것 하나 놓칠 수 없는
중학 국어 공부의 확실한 해법!

알찬 구성, 친절한 안내

개념·원리 이해부터 문제 적용까지
학습 계획표를 따라 공부하면
어느새 실력이 쑥쑥!

교과 연계로 학습 효율 UP

교과와 연계하여 내용을 선정함으로써
배경지식을 쌓으며 내신도 챙길 수 있는
일석이조의 효율적인 학습 시스템!

비문학 독해 DNA깨우기 (3권)
1. 독해원리 / 2. 독해유형 / 3. 기출유형

문법 DNA깨우기 (1권)

어휘 DNA깨우기 (2권) 기본 / 실력

COMING SOON ─ **문학 DNA 깨우기** (3권) 2021년 하반기 출간 예정

book.chunjae.co.kr

교재 내용 문의	··············	교재 홈페이지 ▶ 중등 ▶ 교재상담
교재 내용 외 문의	··············	교재 홈페이지 ▶ 고객센터 ▶ 1:1문의
발간 후 발견되는 오류	··············	교재 홈페이지 ▶ 중등 ▶ 학습지원 ▶ 학습자료실